Natte dozen

Marnix Peeters

roman

De Bezige Bij Antwerpen

Natte dozen

John Wolf staarde haar aan.

'Van de meeste boeken weet je dat er niets *gebeurt*', zei Jillsy. 'Heregod, dat zult u toch wel weten? Van andere boeken weet je wat er gaat gebeuren, dus die hoef je ook niet te lezen. Maar dit boek,' zei Jillsy, 'dit boek is zo getikt dat je weet dat er iets zal gebeuren – alleen kun je je maar niet voorstellen wat. Je moet zelf getikt zijn om te kunnen raden wat er in dit boek gebeurt.'

'Dus heb je het gelezen om dat te ontdekken?' vroeg John Wolf.

'Waarom zou je anders een boek lezen, nietwaar?' zei Jillsy Sloper.

JOHN IRVING

Je ne te quitterai point que je ne t'aie vu pendu.

MOLIÈRE

❧

Wraak is een gerecht dat koud gegeten moet worden.

JOSEPH GOEBBELS (O.A.)

❧

Er komen nog genoeg ernstige mensen na ons.

EVA BERGHMANS

❧

Es bleibt zwischen Menschen, sie seien noch so eng
verbunden, immer ein Abgrund offen, den nur die Liebe,
und auch nur mit einem Notsteg, überbrücken kann.

HERMANN HESSE

Voor Sus en Wis,
alias Mars en Eef

en voor Meisje en Zotte Fons

Ik zweer het, kameraad, mocht ge mij nog horen,
bij uw vrouwmens daarboven: ik had hem gewoon
niet herkend. Ik heb die een keer goed bij zijn kloten gehad,
met zijn papieren.

Ik sta er goed op, ik zweer het u.

EEN

Luister.

Ik ben van pure ellende gestopt met de firma.

Het was altijd hetzelfde. Dat laat zich in dienst nemen, en een paar maanden later staat dat met blozende wangen in uw kantoor om te zeggen dat ze vol zitten. Eén heeft het ooit bestaan haar predictor te laten zien, nog nat van de ochtendurine, of het moest haar zweet geweest zijn, want het was een dikke, en ik kan mij bovendien voorstellen dat al dat geprofiteer, hoe schaamteloos ze het ook uitdokteren en inplannen, toch nog ergens een effect heeft op het geweten. Zeker op het moment dat ze het met hun paarse smoel moeten opbiechten aan de baas, die geen andere keus heeft dan maar te knikken en hun nog proficiat te wensen ook. Niet voor die kleine, wel voor het feit dat ze zo kunstig en bovendien op wettelijke basis in zijn zakken zitten, dat hij weer zijn hele organisatie kan gaan herplannen dankzij die erwt die in hun vadsige schoot aan een groeiproces is begonnen, voor zijn lorrige moeder uit knikkerend en later hink-stap-springend van zwangerschapsverlof via postnatale herstelperiode naar ouderschapsvakantie. Om nog maar te zwijgen van de dagen dat ze op het laatste nippertje afbellen omdat het mormel eveneens op de valreep weer eens het kot heeft ondergekotst, of dat zijn stront een beetje geel zag en ze naar de dokter moeten om te zien of het geen geelzucht heeft, en daarvoor weer een halve dag pakken, volledig betaald, uiteraard op een moment dat het juist goed druk is.

Nadat de eerste van die feestpakketten van de overheid opgesoupeerd zijn, staan ze twintig kilo zwaarder weer in uw kantoor om een drie vijfde te komen vragen. Omdat ze het allemaal niet kunnen bolwerken. 'Hoezo?' vraagt men dan, aangezien ze twee dagen in de week een poetsvrouw hebben, hun vader de tuin komt doen en hun vent driekwart van de rest van het huishouden doet, want dat staat zo in hun vakbladen, maar dat mag men allemaal niet zeggen, want dan lopen ze naar de vakbond om een klacht neer te leggen wegens ongepermitteerde beledigingen of ander ongewenst gedrag waar controleraden voor bestaan.

Maar nee, ze kunnen het niet bolwerken, want ze hebben te weinig qualitytime met hun Shana of hun Bradley, ze zien dat kind niet opgroeien, alsof daar iets aan te zien is. Op dat moment kan men er vergif op innemen dat binnen de drie, vier maanden hun vent vertrokken is, uitgekeken op zijn dikke thuiszittende kloek en moegetergd door haar hormonale humeur, en het beu dat hij elke avond in bed die bleke norse spekrug naar zich toe krijgt, als hij na een jaar van onthouding nog eens wil neuken, en hij is dan maar met zijn trieste collega op het werk aan de slag gegaan, ook een kutwijf, maar tenminste een dat hem niet de hele dag op de nek zit.

Nog eens vlak daarna melden ze zich ziek wegens aanhoudende neerslachtigheid, en ge moogt godverdomme van véél geluk spreken als er niet nog even later een aangetekende brief van een advocatenkantoor op uw bureau ligt om te zeggen dat ze u aanklagen wegens onverantwoorde werkdruk, waardoor hun leven naar de knoppen is gegaan, en als men dan opwerpt dat ze van de voorbije driehonderd dagen er vierenzestig volledig hebben gewerkt, wat toch nogal meevalt, zetten ze nog een tandje bij en vinden ze wel ergens een ethische commissie die u gaat berechten wegens minachting van de werknemer.

Nee, ik krijg het schijt van wijven.

TWEE

Nu is het weer rijst, deze middag. Ik vind dat niet slecht, maar geen drie keer per week.

Heb ik dat al verteld, Dré, van die keer? Ik dacht: ik help die kerels.

Ik zei: 'Wat zoekt u, beste vrienden uit het Oosten? Bent u de weg kwijt? Vindt u het museum of de souvenirshop van uw wensen niet? Is uw gids er met de rest van de groep vandoor?'

Mijn kennis van de Engelse taal is vrijwel voortreffelijk, dus daar kan het niet aan gelegen hebben dat deze vier mij aankeken als was ik een kikker op een fiets.

Ik zei: 'U bent klaarblijkelijk verdwaald, anders zou u hier niet zo op uw stratenplan staan te koekeloeren, wijzend naar links en u omdraaiend naar rechts, speurend naar straatnaambordjes en dan luid in uw kindertaaltje kakelend dat u de plek hebt gevonden, waarna er schijnbaar ruzie is ontstaan. Ik vraag het u nog een keer klaar en duidelijk: wat zoekt u? Waar wilt u graag naartoe? Wat zijn uw verwachtingen?'

'Yes!' sprak heftig knikkend de lelijkste van de vier, ofschoon de anderen ook niet bepaald beantwoordden aan onze normen op het gebied van uiterlijk, maar dat doen weinigen van deze rijstfiguren. Vooreerst zijn zij, zoals negers, niet of zeer moeilijk uit elkaar te houden, en hebben zij allemaal iets sinisters in de blik, nu ja, als men die al door de spleetjes ziet; het lijkt steeds alsof zij iets in hun schild voeren, waarbij zij hun dunne lippen op elkaar geperst houden, zodat men niet kan zien of zij al dan niet glimlachen, en hoe (welgemeend of vals).

Na dit 'Yes!' was de gespreksstof blijkbaar op, want hij sprak niet meer, en met z'n vieren stonden zij nu naar mij te loeren als verwachtten zij van mij een sluitend antwoord op de vraag 'Huh?'

Ik zei: 'Luister, vrienden van de rode bol, aanbidders van de kimono en beoefenaars van de edele samoeraikunsten, bestormers van Hawaïaanse havens en liefhebbers van de verklede prostitutie, ik weet niet wat het plan is, maar u hangt meer dan mijn kloten uit. Ik zal het nog één keer vragen: toon mij op uw kaart waar u zijn moet, en ik zal u de weg wijzen. Geef hier!' riep ik, en ik nam het voorwerp over van de lelijkste, waarna ik met mijn andere hand, en een vragende blik, aangaf dat iemand mij de plek moest aanwijzen die zij zochten.

De oudste van de vier brabbelde opgefokt iets in het Japans, waar ik niets uit kon opmaken.

'Juist', zei ik heftig knikkend, want ik was het beu. 'Kijk, dit is vlakbij. U hebt geluk. U wandelt deze straat uit, gaat naar links, de winkelboulevard over, steeds rechtdoor tot aan de rode lichten, rechts, tweede links, aan het gebouw met de stenen engelen weer rechts, oranje knipperlichten passeren, bij de hamburgertent rechtdoor en het brugje over, het park helemaal rond, langs het kanaal tot bij de ophaalbrug, oversteken, het jaagpad af, en als de kade begint, wat u ziet aan de trospalen die er staan, kunt u uw boot beginnen uit te kiezen.'

'Boot?' vroeg nu een van hen, die blijkbaar zijn spraakvermogen had herontdekt.

'Inderdaad, boot', ging ik onvermoeibaar verder. 'Neem er bij voorkeur een met een exotische naam, bijvoorbeeld de Topolobampo of de Acapulco, die u vrijwel zeker naar de andere kant van de oceaan zal brengen, waar ook veel te zien is, misschien nog meer dan hier. En men heeft er rijst in overvloed! Hier!' schalde ik, terwijl ik de kaart weer in zijn handen duwde. 'Geen tijd te verliezen! In gestrekte pas! Als u hier de mensen voor de gek denkt te mogen houden, kunt u niet snel genoeg weer de grens over zijn! Goede reis, en vergeet dat u hier bent geweest, en als u het niet kunt vergeten: vertel het thuis vooral niet verder, want wij zijn nogal op onze privacy gesteld. De groeten in Cuba, Mexico of de Maagdeneilanden, of waar de gunstigste wind u ook naartoe mag blazen. Vaarwel.'

Japanners, man.

DRIE

Ik zeg: 'Dré, wat doet gij hier? Wat is er u overkomen?'

Hij zegt: 'Ze hebben jaren geleden mijn vrouw doodgeslagen. Zomaar, in de winkel van haar zuster, ze hebben nooit geweten wie of wat of hoe of waarom, maar dood was ze. Zotten waarschijnlijk. Uitschot. Ik heb altijd gezegd: "Ik zal niet rusten tot ze hen vinden", maar ik heb het opgegeven, ik ben eronderdoor gegaan, het kan mij niet meer schelen of ik leef of doodga, en wat maakt het uit of ge weet hoe en wat?'

Ik zeg: 'Dré, dan moest ge mijn verhaal eens horen, dat stopt niet bij een jammerlijk overleden vrouw. Wat ik heb meegemaakt! Nogal een leven, kameraad. Van oost naar west van noord naar zuid en terug, ze hebben mij serieus liggen gehad, maar ik heb er ook nogal met hun kloten gespeeld. Alle geuren en kleuren opgezocht. Als ge wilt, zal ik het eens uit de doeken doen, maar dan moet ge er wel tijd voor hebben, want ik denk niet dat ik het in een maand, of misschien een paar maanden, verteld krijg.'

Wij zitten daar toch altijd maar, in onze plastic stoelen in de veranda. Ik zit sinds een half jaar op Licht Regiem. Ik heb mij zeer goed gedragen.

Ik zeg: 'Als wij ons een beetje aan de kant schuiven, waar de rest ons niet kan horen, dan zal ik het u allemaal uitleggen. Ik zeg het, het is een lang verhaal, maar als ge daarvoor openstaat, dan gaat ge u niet vervelen. Goed?'

VIER

Die daar.

Die met haar opgestoken haar en haar blauwe schort doet mij een beetje aan Bellinda denken. Dat was een lekker ding, moet ik zeggen. Ik had haar aangenomen voor aan de receptie. Ze was drieëntwintig en ze had flinke tieten (een ruime C-cup, leek mij), die achteraf nogal bleken tegen te vallen, ze droeg van die bh's met een dikke vulling, en dat vind ik zo'n bedrog. Dat is zoals zo'n cadeautje dat wij vroeger als kind op verjaardagsfeestjes aan elkaar gaven, een enorm groot pak, dat dan hoofdzakelijk uit oud krantenpapier bleek te bestaan, dat men kon blíjven uitpakken, laag na laag na laag, en op het einde vondt ge dan een plastic smurf. Ik heb dat nooit gesnapt, waarom ze proberen te doen alsof ze grote borsten hebben. Ge weet toch dat ge teleurstelt?

Ik had al een paar keer gezegd dat we eens iets moesten gaan drinken, en daar had ze op geantwoord dat ze dat wel heel erg zag zitten, met die natte leugenachtige lippen van haar, maar dat vind ik dus wel een deel van de spanning, als een vrouw liegt. Zeker in een onderdanige functie, wanneer ze zelf beseft dat haar baas haar eens lekker wil pakken, en ze niet zeker weet of ze dat zelf wel ziet zitten, maar tegelijk beseft dat ze maar beter kan doen alsof.

Nadat ze vijf keer een uitvlucht had bedacht, kon ze de zesde keer niet anders dan meegaan; eerst had ze nog geprobeerd om met haar eigen auto te gaan, maar ik had haar zo ver gekregen dat ze in mijn sportieve Volvo 1800S plaatsnam, waar ze duidelijk zenuwachtig van werd; ze begon over haar vriend te praten: dat ze het niet te laat kon maken, want dat die anders ongerust zou worden, waardoor ze het natuurlijk zelf in de seksuele sfeer trok, want waarom zou iemand ongerust zijn als er gewoon iets gedronken werd? Ze wist verdorie goed wat er op het programma stond.

In de Windsor wilde ze eerst een cola, maar dat heb ik heftig afgehouden. Geen gepruts met cola, voor die keer dat we eens iets gingen drinken. Ja, stel u voor: ik drie Duvels, goed losgewerkt, en dan zo'n stijve plank vol cafeïne en suiker, die met haar gedachten elders zit. Nee.

Het werd na enig aandringen een cocktail, wat mij plezier deed, want daar worden ze heet van. Ze dronk zo traag mogelijk, met haar lippen zuinig rond haar rietje, en ik vroeg of ze het niet lustte, maar ze zei van wel, en zo zoog ze toch beetje bij beetje haar drank naar binnen. Ze hield vol dat ze er geen tweede wilde omdat ze dan rare dingen zou beginnen te doen, wat ik natuurlijk aanvuurde. De wereld is al vol genoeg met saai volk dat nooit iets meemaakt.

Om kwart over acht zei ze dat ze echt moest opstappen.

Ik heb haar afgezet bij haar auto op de parking van mijn bedrijf, ik heb haar nageroepen: 'Wees voorzichtig, Bellinda!' en ik heb gewacht en gekeken tot ze in haar wagen zat, veilig en wel, een Talbot, helemaal het type auto waar dit soort dametjes mee rijdt; ik heb haar nagewuifd en mijn duim opgestoken, terwijl ik veel liever met haar langs de kant van de grote weg had gestaan, op de parkeerstrook, waar op dat tijdstip bijna geen auto's meer staan. Tussen twee straatlichten in, goed donker. Ze zou direct nattigheid gevoeld hebben, maar dan niet op de juiste plaats, en zenuwachtig geworden zijn en gezegd hebben dat ik moest doorrijden. In plaats daarvan zou ik mij naar haar gedraaid hebben, gezegd hebben dat ze niet onnozel moest doen, en met mijn hand onder haar rok gegaan zijn, met mijn andere hand haar gezicht naar mij toe getrokken hebben en met kracht mijn tong tussen haar tanden geduwd.

Ik zie het zo: zij biedt weerstand, en ze duwt mijn hand onder haar rok vandaan, maar dan verstevig ik de greep van mijn klauw in haar nek, en heeft ze geen schijn van kans. 'Doe niet achterlijk', sis ik, en daarna gaat het veel beter. Ze begint wat lauw met haar tong mee te draaien, ik trek haar onderbroek opzij en begin eraan. Met kordate stoten, zodat mijn vinger er helemaal tot aan de rand in zit, en vanzelf wordt ze echt wel nat, op de duur. Als ze bereidwillig genoeg is, laat ik haar nek los en ga ik met die vrije hand van de bovenkant in haar blouse, onder haar opgevulde bh, en begin ik krachtig met haar tepels te spelen, die intussen ook al niet meer slap zijn. Ik trek mijn vinger eruit, pak haar rechterhand en duw die op de plaats waar mijn keiharde lul zit, waar ze zelf nog niet aan gedacht heeft. Dan doe ik met één hand mijn broekriem los, daarna de knoop, en dan de rits, zodat ze met haar hand op mijn onderbroek zit, die ik omlaagtrek; dan siddert ze een beetje, de schat, als ze mijn blote vlees in haar handpalm voelt. Maar ze begint wel op en neer te bewegen zonder dat ik iets moet zeggen. Ik steek mijn vinger in haar mond, en zeg dat ze eens van haar sap moet proeven. Waarna ik haar gezicht naar beneden duw, mijzelf in haar mond steek en haar bij de haren grijp, en ritmisch haar hoofd op en neer begin te trekken. Man, dat is geweldig. In het begin is ze wat onzeker, maar al snel gaan die lippen er krachtig en heerlijk overheen, ik duw elke keer wat bij met mijn bekken, zodat ze hem helemaal goed voelt, en ik denk dat ik op het einde misschien wat te hard op haar kop sla.

Met twee vuisten houd ik haar hoofd naar beneden als ik mijn hoogtepunt voel naderen, ik duw mij met mijn voeten en mijn schouders af op de vloer en de stoel, en ik weet niet hoe lang het duurt, maar het is een voorraad van wéken, alles wat ik al die tijd in gedachten heb opgespaard om die geile kip eens lekker haar zin te geven, komt er in één keer uit geknald, ik brul, en ondertussen maar die kop naar beneden duwen, en het blijft maar komen, en als ik er genoeg van heb en mijn greep laat verslappen, voel ik dat ze geen weerstand meer geeft, ik denk: nou die heeft er ook flink van genoten, zo helemaal total loss.

Geil.

VIJF

Man.

Als ge geen eigen zaak gehad hebt, dan weet ge dat niet. Hoe ze zijn. Ik zeg het u: de beste manier om de mens te leren kennen, is ondernemen. Dan ziet ge ze staan in hun basisuitvoering: als het gaat over u geld aftroggelen, thuis kunnen blijven zonder dat ze ziek zijn, tijdens hun uren op de wc zitten en boekjes lezen, zuchten dat het niet vlot omdat ze hun regels hebben, en als ge dan nadat ze naar het toilet geweest zijn de vuilnisbakjes gaat controleren, zit daar alleen een leeg kartonnetje van het toiletpapier in.

Hun regels, ik zeg het u. Het machtigste wapen van de vrouwen. Ge durft er niks op te zeggen, en het valt niet te controleren – ziet ge mij al vragen of ik de publieksingang eens mag zien, of daar wel degelijk iets loos is?

Bij sommigen ruikt ge het, dat is waar. Dat ik denk: dat heeft dan toch met een gebrek aan hygiëne te maken. Het kan niet zijn dat het bij de een stinkt en bij de ander naar viooltjes geurt. Dus als ge van een meter afstand denkt: oei, hier hangt de vlag buiten, dan moet dat toch iets willen zeggen.

Ge moogt u dat niet proberen voor te stellen. Zouden ze dat zelf niet gewaarworden? Is dat zoals bij mensen die intens naar het zweet ruiken, en zelf niets in de gaten hebben, of die een adem hebben waar men ter plaatse misselijk van wordt, behalve zijzelf, die hem niet rieken?

Ge lacht, maar eigenlijk is het raar dat men iets kan uitstoten waarvan de toeschouwer bijna moet overgeven, wat ruikt naar een vieze oude kelder of iets wat dagenlang heeft liggen te rotten in de regen, en dat er voor de producent van dit alles geen vuiltje aan de lucht lijkt.

Ik ben daar één keer eens over begonnen, over hun regels. Ik zei: 'Lisette meisje, het gaat precies niet vooruit vandaag, het is niet uw beste dag.'

'Nee,' antwoordde ze nors, 'het is weer zover.'

Vrouwen zeggen nooit: 'Ik heb mijn regels', ze zeggen: 'Het is weer zover', of: 'Het is de tijd van de maand', of: 'Ge weet wel', en dan mag men verder raden, alsof het leven een spannende quiz is. Laat het aan sommigen over, en alles zou een amusementswaarde hebben.

'Ah,' zei ik, 'ik begrijp het, dat is vervelend zeker, en pijnlijk, en het zal uw humeur geen deugd doen? Ik heb het zelf nooit ervaren, natuurlijk, maar ik ken deze verhalen.'

'Ja', antwoordde ze kortaf. 'Eigenlijk heeft het bijna geen zin om te komen werken, de eerste dagen, ik sta krom van de rugpijn en ik kan mij niet concentreren.'

Ik dacht het zal wel, lelijke vaars. Als ik u zo dadelijk naar de cinema breng, waar een romantische prent wordt vertoond met een acteur van wie ze hitsig worden, dan zal het u aan concentratie niet ontbreken, en zal de rugpijn nog slechts een verre, vage herinnering zijn. Of als ik u een som geld toestop om u eens goed uit te leven in de winkelstraat, dan wed ik dat de glimlach snel zijn weg naar uw gezicht terugvindt, dan hoor ik de hakken van uw nieuwe laarzen al opgewekt over het plaveisel tikken, hunkerend naar de volgende boetiek, terwijl de winkeltassen enthousiast aan uw armen bungelen.

In plaats daarvan zei ik: 'Lisette, eerlijk waar, het verdient mijn bewondering dat gij, ondanks deze onprettige periode, het werk op de eerste plaats blijft zetten. Zoals u moesten er meer zijn, het zou nogal anders draaien, met de economie. Harder. Als ik het kon en mocht van de vakbond, ik gaf u opslag, en geen klein beetje. Echt, de toewijding en zelfs de liefde voor de arbeidsplek die ik bij u ervaar, ervaar ik zelden. Dat gij zo grof door de natuur wordt aangepakt, en dit elke maand opnieuw, dat zij u uw vrouwzijn op zulk een nietsontziende manier telkens weer in het gezicht wrijft, en zegt: "Hier is uw lot, draag het maar" – en dat gij toch elke ochtend tamelijk stipt de kaart in de prikklok schuift en, weliswaar op halve of een derde kracht, de lakens blijft plooien, zij het af en toe iets minder secuur, het is iets wat men zelden ziet. Uw vriendinnen tikken ongetwijfeld met hun wijsvinger tegen hun voorhoofd, elkaar toefluisterend: "Die is zot", terwijl zij, op deze dagen, genietend van de vrijgevigheid van de baas, naar het winkelparadijs fietsen of keuvelend koffie zitten te drinken op een zonnig terras, eenvoudig doorbetaald.'

Zij knikte flink.

'Laat het u niet op ideeën brengen!' vervolgde ik. 'En nu vooruit! Hup! De volgende mand komt er al aan, en denk erom: zonder deze zaken, deze regels, was er van een mensheid geen sprake, was de voortplanting reeds in de beginfase stilgevallen, zouden wij zijn ingehaald door de slakken en de kevers, en opgepeuzeld door de honden! Stel u voor, Lisette, slakken en kevers! Wat zou er dan van de wereld geworden zijn?'

Meer dan nu, dacht ik in stilte, met al dat lelijke wijvenvolk, maar ik liet haar in de waan.

ZES

Dit is op het eerste gezicht een lastig vraagstuk.

Enkel op de kleur kan men niet bogen, aangezien vele westerlingen die van een deugddoende vakantiereis terugkeren of die bijvoorbeeld in de bouw werken en langdurig aan direct zonlicht worden blootgesteld, een teint hebben die wij gezond gebruind noemen; wij zeggen: 'Charles, potverdorie, ge ziet er goed uit, waar zijt ge geweest?', terwijl wij dit niet tegen de met precies dezelfde bruintint ingekleurde neger zeggen. Dan denken wij veeleer: daar, waar komt dat nu weer vandaan?

Ik leg het u uit. Wanneer Charles ons glimmend van de zonnebrand tegemoet treedt, zegt onze geest: dit hoort niet thuis in het plaatje dat wij kennen, van onze samenleving, hoe komt dit? Hier is een verplaatsing in het spel geweest! Ga naar Yamoussoukro of Nairobi, loop daar rond in uw bleke vel, en ge hebt hetzelfde: men zal u bekijken met een blik van 'u bent niet van hier'. Dit zegt voldoende over hoe de scheppende macht het bedoeld heeft, namelijk dat iedere mensensoort haar plekje heeft.

Onze inschatting van negers gebeurt dus niet, zoals velen denken, op louter uiterlijkheden. Men mag niemand beoordelen op zijn buitenkant; dat weet elk mens, en dat doet men dus ook niet: anders zouden wij tegen Charles ook geen vrolijke toon aanslaan, hem bewonderend op de schouder kloppend, doch hem terughoudend en met opgetrokken wenkbrauw monsteren, misschien zelfs, als hij buiten gehoorsafstand is, zacht 'oe-oe-oe' doend.

Nee, onze argwaan tegenover de neger komt niet voort uit het feit dat wij bruin een lelijke kleur vinden. Integendeel, wij streven er zelf naar; wel voelen wij instinctief aan dat er iets niet in de haak is met de aanwezigheid hier van Olukayode, Stanley of Désiré-Umbulu. Zoals wij soms ook een onverklaarbaar gevoel van onbehagen krijgen wanneer wij iemand ontmoeten, zij het op straat of in het café, die met de verkeerde bedoelingen op pad is – dat men tegen zichzelf zegt: maak u uit de voeten, want dit stinkt. Noem dit hoe gij het wilt, een natuurtalent of een zintuig dat niet tot het vijfdelige standaardpakket behoort, een goddelijke gave of simpelweg een neus voor zulke zaken, maar ontkennen kan men dit niet. Dit merkwaardige talent heeft ons als soort doen overleven, aangezien wij dit destijds ook hebben aangewend toen wij de wilde beer, de hongerige wolf of de giftige spin ontmoetten, en telkens op slag aan ons water voelden: ik kan maar beter omlopen.

Dat sommigen zich om dit wonder van de natuur lijken te schamen, en er zelfs trachten boven te staan door te doen alsof iedereen gelijkwaardig is, is ongehoord; zelf zijn zij ervan overtuigd dat hun houding een teken van een hogere beschaving is, terwijl het in werkelijkheid een toegeving is aan de zwakte, een eerste stap in de richting van de ondergang, het gedeeltelijk ontbloten van de hiel waarvan de tegenstander, in dit geval met name Paris, denkt: aha.

Als in de verre toekomst de gezanten van Mars voet op aarde zetten, of de krijgers van het afgelegen zonnestelsel over onze hoofden scheren in hun blinkende ruimtehulzen – waar ik niet in geloof, maar soit, het zou kunnen – dan valt het maar te hopen dat onze toekomstige afstammelingen nog over de gave van de intuïtie beschikken en de bezoekers op de gepaste wijze ontvangen, zij het met een stevige handdruk, zo zij handen bezitten, en de boodschap 'Welkom, vrienden, wat heeft het lang geduurd!', zij het met een trap onder de kont, eveneens indien zij er een hebben, en de korte, duidelijke melding: 'Scheer u weg! Zo niet, dan zal het rap gedaan zijn.'

Hoor mij: de gezanten van Mars, haha, zoals in *Suske en Wiske*.

ZEVEN

Aan de directeur van vzw VHK.

Waarde,

U hebt mij verkeerdelijk ingeschreven in uw registers. Inderdaad heeft uw medewerkster mij over uw activiteiten gesproken tijdens haar bezoek aan de afdeling Licht Regiem van ons tehuis, en heb ik toegezegd dit project te zullen steunen; echter toen aan het licht kwam dat dit vijfentwintig euro per maand zou kosten, ben ik met grote stelligheid afgehaakt. Zo veel geld, dat leidt enkel maar tot meer luiheid. Immers, is niet het gezegde 'Geef hun een brood en ze hebben eten, maar leer hun ploegen en zaaien en oogsten en ze kunnen hun eigen brood bakken – en dit ten eeuwigen dage'?

Ik heb niets tegen morele en zelfs beperkte materiële steun aan achtergebleven volkeren en stammen. Het is beter dat wij hen op weg helpen naar een zekere welvaart ter plekke, dat wij hun eventueel een ploeg schenken, dan dat zij hier de pot komen verteren en in duistere zaakjes verzanden, om nog te zwijgen van wat zij met het vrouwvolk van zins zijn; daarover hoef ik zeker u niets te verklappen, in uw functie. Overigens kan men zich afvragen of zij door de hulp die wij hun bieden niet nog sneller onze kant op komen; een ploeg is snel verkocht of ingeruild tegen een ticket voor de veerboot.

Het kan, mijnheer, geen kwaad om daarover na te denken, en eventueel uw strategie aan te passen. Soms doet men dingen met de beste intenties, en vergeet men de bijwerkingen. Dat versta ik.

Maar ik doe dus niet mee aan deze fratsen.

Hoogachtend, en vaarwel,

Van Beuseghem Oscar

ACHT

Serieus.

Aan de strijk stond er een ding van nog geen twintig, een beetje een plat volkswicht met een brutale bek, maar met een lijf waar men zijn ogen niet van kon afhouden. Winter en zomer droeg ze zonder mankeren hetzelfde: een spannende jeansbroek waar haar kont fantastisch in uitkwam, en een topje waar haar grote tieten bijna uit barstten. Het waren stevige dingen; soms, als ze gaan roken was, moest ze rennen om haar volgende mand niet te missen, en dan zag men ze op en neer dansen op een manier die niets aan de verbeelding overliet.

Ik vroeg mij elke keer als ik haar zag af waarom ze dat in godsnaam deed, er zo bij lopen; in de winter, als ze met haar brommertje kwam, had ze wel een trui en een jas aan, maar dan deed ze die uit en stond ze daar weer de godganse dag in haar bijna blote tieten, terwijl veel andere werkvrouwen een schort over hun kledij dragen; eigenlijk is dat zelfs verplicht, maar dat gaat men zo iemand natuurlijk niet opleggen, ik weet wel beter.

Ik heb het haar een paar keer gezegd, want ik moest natuurlijk voortdurend redenen zoeken om haar in mijn kantoor te roepen, en dan zat ze daar met die twee harde peren van haar, waar ik mijn ogen niet van kon afhouden en waar ik in gedachten, terwijl ze wellustig mijn kont vastgreep, mijn harde staaf al tussen op en neer zag gaan, om dan ten slotte recht in haar gezicht te ontploffen. De rotzooi kon ze dan oplikken met die geile tong van haar, die er precies voor gemaakt was.

Dan zei ik: 'Luister, Leyla,' want ik moest íéts zeggen, 'eigenlijk zou ik u erop moeten wijzen dat arbeidskledij verplicht is volgens de wetgeving, dus zo'n schort bedoel ik, maar ik ga u nog even respijt geven, want ik wil niet iedereen over dezelfde kam scheren.'

Ze knikte dan, maar haar ogen vroegen zich af wat ze daar zat te doen, de baas roept haar bij zich en zegt dat ze een schort moet dragen maar dan toch weer niet, en het was mij bijna duidelijk dat haar tepels er gewoon harder van werden, dat zij het een erotisch moment vond, net als ik, en dat ze waarschijnlijk in haar gedachten met haar tong al mijn overtolligheid aan het opruimen was, zo ver als ze die uit haar mond gestoken kreeg, op de kin, de neus, de wangen, om daarna ook nog eens zeer secuur mijn apparaat proper te likken. In de regel zijn die arbeidersmeisjes zeer rein, al kan dat er bij de jongere generatie al eens naast zitten, hoewel bij haar niet, want ik rook nooit iets, en ik kwam toch vaak verschrikkelijk dicht in haar buurt, de teef, achteraf bekeken.

Ik dacht: als ze nog eens overwerkt – want geregeld was haar werk niet gedaan, maar ze maakte er geen probleem van om een uur langer te strijken – dan ga ik daar op het laatste moment nog eens langslopen, achteloos. En als die twee Marokkaansen die ook dikwijls langer blijven, dan ook al weg zijn, dan ga ik het haar op de man af vragen, of ze mee naar mijn kantoor komt, en dan ga ik haar daar zonder omwegen gigantisch hard doen kraaien van de pret, en mijzelf tegelijk ook. Waarschijnlijk had ze nog nooit een fatsoenlijke piet gezien in haar jonge leven, laat staan dat ze ooit al op een daadkrachtige manier was afgereden, wat zonde was voor zo'n lekker wijf. Maar men zag dat wel, dit was zo'n type dat het op zaterdag in de discotheek aanlegde met van die kereltjes die het allemaal nog niet zo goed wisten, en die zich een beetje te veel moed indronken, en die dan achter de dancing tegen de muur wat onhandig en stinkend naar de whisky-cola met hun handen in haar broek zaten, die zo strak was dat ze die pas na veel friemelen afgestroopt kregen, maar natuurlijk niet ver genoeg om haar benen op een deftige manier te kunnen opendoen, waardoor het een gesukkel werd om hem erin te krijgen, rechtstaand tegen de muur. En die stonden zo geil dat ze bij de minste wrijving en door dat geduw klaarkwamen voor ze het wisten, terwijl het wijfje er natuurlijk nog geen hol aan gehad had, buiten sperma op haar broek.

Ik wed dat ze dan soms weer naar binnen ging en een andere man uitkoos, die wat ouder was, maar die er juist even weinig van bakte. En ik durf ook te wedden dat ze op de duur een rokje begon aan te doen om uit te gaan, hoewel ze dat niet modieus vond en ze meer een broekentype was, zodat ze gewoon haar slipje opzij moest schuiven en haar been een beetje optillen, en hij er dan zó in kon. Veel soelaas zal dat niet gebracht hebben, want of die prutsers nu voor een open goal staan of eerst nog de godganse verdediging moeten omspelen, ze knallen er toch altijd naast, dat heeft men of dat heeft men niet!

Ik zat daar 's avonds soms over te fantaseren, achterovergeleund in mijn bureaustoel en met mijn poten op het meubel. Dat het al laat is op de firma, en er niemand meer in de buurt is, en dat ik vraag: 'Leyla, lukt het, meisje?', en ze zegt 'ja' en ik blijf wat staan kijken hoe ze de handdoeken in de automatische strijkrol schuift, zo behendig en soepel, en ik ga dichterbij staan en buig voorover om zogezegd de werking van de machine te controleren. Tegelijkertijd steun ik een beetje met mijn rechterhand op haar schouder, en dat laat ze toe, en dan kom ik weer overeind en pak gewoon de linkerhelft van haar kont vast, zacht maar wel kordaat.

Daar schrikt ze toch wel een beetje van, want ze deinst achteruit, en kijkt onverwacht kwaad naar mij, met ogen die alle kanten uit schieten, beseffend dat ze de laatste is en dat haar toestand toch wel uitzichtloos is, mocht ik besluiten om er verder voor te gaan. Dat laatste spreekt vanzelf, want als men eenmaal zo'n kont heeft gevoeld, zelfs door de broek heen, wil men natuurlijk méér, wil men met krachtige stoten zo'n wijfje tot het uiterste drijven, helemaal bloot op het bureau, met alle lichten aan, zodat men goed die tieten kan zien opspringen met elke heupdreun, en haar lippen kan zien smachten naar het moment dat het gedaan is en ze het zaakje, nu ja de zaak, in mijn geval, in de mond mogen laten glijden en er alle restanten van mogen verwijderen.

Dat is uiteindelijk toch wat ze allemaal het liefst doen.

Maar deze dus niet, of ze heeft het nog nooit op de juiste manier meegemaakt, want ze trekt haar arm los, die ik inmiddels heb vastgegrepen, en ze weert mijn vuistslag af en het is verdomme een kwiek, soepel ding, dat heeft men op die leeftijd. Maar ze weet dus aan mijn greep te ontkomen, loopt krijsend de trap naar de kleedruimte op, de metalen loopbrug over, waar ze dan op het eind uitglijdt, met die onhandige slippers die ze aanheeft. Wat valt ze diep.

Ik heb al, terwijl ik haar van boven in mijn kantoor stond gade te slaan, met haar lekkere peren, gedacht dat die Leyla lesbisch was, en dat ze daarom zo in paniek zou raken. Men heeft wel dat beeld van lesbiennes als veelal kleine dikke wijven met somber kort haar, vaak reeds grijzend, met kwade ogen en dikke reten, maar het kan goed zijn dat het soms ook lekkere wijven zijn die het met elkaar aanleggen. Ik heb er eens twee hand in hand zien lopen en dat waren er allebei die ik met veel plezier eens in hun gleuf zou hebben gezeten, en allicht hadden ze het nog goedgevonden ook. En Ria was bovendien eveneens een knappe en die liet zich ook geregeld door mijn tante likken.

À propos. De oppervlakkige denker zal aanvoeren: laat de lesbo's gerust lelijk zijn, klein en dik en grijs. Dit is juist goed! Laat hen toch, als zij hun haren niet willen verven, als zij zich zo onaantrekkelijk mogelijk willen voorstellen. Zo kan men van ver en op tijd uitmaken dat men met een geheide pot te maken heeft, en kan men zijn voorzorgen nemen door bijvoorbeeld geen gesprek aan te knopen, niet met complimentjes te strooien over achterwerk of boezem, en zo niet hun toorn op te wekken of het zelfs maar tot een discussie te laten komen, want vaak wordt dit al snel onprettig en zelfs vijandig; zeker zal men in zo'n geval niet overgaan tot het voorstellen of nastreven van geslachtsgemeenschap, wat een hoop tijd en moeite uitspaart, en vaak ook geld, want veel van deze potten zullen eerst nog omstandig met uw voeten rammelen, als zij een gratis dinertje in de lucht voelen hangen.

Maar ik zeg het u: wie dit verschijnsel goedkeurt of zelfs aanmoedigt, dwaalt. Wij mogen het als samenleving nooit accepteren dat een bepaalde bevolkingsgroep zich van de massa verwijdert en zich een eigen identiteit toe-eigent, bijvoorbeeld, in dit geval, door zich met opzet lelijk en zelfs afstotelijk te maken. In welke staat van verwildering zouden wij eindigen, als wij deze onverzorgdheid zouden toestaan en als dit op brede basis ingang zou vinden? Er is van nature al ruim voldoende morsigheid en lelijkheid in het mensdom aanwezig. Kijk maar eens vluchtig om u heen, in winkelgalerij of supermarkt, neem, maar niet te diep, de bultige leggings in u op, en de vetpartijen die onder hard aangespannen bh-banden uit bulken, om over de vaak aartslelijke, schunnig pappige gezichten nog maar te zwijgen; dit volstaat om te beseffen dat nu reeds, in onze welvaartsstaat, de grenzen van de welvoeglijkheid bereikt, mogelijk en wellicht zelfs overschreden zijn.

NEGEN

Ik heb er eens twee gekend. Potten, die natuurlijk enorm de vleespaal misten – men biedt wel namaakversies in de handel aan, maar dit zijn koele, gevoelloze stukken plastic of rubber, die velen van deze lesbiennes eerst een halfuur in heet water leggen om ze enigszins tot leven te brengen, maar dit is slechts schijn; men voelt er letterlijk het bonkende hart niet in, en dan nog: stel u eens voor dat u tijdens het neuken begerig de kont van uw partner vastgrijpt, en moet vaststellen dat u eveneens twee lederen riempjes beethebt met een koud gespje aan, wetend dat daarmee de namaakknaller is voorgebonden, meteen is toch alle pret achter de rug?

Maar ik heb dus ooit twee potten gekend – niet persoonlijk o nee, die komen er bij mij niet in, maar via via – die het met zo'n rubberlul deden, wat toch het beste bewijs is dat de scheppende macht het anders heeft voorzien, en die in een zekere fase van hun onnatuurlijke samenzijn tevens het nijpende gemis van een kind begonnen te ervaren; want zo'n foppiet schiet natuurlijk geen lekkere vlokken sperma in de kut, waardoor de conceptie eeuwig uitblijft.

Deze specifieke loeders hadden er niet beter op gevonden dan maar over te gaan tot een adoptie, en wel van een klein negertje, wat een hele poos duurde; want hoewel men ginds in die landen maar al te graag van zijn klein grut verlost is, wat betekent: een mondje minder, is men er niettemin niet scheutig op om zijn zonen of dochters uit te sturen naar een stel lesbiennes, wat vaak met religieuze standpunten te maken heeft, en niet eens zo onverstandige.

In dit geval had een oplettende beambte, wat in die klimaten ook geen alledaags verschijnsel is, opgemerkt dat de namen op het aanvraagdocument niet klopten, het ging hier namelijk om een Marlies en een Jolande, en ondanks zijn beperkte kennis van de wereld en de westerse cultuur, had deze pettendrager toch iets in het snuitje, en rinkelde hij met de alarmbel, dat er hier twee dames in het spel waren, wat uitdrukkelijk door de heer Allah of wie daar ook de scepter zwaait, verboden was.

Zo kwamen er nog een paar jaartjes bij, bij het wachten, en tevens aanzienlijke sommen geld, want die negers weten van wanten wanneer zij geroken hebben wat het probleem is.

Nog veel onprettiger was het feit dat de kleine die voor hen bestemd was, de genaamde Boentu, bij aankomst door dat lange wachten al een flinke kerel bleek te zijn van de tienerleeftijd, die niet van plan was om nog aandachtig te luisteren naar zijn twee vette moeders, en die ook reeds zijn zinnen had gezet op het vaderlandse vrouwvolk, bij voorkeur de tienermeisjes, die hij tijdens de weekends à volonté van zijn zwarte apenlul liet proeven na cafébezoek in het provinciestadje waar zij woonden.

Het duurde maar enkele jaren voordat hij de eerste vakkundig vol had gestoken, wat natuurlijk door zijn nepmoeders met afschuw werd aanhoord. Temeer daar hij er nog voor werd opgesloten ook, aangezien het tienerwijfje niet kirrend 'ja' had gezegd op zijn voorstel, veeleer 'nee', en er hier dus sprake was van verkrachting.

Zo waren Marlies en Jolande na al hun inspanningen en hun brandende hoop op een mooi leven samen met een prachtig negerkind, enorm bedonderd, en zaten zij de rest van hun dagen als twee stille potten met geraniums achter hun vensterraam – vergeef mij de woordenvlecht – te verslensen en te verkommeren en wijvenblaadjes te lezen, tot de dag dat Boentu vrijkwam en, zijn les geleerd hebbend in de rauwe omgeving van de penitentiaire instelling, en goed beseffend wie hem in deze onfraaie schoentjes had gebracht, namelijk Marlies en Jolande (anders lag hij nu in zijn thuisland onder een boom sigaretten te roken en naar de wijven te fluiten), hun een bezoekje bracht. Niet om zijn dankbaarheid voor de geboden kansen in het rijke Westen uit te drukken, waar toch de meesten van die kerels het voor doen, maar om op zijn eigen, individuele manier te zeggen: 'Ik haat u.'

Het stond in de krant wat hij allemaal gedaan heeft, met vele details en met kleur beschreven, en het was niet met een namaaklul, maar ik zal er hier niet nader op ingaan, aangezien het de aandacht kan afleiden van mijn eigen belevenissen en ideeën, die in kleur en vakkennis hoegenaamd niet hoeven onder te doen, en nooit zullen onderdoen, voor het kladwerk van Boentu de neger.

TIEN

Manman. Wat men in die damesvodden leest, de *Nina's* en de *Flairs*, grenst soms aan het onvoorstelbare, zoals in een sprookje of ander fantasieverhaal. Dat men zich dusdanig in de maling laat nemen door een tijdschrift, kan men zich niet indenken, en toch ziet men al te vaak jonge meisjes met de tongpunt uit de mond, geheel van de wereld weg en zich onbewust van blikken of gevaar, in deze bladen lezen, zittend op bus of tram of bank in de zon. Vooral de rubrieken waarin zij aanwijzingen krijgen betreffende relationele en seksuele zaken, zijn hemeltergend, aangezien zij alle gevoel voor proportie en alle aanleg voor normaliteit volledig tenietdoen, en de lezeres opzadelen met de indruk dat niets ooit volstaat, dat men steeds tekortschiet en nooit genoeg heeft, wat leidt tot scheefgroei in het brein.

Tijdens de wachttijd bij een doktersbezoek zat ik in zo'n tijdschrift te bladeren, waarbij mijn oog viel op de lezeressenpagina, waar zij met al hun afschuwelijke vragen terechtkunnen, die allicht worden beantwoord door een stagiaire die nog niet weet hoe zij een strijkijzer moet bedienen, laat staan of men bij orale seks beducht moet zijn voor overdraagbare ziektes, en welke dan, maar die lustig de nonsens uit haar beginnerspen mag zuigen; dit geeft de gewone redactrices de gelegenheid om hun nagels te doen of vroeger huiswaarts te keren, onder het mom van een ziek kind of een oud nooddruftig moedertje.

Een van de vragen klonk als volgt: 'Mijn man verliest de laatste tijd geregeld minutenlang zijn volledige erectie reeds tijdens het voorspel, dat bovendien nog hooguit een uur duurt. Wat hieraan te doen? Betekent dit dat hij mij minder graag ziet?'

Het antwoord luidde dat zij dit het best eerst met haar partner kon bespreken, en dat ze, als dit geen soelaas bracht, samen een afspraak konden maken bij een relatiedeskundige of seksuoloog, en dat zij zich niet onnodig zorgen moest maken, want dat dit bij de wat ouder wordende man een vaker voorkomend probleem was.

Terwijl er had moeten staan: 'Kijk, mevrouwtje, als uw voorspel een uur duurt en u vindt dit aan de magere kant, raad ik u aan om eens een goede arts te consulteren, liefst een die ruime ervaring heeft met geestesziekten. Dat uw man tijdens zo'n dubbele marathon nu en dan de aandacht laat verslappen, daarin kan men hem slechts begrijpen en gelijk geven, vooral wanneer u intussen nerveus naar de klok ligt te kijken om te zien of hij aan de minimumvoorwaarden voor deelname voldoet. Met grote stelligheid durf ik te zeggen dat zijn liefde voor u niet is afgenomen, want dat hij u nooit graag heeft gezien, en na het binnenzwemmen van de huwelijksfuik geen andere keuze heeft gehad dan uw krankzinnige olympische eisen te vervullen. Geef het op. Het geluk ligt voor u buiten handbereik, tevredenheid is slechts een hersenschim, voldoening een onbereikbaar goed. U bent een schande voor de vrouwensoort, en u maakt door uw ellendige gedrag meer kapot dan u zelf beseft. Hoewel dit niet meer gebruikelijk is in deze tijden, bied u aan bij een klooster. Doe boete. Ga kinderen vaccineren in een ver en broeierig land, begeef u naar Nepal om daar tussen ijzige rotspunten te gaan mediteren, of ga in een fluorescerend badpak, zodat de jagers duidelijk het verschil kunnen zien, tussen de walvissen zwemmen om te verhinderen dat zij worden geharpoeneerd; zo vormt u aan de ene kant geen gevaar voor uw omgeving en doet u tegelijkertijd iets van enig nut. In elk geval: verdwijn.'

Hieronder schreef ik: 'Hoogachtend', en: 'Een Vriend', en ik stuurde het advies naar de redactie van het blad, in een gesloten envelop met daarop 'Gericht Aan Sandy (33)', zoals deze uitwas bleek te heten. Zulke mensen dient men van repliek te dienen, anders worden zij steeds meer vergiftigd in het hoofd, en blijven zij anderen aansteken, hetgeen tot een sneeuwbaleffect leidt, wat geen aanbeveling verdient.

ELF

Versta mij goed. Ik ben geen pedofiel. Dat zijn mannen die er een sport van maken om zo veel mogelijk kleuters te verschalken, en daar ben ik niet op uit. Ik heb een zeer grote voorkeur voor vanaf een jaar of zeventien, achttien, tot rond de dertig als het moet. Maar als men de kans krijgt en ze vragen er ook om, dan gaat men als man natuurlijk niet smeken of men hun identiteitskaart een keer mag zien, om te controleren of het gevogel of gevinger wel binnen het kader van de wetgeving valt.

Deze was zeventien, maar eigenlijk is dat toch niet meer normaal, hoe die loeders eruitzien dezer dagen. Vroeger was dat een kind, iemand van zeventien, dat had nog geen tieten, dat liep niet in een rokje tot juist onder de muis en met de navel bloot als ware het iemand uit de Balkanprostitutie. Vandaag de dag heeft men de indruk dat ze juist iemand tegen betaling in een steeg op hun knieën hebben zitten te bedienen, die wijven, dat heeft een blik die op zaad uit is, dat kijkt u aan met ogen die langdurige seks suggereren, en dat ze er al alles van weten en u de tijd van uw leven gaan geven, in ruil voor een bankbiljet of iets anders van waarde natuurlijk, want zo slim zijn ze ook al. Het moet toch zijn dat ze dat van de televisie afkijken, want het is onmogelijk dat men dat op die leeftijd uit zijn eigen duim zuigt, dat bestaat niet.

Zij stond aan mijn deur op een zaterdagochtend; ze had haar haar in een staartje en ze keek een beetje scheel, wat ik altijd heel geil vind; afgaand op haar tieten was ze minstens meerderjarig, want die hadden al een flink deel van haar keurige lichtblauwe hemdje in beslag genomen. Na ontkleding zou men kunnen vaststellen dat het nog van die stevige, opstaande dingen waren die op latere leeftijd snel hun fierheid verliezen, maar momenteel waren dus nog alle knoopjes dicht, behalve het bovenste, wat toch ook al een signaal was.

Voorts droeg ze een pittig donkerblauw rokje en zei ze dat ze een enquête deed voor school, wat eventueel een alarmbel had kunnen doen luiden met betrekking tot haar leeftijd, maar ook weer niet, want ze zitten tegenwoordig tot hun vijfentwintigste in de klas; dat geeft zogezegd meer kansen op de arbeidsmarkt, maar wie doet uiteindelijk het werk nog?

Ik dacht achteraf: man, als men een beetje durf in huis had, dan zou men zich met zo'n lekkere duif toch tegen de muren op amuseren, en wees maar gerust dat ze het lekker vinden, hoewel ze op de stoep schroomvol staan te knikken van 'dank u wel, mijnheer, voor uw medewerking, nog een prettige dag verder', en aarzelend weghuppelen, terwijl ze veel liever nog wat zouden blijven, en niet om uw postzegelverzameling eens te doorbladeren.

Ik zie dat voor mij.

Ze heeft nog maar twee vragen gesteld, mijn leeftijd en mijn beroep, die ik eerlijk heb beantwoord, of ik heb mijn broek al opengeritst en begin met mijn paal te spelen, met mijn hand door de gulp. Er is niets onzedigs te zien, en toch reageert de kleine hoer reeds opgewonden, ze begint op haar stoel te schuifelen en ze loopt rood aan, en kijkt ostentatief weg van het prikkelende spektakel, om te zeggen: zo dadelijk houd ik het niet meer en begin ik zelf ook met mijn hand in mijn broekje te graaien, maar ik moet hier wel eerst nog een enquête invullen, begrijp je?

Om het proces wat te versnellen haal ik na enkele minuten mijn apparaat gewoon tevoorschijn en begin me heerlijk af te trekken, wat die natte teef wel kan smaken, te zien aan haar gelaatskleur, die nu hoogrood is. Abrupt veert ze op, ik ook, en ik kan haar nog net bij die lekkere paardenstaart van haar grijpen, want op die leeftijd stribbelen ze weleens tegen, dat plaagt wat, maar plagen is behagen, en als puntje bij paaltje komt, staan ze elkaar toch maar lekker te tongzoenen en aan elkaars geslachtsdelen te voelen, onder het brugje waar ik geregeld passeer.

Ik zeg: 'Gij houdt zeker van de harde aanpak, nee? De krachtige, vaste hand van de volwassen man? In plaats van het amateuristische gefriemel van de knaapjes, het onzekere geknoei van hun koude knokige pubervingers, die ge steeds en telkens opnieuw het recept moet tonen, anders krijgen ze de taart nooit gebakken?'

Met een soepele ruk verwijder ik haar hemdje, de knoopjes springen als knikkers over de tegels van de keuken, waar we hadden gezeten, goed uit het zicht van mijn bemoeizieke buren. Als ze begint te gillen, duw ik haar met haar gezicht in de wasbak, die vol met lauw afwaswater staat; gesmoord brabbelt haar stem daarbeneden. Ik trek haar eruit, ik duw een natte schotelvod in haar mond, en dan is het wel voorbij met kabaal maken, al trapt ze nog hevig naar mijn kuiten met haar hoerenschoentjes.

Haar bh is ook snel uit, waarna ik met haar hoofd in de klem van mijn arm haar formidabele tietjes begin te betasten.

Wat een hete brok is dit. Ik sis in haar oor dat ik de rest van de vragen wel een andere keer zal beantwoorden, dat er nu andere zaken hoogdringend zijn, waarna ik behendig met mijn linkerhand onder haar rok ga en daar haar slipje in één vloeiende beweging kapottrek. Ze begint denk ik al met klaarkomen, zo schokt haar lijfje, en ze ademt onrustig door haar neus, ze is nerveus, wat ik versta.

'Nu gaan we lekker neuken!' roep ik uit, ik duw haar met haar buik op de tafel, schuif haar rokje omhoog, het enige wat ze nog draagt buiten haar kousen en schoenen, waarop enig wringwerk volgt, want ik geloof nooit dat iemand dáár al ooit iets meer dan een vinger in gestoken heeft, zo nauw is dat natte ding. Snel gaat het zijn gang, en ze lijkt het heerlijk te vinden, want ze komt bijna niet meer bij van het klaarkomen.

Dan is het tijd voor de finale, waarbij ik bijdehand haar hoofd naar achteren trek en haar neus dichtknijp. In combinatie met de prop in haar dellenbek doet deze actie wonderen: haar gespartel wordt al na enkele tellen voelbaar zwakker, en het is een wonder hoe ze als een slappe vod aanvoelt, nét op het moment dat ik met luid gebulder mijn zaad in haar verbazingwekkende spleet schiet. Zwanger zal ze er zeker niet meer van worden.

Dit was werkelijk een van de beste neukpartijen uit mijn hele leven, bedenk ik, en ik zeg het haar ook, strelend door haar haar, dat door het tumult is losgekomen uit de omknelling van de paardenstaart.

Achteraf denkt men: wat een lekker smerig wijf had dit kunnen worden, met haar lichtjes schele kop, waar talloze hete venten zich de pleuris aan hadden kunnen neuken, al dan niet tegen betaling, ware het niet dat het nu in één klap allemaal voorbij was, maar men had er dan ook enorm veel plezier aan beleefd, en dat telt ook, en bovendien worden alle wijven later uitgezakt en vies, dus in zekere zin werd dat haar bij dezen helemaal bespaard.

'Alle wijven' is een veralgemening, geef ik toe. Op basis van persoonlijk en dus subjectief, maar daarom niet minder nauwkeurig onderzoek, uitgevoerd over een periode van dertig jaar, heb ik het over zeventig tot tachtig procent, die bezwijken onder de druk van de zwaartekracht; want wat ons met de voeten op de grond houdt, is ironisch genoeg tevens verantwoordelijk voor de verzakkingen die optreden, zodra een bepaalde leeftijd gepasseerd is en bepaalde spiergroepen versoepeld zijn.

De andere groep, twintig tot dertig procent, blijft grotendeels gespaard van deze verschijnselen, door de band genomen doordat zij graatmager zijn en er niets uit te rekken valt, wat niet betekent dat zij de drieste dans van de wassende jaren ontspringen. Want ook zij worden lelijker met de tijd, alleen uit dit zich niet in bulten, spatten, sinaasappelspek, driedubbel gelaagde konten en langwerpige, futloze tieten, maar worden zij rimpelig en grauw, en zien zij er gaandeweg steeds boosaardiger uit, inderdaad lijken zij op heksen. Als men u vraagt welke van de twee ge zoudt verkiezen, weliswaar niet om een wafel mee te gaan eten maar om het liefdesspel mee te spelen, dan kunt ge het best goed nadenken en net zo lang twijfelen tot men de vraag vergeten is, want noch de aanblik van de scheefgezakte, uit rollen en plooien bestaande vetlap, noch die van de bleekgrijze, met pigmentvlekken bedekte en perkamentachtig aanvoelende verschijning van de oudere panlat is van dien aard dat je tot een bevredigende romance kunt overgaan. Zeg gewoon, op een zo luchtig mogelijke toon: 'Hier moet ik even mijn beste denkvermogens aan besteden, vriend!', begin gaandeweg over iets anders, en maak u vervolgens met een smoes uit de voeten, want prettig zal het niet zijn

– tenzij de vraag theoretisch was bedoeld, natuurlijk, maar men kan maar beter voorzichtig zijn.

Het zij zo.

In gedachten zie ik haar. Blozend knikt zij mij toe vanaf de stoep, klaar om haar fiets te bestijgen, en zegt: 'De resultaten worden verwerkt en kenbaar gemaakt in het laatste trimester van het schooljaar, en u ontvangt als deelnemer dan ook een brief met uitleg.' Ik denk: deelnemer, ja ja, als ik u nog eens tegenkom, ga ik wel eens aan iets anders deelnemen, frisse poes, maar ik zeg: 'Bedankt, en tot ziens, meisje, nog veel succes, en voorzichtig in het verkeer! En goed studeren', en dan lacht zij alsof zij het heeft begrepen.

TWAALF

Plezant is dit niet. Er zijn zaken die ik mij nog glashelder voor de geest kan halen. De rest hebben ze onder hypnose naar boven getoverd.

Dit ene moment herinner ik mij het scherpst. Ik was zes jaar. Mijn vader was handelsreiziger, hij maakte elke week een rondrit van vier of vijf dagen naar klanten, en verbleef dan in een hotel. Ik bleef thuis achter bij mijn moeder, een berg van een vrouw, men kan haast niet bevatten dat ik ooit aan haar ben ontsproten, want ik ben misschien niet moeders mooiste, maar ik heb in mijn leven toch de nodige wijven gehad, wat erop wijst dat ik op mijn manier aantrekkelijk ben, ofschoon sommigen het ook louter voor het geld doen.

Maar ze was tot dusver een goede moeder geweest, ze gaf mij vaak waar ik om vroeg en ze was best wel lief. Ik had die nacht overgegeven in mijn bed. Ik voelde mij al bij het slapengaan misselijk, waarschijnlijk van te vettig eten. Ik had het na mijn kotspartij voor een tijd op een roepen gezet, daarna op een huilen. Toen er niemand reageerde, stapte ik uit bed en ging de trap af.

Een vreemd, grommend geluid uit de woonkamer deed mij aarzelen. Het leek op het gemor van een hond, maar die hadden wij niet. Ik voelde mij angstig en wachtte een paar minuten onder aan de trap; het geluid hield niet op, maar het werd ook niet heviger en ik dacht: toch eens loeren.

Voorzichtig opende ik de deur. Het was donker, maar door de kier zag ik, in het flauwe schijnsel van een schemerlamp, op haar knieën op de sofa mijn moeder zitten, wijdbeens, met haar jurk opgetrokken. Ze bewoog traag haar enorme lichaam naar voor en naar achter. Ze had haar hoofd achterovergeworpen; zij was het die het gegrom voortbracht.

Toen mijn ogen verder wenden aan het duister, zag ik tussen haar billen een oor. Het leek alsof er aan haar dijen een stuk hoofd ontsnapte, maar dan zonder gezicht. Uit dat oor, of daaromtrent, klonk, nauwelijks hoorbaar, een gesmoord geluid, een onregelmatig happen naar lucht, alsof er iemand aan het stikken was.

'Harder', hoorde ik mijn moeder hijgen. 'Harder godverdomme.' Haar bewegingen versnelden, ik zag het oor bewegen, het geluid van versmachten nam toe, net als mijn angst. Mijn moeders reusachtige lijf begon te trillen, haar gekerm werd rauwer en luider, en zonder het goed te beseffen, ziek en slaapdronken en ontdaan, flapte ik er 'Mama?' uit.

Zij schoot overeind, voor zover een olifant overeind kan schieten, en zocht mij met haar verwilderde ogen. Ik had haar nog nooit echt lelijke dingen horen zeggen, zelfs niet als ik deugnieterij had uitgehaald, maar toen was het wel ineens raak. 'Godverdoeme, vuile kleine!' spuwde ze. 'Wat doet gij uit uw bed?'

'Ik heb overgegeven', antwoordde ik, snikkend, en door mijn tranen heen zag ik dat er zich van haar billen een gedaante, een tronie losmaakte, het oor kreeg een gezicht, en het was mijn tante Albertina.

'Vuile kleine!' zei ook zij, al was ze dermate buiten adem dat het amper hoorbaar was. Met haar dikke tong likte ze aan haar lippen. Wankelend stond mijn moeder op, en liet haar jurk uit haar oksels vallen. Albertina veegde met haar linkerhand haar mond schoon, en allebei bleven ze intussen met een dreigende, duivelse blik in mijn richting kijken.

'Wat doet gij uit uw bed?' herhaalde mijn moeder ietwat zinloos, waarop ik herhaalde dat ik overgegeven had en dat ik geroepen had, maar dat niemand mij was komen helpen.

'Kom binnen en doe de deur dicht', beval mijn moeder. Ze lokte mij met haar wijsvinger. 'Kom hier', zei ze streng.

Ik ging voetje voor voetje naar haar toe. Ze pakte mijn nachtjapon beet, en trok mij tegen zich aan.

Vraag mij niet waarom, en ik heb het hun nooit meer kunnen vragen, maar ik heb van mijn ouders nooit een normale pyjama gekregen. Hadden zij op een dochtertje gehoopt? Mogelijk. Steeds werd ik de trap op gebracht of gestuurd in een jurkje, wat ik nooit ter discussie stelde, uiteraard, want ik wist niet beter, tot de dag dat wij een driedaags uitstapje naar de zee maakten met de klas, en het rond bedtijd klonk alsof iemand nog rap een komische film had opgezet, buiten mijn gezichtsveld, want de hele klas stond te hikken en zich te verslikken van het lachen, overdreven, maar ge weet hoe kinderen in groep zijn. Snel genoeg had ik door dat de hilariteit over mij ging, en kon ik vaststellen dat ik inderdaad de enige van al deze kereltjes was die niet in een tweedelig jongenskostuum gekleed ging. Sindsdien zijn ze mij altijd 'poppemie' blijven noemen, wat mij in het begin erg stak, maar op de duur was ik het zo gewend dat ik het bijna niet meer hoorde, en het zelfs een soort van geuzennaam werd, wat ook verklaart waarom ik hiervoor later nooit één van hen met een listige wraakoefening heb bedacht, hoewel enkelen dit strikt genomen, ook op andere gronden, verdienden.

Voor mijn ouders heb ik dit voorval altijd stug geheimgehouden – ze zouden dit niet plezant gevonden hebben, dat hun enige zoon zo werd aangesproken, 'poppemie'.

Het zij zo.

'Gij gaat hier niks van tegen uw vader vertellen', zei mijn moeder, opeens op rustige toon. 'Als ge hier iets van tegen uw vader zegt, dan zal het uw beste dag niet zijn. Verstaan?'

Ik knikte hevig, vechtend tegen de tranen.

Liefdevol omarmde zij mij.

Vanuit die omhelzing zag ik tante Albertina loensend en smakkend op de sofa liggen, bevrijd van mijn moeder, maar duidelijk nog altijd sterk onder de indruk. Met haar tong maakte ze haar bovenste tanden schoon, waarna ze een boer liet.

DERTIEN

Nu goed. Het was mij, als jeugdige puit, niet voor de volle honderd procent duidelijk wát ik niet aan mijn vader mocht vertellen: dat ik mijn moeder op tante Albertina's gezicht had zien zitten, een hond nadoend, of dat tante Albertina tout court bij ons thuis was geweest, want mijn vader had al lang een of andere onduidelijke maar hardnekkige ruzie met zijn zus, of simpelweg dat ik in mijn bed had overgegeven – een kind zoekt het vaak bij zichzelf. Ik liep er nog een halve dag over na te denken, en ten slotte besloot ik om eenvoudigweg over alles te zwijgen, ook over het feit dat het naar vis rook in onze woonkamer, wat met behulp van een spuitbus met dennengeur was weggewerkt, en dat kwam nogal onnatuurlijk over, aangezien wij midden in de stad woonden.

Toen mijn pa 's avonds na vier dagen afwezigheid thuiskwam en wij met ons drieën zaten te eten, vertelde hij verhalen over de dingen die hij die week had beleefd; er was een bijzonder interessante vertelling bij over een klein hotel waar hij had overnacht, in een verre provincie, geen grote luxe.

Midden in de nacht was hij wakker geworden, en in het weinige licht dat door de gordijnen kwam, zag hij in het midden van de kamer een gedaante staan, op een meter of drie van zijn bed.

Hij had de lamp op zijn nachtkastje aangeknipt en zag vervolgens dat het de eigenaar van het hotel was die daar stond, stokstijf, met zijn schouders opgetrokken en de armen strak naast het lichaam en de kin vooruit, als een rekruut, starend naar de blinde muur aan de linkerkant. Hoewel deze figuur mijn vader eerder die avond had verwelkomd en zijn persoonsgegevens had genoteerd, viel het mijn vader nu pas op dat de man zijn linkeroor miste; op die plaats zat er een tuitje, een vlezig trompetmondje, en daaromheen enig littekenweefsel.

De man had niet gereageerd toen het licht werd aangedaan, en ook toen mijn vader 'Mijnheer, wat doet u hier?' zei, volgde er aanvankelijk antwoord noch beweging.

'Mijnheer!' riep mijn vader. 'Waarom staat u daar?'

Enkele tellen later leek die kerel uit een droom te ontwaken; hij schudde krachtig met zijn hoofd, als een hond die water van zich afschudt, er ging een siddering door zijn lichaam, en na een paar momenten van twijfelend rondkijken, alsof hij niet goed besefte waar hij was, keek hij mijn vader strak aan, vroeg: 'Is alles naar wens, mijnheer? Had u nog vragen?', en toen mijn vader even sprakeloos bleef, bracht de man zijn hand naar zijn gehavende oor, hield die er als een schelp achter en zei met een olijke lach op zijn gezicht: 'Ik hoor niets! Ik hoor niets! En ik neem, als u het mij toestaat, mijnheer, aan dat deze stilte geldt als een positief antwoord, namelijk dat alles naar wens is en er geen vragen meer zijn, anders zou u ze bij dezen wel stellen of anderszins een klacht of bedenking formuleren, maar ik wed dat u tevreden bent en wens u voorts nog een verkwikkende nachtrust toe.'

Nog steeds met een grote lach op zijn gezicht haakte hij met zijn wijsvinger achter het tuitje dat zijn oor verving, trok het naar voren en liet het vervolgens schieten, waarbij hij het geluid nadeed van een springende veer.

De man maakte een buiging, klikte zijn hielen tegen elkaar, maakte een sierlijke halve draai en marcheerde als een vrolijke lakei de kamer uit.

Mijn vader zei dat hij zo verbouwereerd was dat hij geen woord meer kon uitbrengen.

Ik zat met ingehouden adem naar zijn relaas te luisteren; het was een magisch verhaal, en enkele keren moest ik mijzelf inhouden om niet te roepen: 'Vader, weet je wat ík heb gezien toen ik gisterennacht overgegeven had in mijn bed en de trap afkwam!' Maar dan zag ik mijn moeder, die keek alsof zij mijn gedachten kon lezen, en ze trok waarschuwend een wenkbrauw op, niet eens onlief, maar wel duidelijk, en ik zweeg.

Toen mijn vader de volgende ochtend zijn kamer ging betalen, stond dezelfde man achter de receptie. En zonder enig teken van herkenning te geven, of zich bijvoorbeeld te verontschuldigen of zelfs maar zijn vreemde gedrag te verklaren, vroeg hij beleefd of mijnheer een goed verblijf had gehad en of hij onderaan wilde tekenen, en noemde de prijs die hij moest betalen. Mijn vader overwoog tijdens het afrekenen of hij iets zou zeggen over wat er was gebeurd, maar hij besloot om het zo maar te laten, bedankte de man en liep door de gang naar buiten. Net voordat hij de deur bereikte, klonk er luid: 'Halt!'

Mijn vader keek om en zag hoe de man, overdreven knipogend, zijn vinger weer achter zijn tuitje haakte en het langzaam naar voren trok. 'Pwlllll', zei hij schalks, en hij wuifde.

Toen mijn vader zijn verhaal had gedaan, keek hij naar mij en fronste zijn wenkbrauwen en vroeg: 'Je bent zo stil? Normaal is het een gekwebbel na een hele week over wat je hebt gedaan en gezien, en nu komt er geen woord uit. Wat scheelt er?'

Ik zei bedeesd dat er niets aan de hand was, en keek vragend naar mijn moeder, die zei dat het een kalme week was geweest en dat er niks was gebeurd, behalve dat ik ziek was geweest en in mijn bed had overgegeven, wat onprettig was zo midden in de nacht, en dat ik waarschijnlijk nog niet helemaal hersteld was en daarom nogal aan de stille kant was.

'Ga dan maar goed vroeg slapen,' zei mijn vader, 'zodat je morgen helemaal beter bent, want dan komt tante Albertina. Ik ben vanmiddag bij haar langs geweest en we hebben het bijgelegd.'

Mijn moeder en ik zaten stokstijf en zonder met onze ogen te knipperen naar hem te staren.

'Het was een stomme ruzie', zei mijn vader. 'Ruzies zijn altijd stom. Waarom kijken jullie zo? We gaan er een plezante dag van maken. En wat is er als dessert?'

VEERTIEN

Mijnheer Van Houffelen,

Ik heb zelf lang genoeg het ondernemerschap beoefend om te weten hoe het werkt. Het is niet gemakkelijk. De mensen denken: dat duwt 's avonds de kruiwagens vol met dampend vers geld naar huis, waar het tellen kan beginnen, maar niets is minder waar; als men aan het einde van de maand genoeg overheeft om zijn lasten te kunnen betalen, mag men blij zijn, en dan spreek ik nog niet over de doorlopende lonen van al het personeel, dat thuis in de fauteuil naar de televisie zit te kijken onder het nuttigen van een chocoladefantasie en een koele drank, zogezegd wegens ziekte of zoogverlof. Zij die denken dat dit prettig of gemakkelijk is, mogen het eens een week proberen – zij zullen nadien moedeloos de pijp weer aan Maarten overhandigen.

Maar zoals u het doet, mijnheer, zo kan ik het ook. Ik had u in mijn schrijven d.d. 15 oktober ll. overduidelijk en zonder ruimte voor twijfel laten weten dat ik mij niet akkoord verklaarde met de handelswijze van uw medewerkster, die weliswaar volledig op mijn steun kon rekenen waar het de morele kant van de zaak betreft, namelijk: ieder het zijne, en vooruit in de vaart der volkeren. Ik heb er inderdaad niets op tegen dat men aan de andere kant van de wereld kauwend op een dadel onder de bijbehorende palm ligt te luieren, genietend van wat de Schepper ongetwijfeld met de beste bedoelingen aan ons heeft geschonken. Evenwel moet men dan vervolgens niet lopen te klagen dat men niet in weelde baadt, om zich aansluitend te verschuilen in het ruim van een pakketboot of het landingsgestel van een vliegtuig en zonder iets te vragen van onze verworvenheden te komen meeproeven. Evenmin vind ik dat wij hen ter plekke moeten overladen met geldsommen, aangezien zij meer gebaat zijn met een goede opleiding en duidelijke instructies. Ik geloof dat ik in mijn vorige schrijven de parallellen trok met het brood en de ploeg, maar hetzelfde geldt voor het water en de pomp of de vis en de hengel, misschien verstaat u dat beter.

Dat ik heden van mijn financiële instelling middels een uittreksel de melding kreeg dat er voor de maand november reeds vijfentwintig euro van mijn rekening is gehaald, en ik spoedig de verdere details van mijn donorschap zal ontvangen, is geheel tegen de afspraken, en zelfs bedrieglijk te noemen. Ik verblijf in een tehuis, waar het geld niet aan de takken van de bomen hangt, de bankbiljetten niet door de lucht dwarrelen, en zoals ik in het begin van dit schrijven al aanstipte, heeft het jarenlange harde werken, overigens in de hygiënische sector, mij niet de verhoopte sommen opgeleverd om mij dit soort van buitenissigheden te kunnen permitteren.

Erop vertrouwend dat deze fout spoedig zal worden rechtgezet en het reeds afgehouden bedrag mij zal worden terugbezorgd, verblijf ik met, voorlopig collegiale en vriendelijke, groeten,

Oscar Van Beuseghem

VIJFTIEN

Aan mevrouw M. Moeseke
Hoofdredactie

Betreft: reactie op 'Bijna kwart kinderen niet verwekt door eigen vader', verschenen in uw dagblad van maandag ll.

'Oude Koek'

Met wat voor oude koek pakt uw krant nu weer uit, tegelijk doend alsof het ophefmakend wereldnieuws is? Ik geloof reeds lang dat groente- en melkboeren, bakkersgasten en postbodes, kortom al wie aan huis komt leveren of zaken afgeven of ophalen, verantwoordelijk zijn voor een aanzienlijk deel van de geboortes in de westerse wereld. Hoeveel huisvrouwen zitten niet botergeil te wachten op het moment dat de opgewekte koopmansvinger de bel beroert, en staan vervolgens in peignoir of doorkijkblouse met natte ogen klaar om de deur te openen, zeggend: 'Komt u even binnen, beste boer of bode, mijn kraan lekt', waarmee ze werkelijk niet de keukenkraan bedoelen. 'Kunt u er niet even naar kijken?' vragen ze dan met gedempte, rokerige stem, en ze draperen zich over de sofa, terwijl de arme handelaar daar staat, denkend: hier heeft men er wéér een! Uit medelijden of plichtsbesef gaat zo iemand dan maar aan de slag, misschien uitzonderlijk een keertje uit lust wanneer het een lekker ding is, maar de meesten van dit soort pretkutten zijn lelijke, verslenste wezens, van wie de wettige wederhelft 's avonds denkt: geef mij toch maar liever een lekker fris pintje.

Om hierbij te doen alsof u het warm water hebt uitgevonden, is aanmatigend en ongepast.

Gegroet,

Oscar Van Beuseghem, Oostmoer

PS Het staat u vrij om deze bedenking in uw dagblad op te nemen. Zonder kosten.

ZESTIEN

Curieus was dat.

Tante Albertina was helemaal opgemaakt en opgekleed, dus ze leek in niets meer op de vieze pudding die ik enkele nachten geleden tussen de billen van mijn eigen moeder bijna had zien stikken, met haar glinsterende baard, en toch kon ik het beeld van toen niet uit mijn hoofd krijgen.

Mijn moeder liep al de hele ochtend nerveus rond, en ik liep nerveus te zwijgen, zodat mijn vader al vier keer had gevraagd wat er in godsnaam nu weer aan de hand was, en of ik nog ziek was; ik begon dan maar te liegen dat ik nog altijd een beetje buikpijn had en dat ik inderdaad tijdens de nacht een paar keer wakker was geworden met het gevoel dat mijn eten op de terugweg was.

Tante Albertina had schijnbaar geen last van de spanning, want ze kwam luid kakelend binnen, gaf mijn vader een warme omhelzing en zei dat ze blij was dat het weer goed gekomen was tussen hen tweeën. Zij droeg een jurk met grote blauwe bloemen; haar haren had zij opgestoken in een dot, die met twee kruiselings gestoken houten naalden werd bijeengehouden, zodat het leek alsof zij een bol breiwol op het hoofd had. Mooi was zij niet te noemen, met haar grote, vormeloze lijf en haar hangende wangen, die lilden als zij lachte of met het hoofd van nee schudde.

Ook mijn moeder kreeg drie kussen, en tante Albertina loog dat het lang geleden was en dat dat spijtig was, en mijn moeder beaamde dat; we waren nog maar vijf minuten ver, en we waren al met z'n drieën aan het verzinnen en het verzwijgen. Alleen mijn vader was nog zuiver op de graat, en wellicht op dat ogenblik ook nonkel André, de man van Albertina, een klein kalend mannetje met een belabberd snorretje en een rechteroog dat uit de kom hing; het keek een beetje te veel naar links om goed te zijn. Hij zei niet veel, hij liep in zijn goedkope kostuum achter zijn vrouw aan, en enkel als er hem iets werd gevraagd of hem iets voor de voeten werd geworpen, zei hij ja of nee. Hoog-uit kwam er eens een 'inderdaad' of een 'het is niet te geloven' uit.

Hij zat met een verveeld, uitgestreken gezicht te luisteren terwijl mijn vader voor de tweede keer het verhaal van zijn hotel vertelde, nu al met veel meer luister en details, de nacht was veel donkerder en grimmiger en de verschijning van de man aan zijn bed was sinister en het tuitje op de plek van zijn oor was ineens vies en geel en weerzinwekkend, iets wat de avond ervoor blijkbaar nog niet ter zake deed.

André zei dat ze zulke lui voor zijn part mochten opsluiten, wat een ongewoon lange en inhoudrijke zin was, voor zijn doen.

Mijn vader merkte schaapachtig op dat hij allicht toch nog een brief aan het hotel zou richten met een klacht over het voorval.

Mijn moeder had eten gemaakt, zelfgerolde bouletten met noordkrieken, en tijdens de maaltijd dronken zij wijn, wat bij tante Albertina een grote olijkheid veroorzaakte, en bij mijn moeder schijnbaar een grote droefheid, want ze zat zwijgend en nors te luisteren naar de gesprekken aan tafel, waardoor zij en ik een stille tandem vormden, want ook ik vond nog altijd dat het beter was om veiligheidshalve over alles mijn mond te houden.

Het gespreksthema werd de maagoperatie van mijn vader, drie jaar eerder, en al snel stoof hij de trap op, om een paar minuten later terug te komen met een grote bruine envelop, waaruit hij voorzichtig zijn röntgenfoto's van toen haalde.

Tegen het licht van het keukenraam gingen hij en André naar die donkere beelden van dof plastic staan kijken, mijn vader legde met zijn vinger uit waar ze precies wat hadden gevonden en hoe diep ze er dan in hadden zitten snijden. 'Hier, langs hier, zo', zei hij. André zei chagrijnig: 'Ja ja.'

Mijn moeder en tante Albertina waren in de eetkamer gebleven, waar ze zwijgend tegenover elkaar zaten. Albertina keek de kamer rond en mijn moeder staarde naar haar half leeggegeten bord. Ik stond in de deuropening naar de keuken, en kon zo de twee taferelen gadeslaan, waarbij ik dit aan de linkerkant niet los kon zien van de vuiligheid die ik eerder onder ogen had gehad, en mij bij de rechterkant stond af te vragen wat die twee mannen zouden denken als ze wisten wat ik wist – misschien wisten ze het, misschien zat tante Albertina ook weleens op nonkel Andrés gezicht 's nachts, of zelfs mijn moeder op dat van nonkel André, en was mijn vader de enige die nooit ergens op zat, want hij was altijd op de baan.

Ik was een kind en wist niet beter.

Mijn vader trok zijn hemd uit zijn broek, en toonde nonkel André aan de buitenkant waar ze met het mes geweest waren; in zijn bleke buik was een langwerpig wit litteken te zien. 'Als het weer verandert, voelt ge dat trekken', zei hij. Nonkel André zei niets en keek vervolgens met een melancholische blik onze kleine stadstuin in. Mijn moeder begon zonder iets te zeggen de tafel af te ruimen, daarbij in de keuken tegengehouden door mijn vader, die sussend zei dat ze dat straks wel samen zouden doen, en dat ze nu allemaal eerst in de woonkamer een cognac of een cointreau zouden gaan drinken, behalve ik dan, die niets kreeg.

André en mijn vader namen de fauteuils tegenover elkaar en mijn moeder en tante Albertina gingen dan maar noodgedwongen op de canapé zitten, waar ze recent nog op speciale wijze met elkaar kennis hadden gemaakt; mijn moeder probeerde een gesprek te beginnen over de markt, die ze verplaatst hadden vanwege werkzaamheden op het plein, waardoor niemand nog zijn kraam terugvond, en tante Albertina werd snel al weer heel vrolijk van de cointreau. Ze had duidelijk geen boodschap aan de markt, want ze giechelde erop los.

Ik vroeg of ik buiten mocht gaan spelen, en dat mocht.

In ons tuinhuis had ik op een oude houten deur op twee schragen een slagveld gemaakt met zand en takjes en boompjes en tanks en kleine soldaatjes; als men daar van dichtbij naar keek, kon men zich inbeelden dat het helemaal echt was. Met mijn neus op mijn diorama, in gedachten verdwalend in het strijdgewoel, ontploffingen en beschietingen nadoend, hoorde ik plotseling achter mij een gerucht. Ik draaide mij om en zag nonkel André in de deuropening staan, met zijn handen in zijn zakken. Hij zag er bleek en kwaad uit.

'Zijt gij braaf?' vroeg hij, met zijn lodderoog naar mij loerend. 'Zijt gij een brave jongen?'

En ik zei ja.

'Wat zijt ge aan het doen?' vroeg hij.

Ik antwoordde: 'Ik ben met mijn soldaten aan het spelen, oorlog.'

Hij kwam geïnteresseerd voorovergebogen naar mijn theater kijken. 'Dat zijn moffen', zei hij, en hij wees naar een soldaat die een steelhandgranaat wierp. 'Gij zijt toch zeker niet voor de moffen?'

Ik antwoordde: 'Ik weet het niet', en voor ik het wist, had hij met zijn rechterhand mijn nek vast, hij kneep er hard in en zei dat ik niet voor de moffen moest zijn, want dat dat vuile smeerlappen waren; hij ging op zijn knieën zitten en draaide met geweld mijn gezicht naar hem.

'Stil gij!' siste hij en hij duwde tot mijn verbijstering zijn tong in mijn mond, waarmee hij met grote diepe stoten begon rond te draaien. Ik kreeg bijna geen adem meer en verzette mij, wat hem deed stoppen. 'Stil zijn', beet hij opnieuw, 'of ik doe u iets!' Hij maakte het knoopje van mijn broek los en trok die naar beneden; hij pakte mijn piet vast tussen zijn duim en zijn wijsvinger en begon ermee op en neer te bewegen. 'Eens zien of gij al een stijve krijgt', zei hij, maar ik kreeg niks, wat hem wrevelig maakte.

Hij stond op en deed zijn rits open, terwijl hij over zijn schouder naar de tuin keek, waar alles stil was. 'We gaan soldaatje spelen', zei hij, en hij trok mijn gezicht naar zijn kruis. 'Zwijgen!' zei hij, en hij duwde zijn vleeskanon in mijn mond. Ik kreeg het moeilijk, want ik kon geen lucht meer krijgen, en na enig heen en weer geduw trok hij zijn wapen terug en spoot hij dikke klodders recht op mijn strijdperk, tussen drie soldaten en een tank in, en bij de volgende gulp recht op de tank.

Ik begon te huilen en daarom gaf hij mij een oorveeg. 'Ik heb gezegd stil zijn!' zei hij, en als bij toverslag waren de tranen weg van de schrik en het schrikken.

'Voilà,' zei hij, 'en ge gaat niks tegen uw vader of uw moeder of uw tante zeggen, of ik kom u 's nachts met een mes zoeken', en hij deed alsof hij in zijn rechtervuist een mes vasthad, waarmee hij mij in mijn buik stak. 'Ik maak u kapot', zei hij, 'en uw moeder en uw vader evenzeer', terwijl hij zijn broek dichtritste; er hing nog van alles aan zijn hand, wat hij afveegde met een vuile vod die daar lag, vol olie van onze grasmaaier. André zag helemaal rood en zijn oog hing nog schever dan gewoonlijk.

Vervolgens ging hij weer naar buiten en keek om en zei: 'Speel maar verder, kleine, met uw smerige Duitsers, ge weet toch wat dat allemaal heeft uitgestoken?'

Ik keerde mij om en staarde beteuterd naar mijn getroffen tank, waarop nonkel André plots zeer haastig kwam teruggelopen; hij duwde mij opzij, pakte de tank vast en draaide die heftig en ruw omgekeerd in het zand, zodat alle klodders eraf gingen, en met zijn vingers duwde hij de andere achterblijfsels onder de aarde van mijn diorama, en deed er toen wat verse grond bovenop.

'Ge zoudt nog in staat zijn om iemand te roepen om te komen kijken, snul', zei hij, en hij was weg.

Ik moest weer huilen; mijn tank stak nog omgekeerd in het zand en veel soldaten waren omgevallen, en ik kon mij niet meer inhouden. Ik deed desondanks mijn best om geen lawaai te maken, want daar zou heibel van komen.

Na een halfuur stil zijn ging ik terug naar binnen, en daar zat iedereen nog of weer in de woonkamer, zoals in het begin; mijn moeder vroeg of ik goed gespeeld had en ik zei ja en nonkel André zei: 'Het is een braaf manneke', en tante Albertina zei: 'Ge ziet op zijn gezicht dat het een goeie jongen is.' En mijn vader zweeg en hij was, zo scheen het mij op dat moment toe, de enige die niet zat te stinken van het liegen en het achterhouden van dingen, het ene al vettiger dan het andere.

Glimlachend keek mijn vader naar het tafereel dat het bewijs was van zijn hernieuwde geluk, de hereniging met zijn zus; hij dacht vast dat iedereen gelukkig was.

ZEVENTIEN

Verstaat gij dat?

Dat dat het beu is om een hele nacht in het donker op een tak te zitten, dat kan ik aannemen; alsook dat het vooruitzicht om weer een dag lang te mogen rondfladderen, vrolijk maakt. De gedachte aan een dikke roze pier, weerloos en wel, die dik tegen zijn zin en nog blozend van het leven in het dappere buikje verdwijnt, en daar na nog wat kronkelend verzet tot voeding vergaat. De wind in de bladeren, de vlinder die over het gras kaatst en dartelt, blikkerend in het zonlicht, de lente in de lucht – het oefent zonder twijfel een grote aantrekkingskracht uit, na een lange, doodse nacht. Maar dat dat daarom elke dag een halfuur lang allemaal tegelijk moet zitten fluiten alsof de Schepper daarboven dient te worden gewekt, daar kan ik niet bij.

God, wat een geschetter.

Ik ben een groot natuurvriend, maar dit is te gortig. En dat gaat mee met de zonsopgang, dus ik zit er voor de komende maanden weer aan vast. Elke dag vroeger. En ik geef het u op een briefje: ik ben klaarwakker, ook al omdat ik het voel aankomen, dat gaat van 'ping!', en ik lig voor de rest van de ochtend naar het plafond te kijken. Ik heb al eens het venster opengedaan en hard iets geroepen, denkend: dan gaan ze elders fluiten, maar dat helpt dus niks, die zijn zo met hun spel bezig dat ge er met een groot kanon op zoudt kunnen schieten, ze zouden amper de vlucht nemen; ik denk dat als ge verkleed als vogelverschrikker met veel kabaal en boegeroep de boom in zoudt klauteren, dat ze u nog zouden aankijken met een blik van 'dwaas, wat doet gij?' en gewoon zouden voortkwinkeleren.

Soms neem ik nog een Noctec en dan slaap ik een paar uur door, maar deze morgen heb ik het doorstaan; ge moet ook oppassen met die zware pillen; ik lag mij af te vragen of dat eigenlijk een functie zou hebben, dat tegen elkaar op tetteren, of dat het gewoon een soort van vriendelijke begroeting van elkaar en de wereld is. En dan dacht ik: wat kán dat in vredesnaam dienen, zo'n houding, van het verjagen van vijanden tot het elkaar overbluffen? Ten eerste hebben die geen vijanden – ja, ik, maar ik kom niet bij ze in de buurt – en elkaar overbluffen: waarom zou een merel moeite doen om een mus wat af te dreigen, een zwaluw een gaai? Die beesten leven altijd naast elkaar.

Dus moet dat toch iets met blijdschap te maken hebben, met het begroeten van de dag, wat op zich een schoon gebaar is, maar anderzijds, Dré, ik lag mij dat deze morgen voor te stellen, luisterend naar het ochtendprogramma: stel u voor dat alle beesten, de mens inbegrepen, dat zouden doen. 's Morgens opstaan, buiten gaan staan en een halfuur lang eens goed van hun tak maken, volgens hun eigen mogelijkheden. Roepen, brullen, blaffen, snerpen, krijsen, loeien, fluiten, op pannen slaan met een lepel, de sirene laten afgaan – het geeft niet wat allemaal, als het maar lawaai maakt. Het zou nogal een spektakel zijn, vriend. Ik denk niet dat wij hier zouden zitten, iedereen had elkaar al lang de kop ingeslagen of de keel doorgebeten of aan de hoorns gespietst, en de mensheid had nooit het jaar nul gehaald, er zou van de Messias geen sprake zijn geweest, en in het dierenrijk zou het er al niet veel properder uitzien.

Eigenlijk is dat toch sterk: hoe kleiner de beesten, hoe minder wij erover te zeggen hebben. Koeien, paarden, olifanten – verzin het zo groot als ge wilt, en wij kunnen ze te lijf, wij draaien er onze hand niet voor om, wij leggen ze neer met één beweging of een eenvoudige list. Maar vogels die massaal besluiten om ons elke dag wakker te zingen, daartegen hebben wij geen verhaal. Muizen, spinnen, kakkerlakken, microben – hoe kleiner ze worden, hoe lastiger wij het ermee hebben. Als er al een spuitbus of een prik tegen bestaat, zijn ze met zoveel en planten ze zich zo snel voort dat zij ons telkens lachend een neus zetten, en opnieuw onze wereld komen bevolken alsof er niets aan de hand is.

Ik kan daar soms niet door inslapen, man. 's Avonds al: dat ik denk aan die vervloekte vogels, 's morgens, en mij al nerveus lig te maken door de anticipatie. Ze halen het bloed onder uw nagels vandaan, die beesten. Serieus.

ACHTTIEN

Aan mevr. de Hoofdredacteur, M. Moeseke

Beste,

Hierbij volgende bespiegeling over een prangende maatschappelijke kwestie. U mag hier vrij over beschikken.

O. Van Beuseghem

'Tolerantie'

De ergste toestand waarin de menselijke geest kan terechtkomen, is onverschilligheid. Dat men de schouders ophaalt en zegt: 'Ze doen maar.' Ik geloof stellig dat dit erger en schadelijker is dan de grootste boosaardigheid. Gedwee zal immers het grote leger onverschilligen elke kant op lopen, achter elk vaandel aan marcheren waar zij van denken: ah ja, het zal wel. De grootste verwoestingen uit de wereldgeschiedenis zijn op het conto van de ongeïnteresseerden te schrijven; wereldbrand na wereldbrand hebben zij met hun apathische gemompel teweeggebracht of minstens gesteund. Hoed u voor de mens die zegt: 'Wat kan het mij schelen, dat de vreemden van heinde en verre, en hun aanverwanten, ons land volbouwen met hun tempels, en elke ochtend voor zonsopgang de buurt wakker mekkeren met hun ijzingwekkende gebeden; ik heb dubbel glas en ik slaap erdoorheen.' Schaar u aan de andere kant achter de krachtdadigen, die hierbij kritische vragen durven te stellen; zij zijn de enige garantie op een dynamische, rechtvaardige en werk- en leefbare samenleving.

Oscar Van Beuseghem, Oostmoer

NEGENTIEN

Voordat ik de draad kwijt ben.

Mijn vader was op maandagochtend weer op koophandelsreis vertrokken. Mijn moeder deed alsof er niets aan de hand was; ze zweeg, net als ik, keurig over alles wat er gebeurd was. Ze hielp mij met mijn rekensommen en mijn andere taken, en gaf mij bij het slapengaan een lieve nachtzoen.

Tijdens de eerste nacht werd ik verschillende keren wakker en lag ik ingespannen te luisteren of er beneden nog iets te horen viel; het bleef muisstil. Mijn moeder kwam op het gebruikelijke tijdstip de trap op, ze stak haar hoofd nog even naar binnen om te kijken of ik vredig sliep, en ging vervolgens zelf naar bed.

De volgende nacht haalde zij mij uit een diepe slaap; ze commandeerde dat ik moest opstaan en mee naar beneden moest gaan. Ze klonk bars en zag er nerveus uit.

Tante Albertina was weer op bezoek; zij zat in een van de fauteuils, met alleen haar bh aan. Ik stond beduusd naar haar te kijken; zij zei niets en keek met een lege blik voor zich uit. Uit de keuken verscheen na enkele tellen een vrouw die ik niet kende, een graatmagere lange met oud, rossig haar en een strenge blik; haar gezicht was bleek en rimpelig en ziekelijk, en met haar ijzeren bril leek ze op een schoolmeesteres, en zeker geen prettige.

Niemand sprak, wat een akelig gevoel gaf, dat er niet minder op werd toen de onbekende vrouw van achter haar rug een garde tevoorschijn haalde, dezelfde die mijn moeder die dag had gebruikt voor de bereiding van de saus bij de bloemkool, die zij mij vervolgens met haar ijzige vingers in de handen stopte. Ik keek naar mijn moeder, die leunend tegen de schouwrand stond toe te kijken; haar ogen waren koud, zij leek weer een totaal ander mens dan de moeder die ik kende.

Hulp hoefde ik van haar niet te verwachten; zij bleef staren, terwijl ik door de schoolmeesteres gedwongen werd de garde bij tante Albertina in te brengen.

Tante Albertina verstijfde en sloeg haar ogen op. Met een ruk aan mijn pols maakte de vrouw aan mijn zijde mij duidelijk dat ik moest draaien, wat ik ook deed, ondanks het feit dat het een schouwspel opleverde, geloof mij, waar ik liever geen getuige van was geweest.

Met hun armen over elkaar en schijnbaar emotieloos stonden mijn moeder en de vreemde vrouw toe te kijken. Mijn rechterhand werd moe, ik zette het werk met mijn linker voort; tante Albertina zette zich schrap en het werd voor mij meer en meer een karwei, ik moest met twee handen verdergaan, anders lukte het niet; na een tijdje bereikte zij haar hoogtepunt, haar pupillen draaiden weg, waardoor haar ogen helemaal wit werden; het was een spookachtig tafereel. Haar klauwen zaten diep in de armstukken van de fauteuil gedrukt, met haar stokstijfheid en haar rode kop deed zij denken aan iemand die in de elektrische stoel nog zit na te roken van de executie, morsdood en met knetterende, uitpuilende ogen.

Mijn moeder streelde, nu met een lieve glimlach om de lippen, door mijn haar en hielp mij overeind. Ze leidde me de trap op, naar mijn kamer, waar ik na haar nachtzoen pas na lang woelen de slaap wist te vatten.

Bij het ontwaken kwam de herinnering aan mijn nachtelijke karwei met stukken en brokken terug; minutenlang lag ik te twijfelen of ik een boze droom had gehad.

De woonkamer was opgeruimd. Op de fauteuil waar tante Albertina had gezeten, was niets te zien of te ruiken. Ik drukte mijn neus in de stof, die geurde naar viooltjes.

Niemand had deze keer gezegd dat ik niets mocht zeggen, maar ik wist op gevoel dat die afspraak voor eeuwig gold; alles wat met tante Albertina en nachtelijkheid en keukengereedschap te maken had, daar viel in hoofdzaak over te zwijgen, alsook over nonkel André als hij met zijn piet op mijn soldaten schoot.

Er hoopten zich wel vragen op in mijn snotapenhoofd, zoals: zou tante Albertina het van nonkel André weten, en omgekeerd, dat kan toch bijna niet anders als uw vrouw telkens, na een halve nacht weg geweest te zijn, dolgedraaid en vuurrood thuiskomt? Maar misschien kon het hem niet schelen en had hij liever gewoon mij om zijn ding mee te doen.

Ik heb achteraf vaak gedacht dat er van alle mensen vele soorten zijn, goede en kwade, en mensen met begrip en mensen zonder, en dat men nergens van mag verschieten op dat vlak.

TWINTIG

Aan mevr. de Hoofdredacteur, M. Moeseke

Ter publicatie.

Met beleefde groeten.

Betreft: 'Doodstraf'

Dat men in sommige delen van de wereld nog steeds de doodsvonnissen voltrekt met gebruikmaking van de zogenaamde elektrische stoel, is onbegrijpelijk. Niet alleen dient men bij talrijke executies de behandeling te herhalen aangezien het slachtoffer niet meteen de dood vindt, waardoor men het halfgare, reeds wolkjes rook uitpuffende personage een tweede of zelfs derde keer aan het stroomnet moet hangen. Als men zijn geweldplegers van een zekere categorie per se wil doden, kan dit ook op andere manieren, die sneller resultaat opleveren en die vooral properder zijn, met vergif, pillen of andere doeltreffende medische middelen. Niemand staat ooit stil bij de schoonmaak – ook die moet gebeuren door iemand, en in diens schoenen wenst men na dergelijk knoeiwerk niet te staan.

Doch is het maar de vraag waar wij de betrokkene op de krachtdadigste manier mee treffen; kijkt men met minder weerzin uit naar een levenslang verblijf achter de tralies, omgeven door geboefte dat er vaak nog smeriger leef- en denkpatronen op na houdt dan uzelf, en dat u vanaf dag één, als u als groentje de stalen poort door wandelt, als hun handpop zal beschouwen, en dat alle bijbehorende rechten, door hun hogere anciënniteit, ook zal verkrijgen, dan naar de injectie, de kogel of de stroomstoot, waartegen weliswaar het biologische lichaam zich luid foeterend zal verzetten, aangezien dit als het ware geprogrammeerd is om in leven te blijven, maar die, als men zijn verstand gebruikt, ruimschoots te verkiezen zijn boven het eeuwigdurende onbehagen en de angsten en ongemakken van het leven in de nor. Bovendien is op die manier ook de samenleving beter gediend, gezien de aanzienlijke kostenbesparing (voedsel, bewaking en de voortdurende juridische afwikkelingen), en het feit dat ontsnappen en vervolgens terugvallen de facto onmogelijk worden gemaakt. Wie deze logica barbaars en onbeschaafd noemt, is dom.

Oscar Van Beuseghem, Oostmoer

EENENTWINTIG

Over goed en kwaad gesproken.

Ik geloof niet dat de negers en anderskleurigen die ons bezoeken alleen kwaad in de zin hebben. Maar dat zij allemaal, zoals ze beweren, het thuisland zijn ontvlucht met zuivere motieven, zoals geseling, verkrachting, vernedering, vervolging en aankomende dood, daar denk ik het mijne van. Velen van hen zijn slechts op één ding uit, of twee, namelijk geld, en tevens blanke vrouwen, een combinatie die het goed doet, aangezien men geld moet hebben om blanke vrouwen te krijgen. De heetste droom is het, van deze rekels, om beladen met diamanten ringen en gouden kettingen over luttele jaren terug naar het thuisland te gaan, in het gezelschap van een blonde sloerie in een mini-jurk, en daar rond te rijden in een (gemeten aan de plaatselijke normen) verfijnde wagen, minzaam glimlachend naar al wie naar hen wuift, en nu en dan zelf met de hand zwaaiend, alsof men een hoogwaardigheidsbekleder is. Zeggend: 'Kijk, ik heb het gemaakt in het leven', terwijl dit uiteraard een neger blijft, het is niet omdat men in een auto zit met een blonde hoer op de passagiersstoel dat dat plots anders zou moeten worden bekeken.

Om mij eens goed onder te dompelen in de wereld der negers, want uiteraard mag men niet over één nacht ijs gaan bij het vormen van zijn mening en moet men goed gedocumenteerd zijn voordat men standpunten inneemt, begaf ik mij naar het administratief centrum in de stad, waar zij op straat in lange rijen staan aan te schuiven bij het bureau van de regularisatie, met in de hand geklemd de papieren waarvan zij hopen dat die toegang verlenen tot het beloofde land.

Ik had mijzelf een badge opgespeld, met daarop een valse naam, O. Verhardt, en de titel 'Hoofdcommissaris der Aankomende Vreemden', wat een grote indruk maakte op hen die ik aansprak; al snel zwermden zij om mij heen als een troep wespen die een strooppot hadden ontdekt, of vliegen die verse kak hadden geroken, wat geenszins iets zegt over mijzelf.

Al snel diende ik orde op zaken te stellen, waarbij ik deze gelukszoekers toesprak en zei: 'Luister, ik zal u welwillend helpen met het invullen van uw documenten, waarbij een grote omzichtigheid in acht dient te worden genomen, aangezien de voorwaarden voor definitieve toelating tot het land zeer streng zijn; de minste foutieve aangifte kan leiden tot het terugzenden van uzelf en uw geliefden naar het land waar u en zij vandaan komen, als u al geliefden hebt. Ik zal u bijgevolg nummertjes geven, waarmee u zich aan de overkant van de straat, in het café dat u daar ziet, kunt aanbieden, ordelijk en in volgorde.'

Daar gingen zij maar al te graag en gretig op in. De eerste was een jongeman met lodderogen uit het Afrikaanse binnenland, die plaatsnam op de stoel tegenover mij, en die ik vroeg hoeveel centen hij had. Blijkbaar had hij zopas van de hulpkas voor wachtende negers een toelage gekregen, want er zaten twee bankbiljetten in zijn portemonnee, en ik droeg hem op om ter compensatie voor mij een glas bier te halen aan de toog en dat te betalen, evenals iets voor hemzelf als hij dorst had. Dat had hij niet, loog hij.

'Luister,' sprak ik in het Frans, 'het is van bijzonder groot belang dat u de juiste gegevens verstrekt, aangezien men daar bijzonder streng op toeziet. Ik zal u influisteren wat u het best kunt invullen, om de grootste kans te maken. U moet beweren dat u uit oorlogsgebied komt, waarbij uw hele familie is uitgemoord, uw vrouw bovendien eerst is verkracht en uw kinderen de handjes zijn afgehakt, waarna u half bent doodgeslagen en op het nippertje kon ontsnappen, en dat u niet terug kunt doordat u behoort tot een bevolkingsgroep die in de verdrukking is van staatswege, en aangezien u in feite een homoseksueel bent, een gegeven waarop in uw thuisland de dood met de kogel staat, al dan niet terecht, en u tevens politiek actief bent in het verboden linkse verzet, daar zijn die rakkers achter hun bureaus hiertegenover zeer gevoelig voor. Klopt dit alles?' vroeg ik hem.

De lelijkerd knikte zeer nadrukkelijk en met een brede glimlach om de lippen, als wilde hij aangeven dat hij goed genoeg begreep welk voos bedrog ik van plan was te plegen (want dit was vast een eenvoudige fortuinzoeker, zoals de meesten van zijn broeders daarbuiten), en vroeg op valse toon of ik nog een glas bier wilde. Dat wilde ik.

Ik zal dit in onze eigen taal op het document verduidelijken, verzekerde ik hem, waarna ik mijn pen nam en schreef onder 'Redenen voor aanvraag asiel':

- Bananen in thuisland van slechte kwaliteit.
- Veroordeeld wegens betasten van minderjarige weesjes.
- Heb gehoord dat men in toekomstig land vrijelijk van staatssteun kan profiteren.
- Blanke vrouwen zeer interessant op het vlak van orale bevrediging, zegt mijn oom Nkemdilim.
- Ben van oordeel dat negers overal ter wereld een voorkeursbehandeling verdienen.

- Grote hekel aan iedere vorm van arbeid, inspanning en maatschappelijke integratie.

Ik dankte deze kerel voor het tweede glas dat hij mij lachend aandroeg, vouwde zijn papieren dicht, stak hem die toe, klopte hem op de schouder, zeggend: 'Luister goed, Ambrose, als ik u bij uw voornaam mag noemen – een flauwe naam wel voor een stevige neger zoals u – u hebt er goed aan gedaan om mijn hulp te aanvaarden. U kunt negenennegentig procent zeker zijn dat uw aanvraag in orde komt, ik stel mij er garant voor, en dat u weldra in vrede en voorspoed in dit mooie land zult kunnen leven. Denk eraan, als men u vraagt of u dit document naar waarheid hebt ingevuld, zegt u uitdrukkelijk: "Ja, ja, ja, en niets dan de waarheid." Zeg het na! "Ja, ja, ja, en niets dan de waarheid!" En u trekt een vrolijke, optimistische bek, want angstlijders en depressieven hebben wij hier niet graag. Veel succes', zei ik nog, en schudde hem de hand, en riep de volgende.

In gedachten, en glimlachend, zag ik Ambrose reeds met de handboeien om op het vliegtuig zitten, geflankeerd door twee verveelde wetsdienaars, vruchteloos jammerend van: 'Ik ken de Hoofdcommissaris der Aankomende Vreemden hoogstpersoonlijk!', en ik begroette, mijn glas in één teug legend, vriendelijk het jonge wijfje dat het bonnetje met nummer 2 voor zich uit hield, en van wie ik op grond van het tietenwerk dacht: die mag van mij blijven als zij enkele goede afspraken met mij nakomt, die wij maakten.

TWEEËNTWINTIG

Luister, mijnheer Serge Van Houffelen,

Als u al echt zo heet, want ik kan mij nauwelijks voorstellen dat u uw aftroggelpraktijken niet onder een schuilnaam uitvoert. Ik zou, in uw geval, niet mijn ware persoonsgegevens durven kenbaar te maken.

Dat u mij slinks, door een niet onaantrekkelijk wijfje op pad te sturen, dat zonder schaamte haar troeven in de arena gooide om haar slachtoffers te verblinden (waarover ik bij de directie van deze instelling reeds hardop mijn beklag heb gedaan, dat zij zulks toestaan binnen hun muren), iets doet ondertekenen waarvan ik dacht dat het enkel een steunbetuiging was voor een zaak die mij niet na aan het hart ligt, zeker niet, maar waar ik van denk: ze doen maar – tot daaraan toe.

Dat aansluitend blijkt dat ik een bankopdracht heb gegeven waardoor er maandelijks vijfentwintig euro van mijn rekening verdwijnt, en dit met een looptijd van ten minste twaalf maanden, gaat voor mij te ver. Zoals ik in een eerder schrijven reeds heb gesteld en toegelicht, ben ik niet welgesteld, na een leven in de van staatswege goedgekeurde en toegestane plunderpraktijken genaamd het ondernemerschap; velen hebben op mijn rug een niet onaardig bestaan opgebouwd, door rechtstreeks bij mij in loondienst te komen en vervolgens zelden of nooit te komen werken, of indirect, door van een afstand en onder de hoede van een sociale dienst of een vreemdelingencommissariaat te profiteren van mijn belastinggelden. Wie van de twee de grootste lafaard is geweest, ik laat het aan u over om dat uit te maken.

Dat ik mij nu door u ook nog met een pleegkind geschopt weet, en dus weet waar mijn door u gepikte geld naartoe gaat, en ik de ontwikkeling van dit creatuur op de voet kan volgen, beschouw ik als de ultieme kaakslag. Zegt u tegen deze genaamde Fanta in het verre Zuid-Soedan dat zij wat mij betreft al haar ontwikkelingen bij dezen mag staken, dat ik alles in het werk zal stellen om deze roof bij klaarlichte dag een halt toe te roepen, en dan mag u zelf nog van geluk spreken als ik u niet voor de hoogste tribunalen daag, uw naam, Serge Van Houffelen, voor eeuwig en altijd voor het brede publiek door het smerigste slijk haal, zodat mensen die Van Houffelen heten hun naam enkel nog schroomvol fluisterend zullen durven uit te spreken, en uw als liefdadigheid vermomde zwendel voorgoed laat stopzetten.

U moest u schamen, maar aan uw bleke en valse smoelwerk in de folder te zien is daar weinig kans toe.

Zonder dank,

O. Van Beuseghem

DRIEËNTWINTIG

Ik heb mij verschillende keren afgevraagd of ik het aan mijzelf te danken had dat ik vanaf toen op regelmatige basis door mijn moeder midden in de nacht werd gewekt om allerlei dingen te doen waar ik eigenlijk geen boodschap aan had, zeker niet op die leeftijd; het kwam wellicht toch doordat ik er die eerste keer toevallig op uit was gekomen, dat ze op het idee kwamen om mij er nog eens bij te vragen, dus als ik zelf niet de trap was afgelopen en niet stomweg 'Mama!' had geroepen toen zij grommend en rillend op tante Albertina's gezicht zat, of als ik bijvoorbeeld om te beginnen niet in mijn bed had gekotst, dan had er van dat alles waarschijnlijk nooit iets plaatsgevonden.

Nu hadden ze hun plezier ontdekt, want soms werd ik in een week tot twee keer toe voor mijn rol gevraagd, die telkens anders was en die altijd onvoorspelbaarder werd; van aangever werd ik hoofdrolspeler. Het was een steeds wisselend publiek, waarbij mijn moeder de enige constante was. Soms waren het zij en tante Albertina alleen, vaak was die met haar ijzeren bril erbij, die Hélène heette.

De afschuwelijkste nachten waren die als Françoise er was; dat was een vrouw uit onze straat, die een winkeltje had waar ik geregeld van mijn moeder iets moest kopen. Zij was een verschrikkelijke, barse, brutale vrouw. In de winkel viel dat nog mee omdat er dan geregeld andere mensen bij waren, maar 's nachts bij ons thuis kwamen haar ellendigste kanten boven, dan was het een gesnerp en een gebrul als ik iets verkeerd deed – dat ik haar pijn deed, dat het harder moest of juist zachter, dieper of minder diep, en soms gaf ze mij op zo'n moment van gramschap met haar vlakke hand een oorveeg waar ik dagen later nog schetterende koppijn van had.

Het was op een woensdagmiddag tijdens een schoolvakantie dat ik door mijn moeder naar Françoise werd gestuurd voor een pakje paneermeel dat ze nodig had bij het koken. Ik moest mij haasten, want om twaalf uur ging de winkel dicht. Ik was nog net op tijd.

'Ga maar mee naar achteren', zei met haar ijskoude stem de weduwe, want haar man was al enkele jaren dood. Ik vroeg mij af of ze tijdens zijn leven ook zo'n afschuwelijk kreng was geweest; dan had deze man, Antoon, die op een nacht met zijn auto in het kanaal was gereden en was verdronken, misschien opzettelijk afscheid genomen van het leven, om van haar af te zijn, want zo'n bestaan is niet draaglijk. Men had het altijd op een ongeval gehouden, ook omdat Antoon stevig had gedronken – wat ook te verklaren valt als men thuis zoiets heeft zitten, dat men drinkt.

Françoise sloot de deur van de keuken achter zich en gebood mij op een stoel te gaan zitten.

'Hier staat uw paneermeel', zei ze, wijzend naar het pakje op de tafel, dus zij wist waarvoor ik kwam, en toen gebood ze mij om mijn broek uit te doen, iets wat op de vermaakavonden van de laatste jaren nog geen enkele keer was gebeurd; ik was altijd gekleed gebleven, in nachthemd; ik moest hooguit eens mijn mouw opstropen als dat nodig was.

Nu deed ze bij mij wat ik bij nonkel André altijd deed, en wat hij na die eerste keer nog verschillende keren was komen doen, meestal op een woensdagmiddag, als hij wist dat mijn moeder trouw haar inkopen deed en ik alleen thuis was; dan sprong hij vaak maar een paar minuutjes binnen.

Ik schuifelde op de stoel omdat ik niet wist hoe ik mij moest houden, want dit was mij nog nooit overkomen, wat Françoise buitenmaats irriteerde. 'Zit stil', gebood ze, en ze ging door, wat mij voor de eerste keer in mijn leven een erectie opleverde, want tot dan toe had ik daar nog geen last van gehad; jongens in mijn school pronkten daar weleens mee, in een hoekje van de speelplaats met een paar vriendjes, maar bij mij was dat nog niet aan de orde.

Het proces verliep niet zoals Françoise het zich had voorgesteld, want ze werd nijdig. 'Wat is dat met u?' vroeg ze kwaad. 'Ge zijt toch geen kind meer? Ik verdoe mijn tijd!' En daarna stond ze foeterend op en trok ze haar schort weer goed, en zei ze: 'Daar, uw paneermeel, en maak dat ge terug thuis zijt.' En toen moest ik zorgen dat ik snel mijn broek weer aanhad en de benen nam, anders was ik een oorveeg rijker geweest, denk ik. Françoise was een regelrechte heks, met haar grijze haren die aanvoelden als ijzerdraad, haar boze, priemende oogjes en haar eeltige, schuurpapieren handen, en ze rook bovendien naar schimmel.

Mijn moeder zette het pakje paneermeel ongeopend in de kast – ze was wellicht van gedachte veranderd – en ze vroeg niet waar ik zo lang gebleven was. Het was worst met aardappelen die middag, dat weet ik nog goed.

VIERENTWINTIG

Aan mevr. de Hoofdredacteur
Met de nodige dringendheid

Betreft: 'Ongeval of niet?' – n.a.v. uw artikel 'Huisvader crasht in Havenlaan'

Veel te weinig wordt er stilgestaan bij de vraag hoeveel dodelijke ongevallen een dekmantel zijn voor zelfmoord. Dit aantal is wellicht hoog. Het vergt immers aanzienlijk minder moed om u een stuk in de kraag te drinken en vervolgens halfblind en met hoge snelheid met uw auto tegen een geparkeerde oplegger te knallen, dan om een touw aan de hoogste balk te bevestigen en zich daaraan willens en wetens op te knopen. Het voordeel van een geënsceneerd ongeval is dat de verzekeringen nadien niet moeilijk doen bij de uitbetaling van de nabestaanden, wat het dan weer opmerkelijk maakt dat het zo vaak op die wijze gebeurt, aangezien er toch weinig is wat meer genoegen schenkt dan de gedachte dat men, door zijn vertrek uit het leven, de achterblijvers ook nog eens een postume loer draait door hen financieel te ruïneren. Dat is te zeggen, wanneer men, zoals de meeste mannen, zijn tijd in de onpeilbare ellende en onderdrukking van het getrouwde samenzijn doorbrengt. Hoe zoet moet dit beeld zijn: men ziet in gedachten de wetsdienaars aanbellen bij zijn vervloekte echtgenote, zeggend: 'Het spijt ons, mevrouw Schellekens, uw man is komen te gaan', waarop zij er amper in slaagt om een glimlach te onderdrukken, en theatraal begint te jammeren, weliswaar op het niveau van het dorpstoneel, om enkele tellen later haar blijdschap vernietigd te weten door de mededeling: 'Hij heeft zelfmoord gepleegd.' Op dat ogenblik wordt het verdriet plots wel tastbaar en waarachtig, veranderen de krokodillentranen prompt in ongeveinsde, bittere waterlanders, in het koude besef dat men naar de gelden van de levensverzekering waar men zijn zinnen op had gezet, nu kan fluiten, en bepaald geen vrolijk deuntje.

Oscar Van Beuseghem, Oostmoer

VIJFENTWINTIG

Men snapt zoiets niet.

Zij was een zeer mooie blonde dame van ergens in de twintig met een aantrekkelijk figuur en lippen waar men naar keek en kon blijven kijken, ogen als vrolijke lampionnen, tieten die zeiden, zij het op fluistertoon: 'Knijp in mij', waarbij men zich kon voorstellen dat zij zouden klinken als een badeendje – wat het alles tezamen des te raadselachtiger maakte dat zij het bibliotheekgebouw verliet met in haar kielzog twee kinderen van medium gebruinde huidskleur en met uitgesproken negerkrulhaar, die overigens veel noten op hun zang hadden, wat niet verwonderde bij dit genre.

Ik sprak: 'Mevrouwtje, goedemiddag, vergeef mij dat ik u ongewenst aanspreek, maar van wie zijn deze twee jongens? Wie heeft hen aan u toevertrouwd?'

'Dit zijn mijn kinderen,' antwoordde de sloerie prompt, 'Yoni en Yaki.'

Ik zei: 'Zo zo, Yoni en Kaki', waarbij zij mij corrigeerde wat de tweede betrof, en ik trok raadselrijk een wenkbrauw op. 'Yono en Yaki zien er enigszins uitheems uit, als ik mij niet vergis,' vervolgde ik, 'met hun haren en hun kleur, u hebt deze vast geadopteerd uit den vreemde?'

'Nee', antwoordde zij nog steeds zeer vriendelijk en geil glimlachend, waarbij men gedachten moest onderdrukken om haar badeendje te doen klinken, want als zij van nee schudde, schudden haar twee frontale stootkussens op het aangegeven ritme mee, wat een mens onrustig maakte. 'Dit zijn mijn eigen kinderen, ik heb ze zelf gemaakt.'

Ze knipoogde verleidelijk, aangevend dat zij er allicht niets op tegen zou hebben om er nog een derde bij te knallen, of tenminste te doen alsof, daarbij gebruikmakend van condoom of vroegtijdige terugtrekking mijnentwege.

'Zijn ze niet schattig?' voegde zij eraan toe, waarop ik mijn neukgedachten losliet en kordaat antwoordde: 'Zéér', zij het op sarcastische toon, die haar ontging, aangezien zij bleef glimlachen met lippen die niets aan de verbeelding overlieten, zij voelden al zacht aan als je er gewoon naar keek, men kon zich de rest reeds voorstellen.

'Waar is de vaderfiguur in dezen?' ging ik prikkelend verder. 'Wellicht Fumnanya of in het beste geval Désiré hetend?' waarbij ik een lachje simuleerde, wat haar deed denken dat ik een olijke frans was die een grapje maakte, en nietsvermoedend repliceerde zij: 'Wij zijn niet meer samen, Butannaziba en ik, het is niet gelukt. Ik voed mijn zoontjes alleen op.'

Graag had ik hierna de vraag gesteld of Butannaziba ervandoor was met een andere hete blonde doos, er zonder pardon pardoes zijn zwarte kanon in leegschietend, wellicht tevens met achterlating van nog meer halfzwart grut in onze samenleving, daarna weer kiezend voor de horizon als bestemming, waar nog meer van deze sullige wijven klaarlagen om hun lekker warme snee ter beschikking te stellen van de eerste de beste glanzende zwarte, ruikend naar stierenzweet.

In plaats daarvan zei ik, op een toon die medelijden alsook bewondering suggereerde: 'Prachtig! Zoals u moesten er meer zijn, mevrouw, vrouwen die het aandurven om zelf de hand aan de ploeg te slaan, ook al is het alleen, en het lot van hun kinderen in eigen hand te nemen. Zelfs al zijn deze verwekt door een trouweloze neger! Zelfs al kan men ernstige vraagtekens plaatsen bij de eventuele rooskleurigheid van hun toekomst, gelet op hun uiterlijk en bijgevolg hun inborst! U verdient hiervoor ons respect. De meeste mensen geven het, wanneer zij worden geconfronteerd met een euvel of een lastigheid, veel te snel op, waardoor verloedering en scheefgroei dreigen.'

Zij begon, ondanks haar onmiskenbare domheid, stilaan aan haar water te voelen dat ik met gespleten tong sprak, wat bleek uit haar gefronste wenkbrauwen; toch zei zij giechelend: 'Dank u.'

Nu was het tijd voor het kanon.

Ik zei: 'Luister, mevrouwtje, u bent vast oprecht gelukkig met deze twee half mislukte ondingen, deze donkerkleurige schampschoten van de schepping, en wellicht heeft uw Butannaziba u met zijn zware staaf ontelbare uren van wild genot bezorgd, wellicht met zijn gedachten evenwel reeds bij de volgende blonde boerin die denkt: ah, een neger! Want dit soort kerels heeft een ontembare oerdrang naar het beklimmen van de volgende berg, het besproeien van de verder liggende akker, het volhengsten van een nieuwe, nog argelozere preut dan de vorige. Maar houd in gedachten, beste volksheldin', ratelde ik voort, 'dat u door uw gedrag voor een schaalvergroting van het probleem der ongewenste inwijkelingen hebt gezorgd, dat deze twee krullebollen, hoe valselijk innemend zij er op de dag van vandaag ook bij mogen lopen, kirrend en koerend, over enkele jaren zullen uitgroeien tot dezelfde soort van neukridders als deze Butannaziba, die u in de maling heeft genomen, men wil niet weten hoe deze omgekeerde piramide zich zal ontwikkelen, hoe deze plaag ons voortbestaan bedreigt.'

Daar had deze klodderhoer eventjes merkbaar niet van terug, want met haar kolossale ogen keek zij mij aan alsof ik God de Vader zelve was, of ten minste Mozes, met inbegrip van de stenen tafelen, waarop zij, woedend lijkend, siste: 'Scheer u weg, enge oude zak!'

Ik zei sussend: 'Mevrouw, u mag mij niet op mijn uiterlijk beoordelen. Ik ben een dagje ouder, de jaren hebben hun sloopwerk gedaan, de jeugd is langzaam maar zeker uit mij weggesijpeld. Maar dat betekent niet dat u zulke woorden zomaar kunt gebruiken om mij in een hokje te stoppen, want daarbij is niemand gebaat. Ik sta erop dat u deze uitlating weer intrekt, wat ik bij dezen accepteer.'

Daarmee besloot ik mijn betoog, waarna ik naar Koki en Kaki grijnsde, maar niet van harte, die eveneens met hun grote donkere parels naar mij opkeken als was ik de Profeet, de handen ten hemel hief en uitriep: 'Niets meer aan te doen, helaas!', waarna ik mijn weg vervolgde.

ZESENTWINTIG

Ge lacht.

Had ik de ballen gehad, ik had die Françoise haar verdiende loon gegeven, na alles wat zij met mij uithaalde.

Haar winkel was al een hele tijd gesloten, maar ze woonde nog steeds in de woning die eraan vastgebouwd was. Ik was daar enkele keren langsgereden, en had vastgesteld dat ze nog in leven was en zelfs op een keer nog redelijk kwiek over het trottoir liep, zeulend met twee zakken van de supermarkt. Dat zal ook wel gestoken hebben, dat ze als kleine winkelierster opeens bij de grote concurrentie haar conserven en haar waspoeder moest gaan kopen. Haar maandverbanden vast niet meer, want het was al een oude doos. Hoewel sommige vrouwen ook na het beëindigen van de vruchtbaarheidsloopbaan de gewoonte aanhouden om deze inlegvoorwerpen te dragen. Dit doen zij omdat zij moeilijk afscheid kunnen nemen van het vrouw-zijn, althans, zo wordt dit in de vakbladen met psychologische inslag uitgelegd. In werkelijkheid beseffen zij dat het niet lang meer zal duren voordat de volgende pamperfase zich aandient, en wel vochtverlies te wijten aan de hoge leeftijd en bijgevolg het versoepelen van de ophoudinstallatie. Met uitzondering van enkele interludia, namelijk de leeftijden tussen grofweg de vier en de elf en de vijftig en de vijfenzestig, kan men stellen dat de vrouw nooit helemaal de pamper ontgroeit, in verschillende maten, vormen en uitvoeringen, van comfortrandjes en slipbeschermende flappen tot handige optrekelastieken; steeds dient er iets te worden opgevangen. Mede daarom was haar plaats bij de haard voorzien, niet op de arbeidsmarkt en zeker niet achter het stuur van de wagen.

Het zij zo.

Het was donker en men kon via een straatje aan de zijkant zien hoe het vrouwmens in haar keuken zat te lezen, met een leesbril op. Langs die zijstraat kon men eenvoudigweg haar stadstuintje betreden – en mens, ik weet niet wat er dan over mij komt, maar dan staat opeens het zweet in mijn handen en komt de kwelduivel in mijn oor fluisteren het niet te doen, en dan verstijf ik helemaal.

Ik sta daar, hevig ademend oog in oog met haar, dat is te zeggen: ik zie haar in het felle licht van de keuken en zij ziet mij niet in het aardedonker van de tuin; ze kijkt een paar keren op en piert over haar bril in mijn richting, maar ze ziet alleen haar reflectie in de ruit. De achterdeur is niet op slot, wellicht omdat ze inmiddels seniel is of omdat ze niet verder nadenkt, dus heel stil kan ik haar woning betreden zonder argwaan te wekken; zelfs als ik voorzichtig de keuken binnenkom, heeft ze niets in de smiezen, waardoor ik gemakkelijk tot vlak achter haar kan sluipen en haar een kapitale klap op haar achterhoofd kan geven.

Ze draait zich knipperend met de ogen om en probeert mij af te weren en ze slaakt een korte kreet, maar mijn tweede slag landt precies op haar neus.

Ik ga in de badkamer het bad laten vollopen, goed koud, ik sleur haar daarnaartoe, en laat haar met kleren en al te water; ik heb haar al genoeg in haar smerige blote lijf gezien. Ze komt weer bij bewustzijn en spartelt nog geweldig tegen, wellicht door de kou, en voor ik haar hoofd onderduw, duw ik mijn neus nog eens goed in haar ijzeren haardos, en het ruikt nog altijd zoals toen, naar muffe putten.

Ik zeg: 'Françoise, we gaan dat een keer heel grondig wassen, want dat zijn geen manieren, een heel leven met een putlucht rondlopen.'

Ik duw haar onder en het water is helemaal roze van het bloed, en na een minuutje geeft ze het op. Net als haar man zaliger is ze verzopen, al dan niet met volle goesting. Hopelijk bestaat het leven na de dood niet, bedenk ik, want dan zitten ze daar straks weer samen.

Ik trek de stop eruit en laat het bad leeglopen, want men ziet niets meer door het bloed in het water, en ik wil Françoise toch nog één keer goed dood zien, om zeker te zijn. Ik krijg aandrang en ik ga zeker een halve minuut op haar staan pissen, van links naar rechts zwenkend, wellustig lachend, alsof men een tekening in de sneeuw aan het maken is, of zijn naam erin schrijft, en de damp slaat van haar lijf af. 'Vaarwel, vuil smerig wijf', zeg ik plechtig ten afscheid, ik maak mijzelf een beetje proper en vertrek ongezien.

Als ik thuiskom, moet ik een grote boodschap doen, en ik vloek omdat ik besef dat ik het evengoed op Françoise had kunnen doen, als het zich wat vroeger had gemeld. Men moet soms ook wat geluk hebben.

ZEVENENTWINTIG

Nu het over deze materie gaat, zal ik u vertellen dat er weinig méér genot verschaft dan een nieuw aangekomen neger, of iemand van een aanverwante tint, in dit land te betrappen op iets wat eigenlijk niet mag of deugt, of waarvan men hem wijsmaakt dat het niet mag of deugt, om dan te zien hoe hij zijn hachje redt.

Ik had deze neger, die zich schichtig opstelde in de straten van de hoofdstad, een tijdlang in het oog gehouden; al enkele cafés had ik hem zien binnenstappen, waar hij telkens prompt en zonder pardon werd weggestuurd; dit bleek te gaan over de toestemming die hij vroeg om zich te mogen ontlasten. Begrijpelijkerwijs werd hem dat geweigerd. Voor men het weet, komt zo'n figuur 's anderendaags terug met een hele bootlading broeders, klaar om uw pot dubbel en dik vol te knallen, met achterlating van een onthutsende stank, want deze kerels zijn van geen kleintje vervaard, met hun veelkleurige en stevig gekruide voedsel, en wellicht nemen ze na de arbeid nog een paar rollen wc-papier mee om het later op uw kosten ergens anders te kunnen doen. Als men geluk heeft, hoeft men vervolgens niet de brandweer te bellen, om het sanitair kwartier te komen leegpompen. Met wat tegenslag is men geruïneerd en kan men zijn zaak sluiten, omdat de rest van het cliënteel zegt: 'Sorry.'

Ten slotte zag ik dit exemplaar, niet vertrouwd met de geplogenheden van onze moderne samenleving, een steegje vlak bij het station in drentelen, om zich heen spiedend alsof er iets op zijn lever lag, wat ook zo bleek te zijn, of in elk geval in de nabije buurt daarvan, want bij nadere inspectie had deze kerel zich in hurkhouding achter een vuilnisbak gezet, en toen ik op het voorplan trad en zei: 'Hola, hola, wat krijgen we nu!', was hij bezig met het draaien van een groot donkerbruin sieraad, wat hem immobiliseerde en hooguit verschrikt deed opkijken, waarbij hij mijn inderhaast opgespelde badge zag met 'O. Verhardt, Hoofdstedelijk Hygiënisch Hoofdinspecteur' erop.

Ik zei: 'Luister, kameraad, het is niet omdat u bij u thuis, in uw rare land, te pas en te onpas de bosjes in kunt en mag duiken om daar uw stinkende waren achter te laten, waar dan spelende kinderen in terechtkomen, die vervolgens ziek worden, dat u in onze geraffineerde maatschappij zomaar hetzelfde kunt doen. Steegjes, hoe donker en vuil ook, dienen niet om stront in te deponeren, en zoals u misschien weet, staan er strenge straffen op de overtreding van deze eenvoudige regel. Gemeten aan de hoeveelheid die u daarbeneden bij elkaar aan het protten bent, mag u straks rekenen op een boete van honderdvijftig euro. Betaalt u dit cash, of zal ik de politie erbij roepen?'

De neger in kwestie zag plotsklaps bleek, in zoverre men dat van deze zwarte mannen kan zeggen; de punt van zijn neus kreeg een tint die beduidend bleker was dan die van de rest van zijn huid.

'Ik heb geen geld', sprak hij. 'Ik ben niet zo lang geleden aangekomen in uw land en ik beschik over have noch goed.'

'Goed,' zei ik na enkele tellen betekenisvol te hebben geaarzeld, 'ik geloof u. Voor één keer komt u er met een disciplinaire maatregel af. De vervuiler ruimt op! Gelieve recht te staan, uw restproducten te verzamelen en deze mee naar uw gratis gastwoonst te nemen, om ze aldaar in de pot te deponeren, zoals het hoort in een land waar wij de hygiëne erkennen als een zeer hoog goed.'

Radeloos stond dit figuur ernaar te kijken, gebarend dat hij niet wist hoe hij deze eenvoudige taak op zich moest nemen.

'Met uw handen,' commandeerde ik op militaire toon, 'en stopt u ze vervolgens maar in de broekzakken. En geen gedraal!' voegde ik eraan toe.

Mijn nieuwe vriend keek even beduusd en zelfs angstig, loerde naar het resultaat van zijn inspanning en besloot toen zonder nog te protesteren, gezien mijn graad en functie, en gezien mijn voorstel om de politie erbij te roepen, de daad bij het bevel te voegen, waarbij hij zichtbaar zichzelf vervloekte omdat hij zo'n immense hoeveelheid had geproduceerd, die hij niettemin zeer keurig in zijn beide broekzakken wist te scheppen, waarna hij zijn handen aan zijn broek afveegde; op de voet gevolgd door mij stapte hij voorzichtig en bedremmeld de steeg uit.

Ik zei berispend: 'Laat ik het nooit meer zien', en in gedachten zag ik dit exemplaar reeds arriveren op zijn van staatswege betaalde logeerplek, waar hij door zijn soortgenoten op hoongelach zou worden onthaald vanwege de inhoud van zijn zakken en de bijbehorende stank, en van schaamte zou hij zich dagenlang, misschien wel tot aan zijn gedwongen uitwijzing, niet meer op straat kunnen vertonen zonder dat iemand van zijn vrienden 'Kakkebroek!' zou roepen. Doorgaans zijn die lui het wreedaardigst tegen de eigen soort, men ziet dat ook met kinderen.

Negers, jongen, ik zeg het u.

ACHTENTWINTIG

Die grote boodschap had ik graag gedaan omdat Françoise het één keer bij mij had gedaan, vermoedelijk onbedoeld. Ik heb er schrale, schimmige herinneringen aan, maar ik heb de details in de hypnoserapporten kunnen lezen. Ze hebben zelfs nooit geweten dat die niet meer in hun archief zitten – dat doet toch maar wat, die bende hersenvorsers.

Ik moet een jaar of veertien geweest zijn, en na een stillere periode, vraag mij niet waarom, was het een echte glorietijd voor de soirees van mijn moeder; er was nog een dame bij gekomen, een die ik al eerder heb genoemd, mevrouw Ria, werkelijk een knap ding, waardoor men zich afvroeg wat die kwam zoeken tussen dikke en kromme heksen zoals tante Albertina en Françoise, maar over smaken en voorkeuren valt er in de regel niet te twisten. Voor mij was het mooi meegenomen, een vrouw met aantrekkelijke vormen en een zachte huid, want rond die tijd was mijn rol van helpertje verminderd ten voordele van het waarachtige optreden, wat te maken zal hebben gehad met het feit dat ik rijp was geworden en ik dat nu ook kon.

Als het bijvoorbeeld een keer alleen mijn moeder en Ria waren, dan zag ik er niet eens zo tegen op; dan kwam ik de kamer binnen en kreeg ik soms zelfs een glimlach op het gelaat. Ria was jong en ze had een gewoon, mooi lichaam, en ze stonk niet, en als ze dan al helemaal naakt klaarlag op de canapé, wist ik dat ik er gewoon bovenop moest kruipen en dan kreeg ik vanzelf goesting; als ik het met mijn ogen dicht deed, kon ik mij soms zelfs voorstellen dat mijn moeder daar niet stond te kijken, en was het meer gewoon neuken zoals men dat met elk ander vrouwmens zou doen.

Mijn moeder had de gewoonte om, naast het toekijken, ook actief aan de actie deel te nemen door bijvoorbeeld midden in het spel met haar hand op mijn kont te komen petsen, ter aanmoediging, en als ik dan in mijn fantasieën ver weg was, was het altijd wel schrikken. Dan keek ik Ria strak in de ogen terwijl ik haar met stevige stoten verder bleef afrijden, en zij keek strak terug en glimlachte tegelijk bemoedigend; zij kwam doorgaans klaar met een langzaam aanzwellend gekreun, dat mij als muziek in de oren klonk. Soms mocht ik nog een tijdje op haar blijven liggen, terwijl ze mijn rug streelde met de toppen van haar vingers, dat was zeer teder; ik zei het al, het leek op het bedrijven van de liefde met iemand.

Ria is, een jaar na haar komst, 's ochtends vroeg door een zatlap van de weg gereden. Gewoon, in het donker, van de stoep waar ze liep, op de terugweg van een van mijn moeders feestjes. Ik heb echt moeten huilen toen ik haar samen met mijn moeder in het dodenhuisje ging groeten. Ze lag onder een laken waaronder men duidelijk iets zag mankeren ter hoogte van de knieën; ze hadden niet de moeite gedaan om dat onzichtbaar te maken. Zo'n mooie vrouw, zo toegetakeld. In de weken die daarop volgden, had ik het zeer moeilijk met mijn aandeel in de feiten, aangezien het bij het afdalen van de trap een zekerheid was dat Ria er niet zou zijn, en zeker wel een van die andere vrouwmensen, bij wie het ofwel stonk, of het er zeer hardhandig toeging. En in het geval van Françoise alles tegelijk.

Vooral die ene keer, toen ze op haar hurken ging zitten en ik onder haar, liggend op mijn rug, een opdracht moest uitvoeren; ge voelt mij al komen. Ik wist mij, toen het fout liep, razendsnel onder haar kermende massa uit te worstelen, waardoor zij zich gestoord voelde in haar beleving, en ze gaf mij met haar vuist een lelijke dreun in mijn maag, die mij deed huilen van de pijn; normaal sloeg ze op mijn oor, maar dat zal ze nu zelf te vies hebben gevonden. Dat vind ik echt het toppunt: iets verkeerd doen, en er dan de foute schuldige voor straffen, en het dan nog niet durven aanraken ook. Het zegt alles over de stand van de beschaving.

Mijn moeder en tante Albertina waren gegeneerd, maar tegelijk zag ik dat ze het spektakel heel speciaal vonden, vooral tante Albertina; ze ademde zwaar en ze zag bleek van de opwinding. Veel hulp kreeg ik echter niet van hen. Mijn moeder stuurde mij naar de badkamer en beval dat het niet te lang moest duren. Tante Albertina moest immers haar gading nog krijgen.

NEGENENTWINTIG

Naar de weekends keek ik altijd uit. Dan was mijn vader thuis en kon mijn moeder 's nachts haar vuiligheid niet uithalen, met mij als knecht, en was de kans kleiner dat nonkel André in beeld kwam. Nu en dan verzon die een smoes – zoals die keer toen hij beweerde dat hij mij iets heel speciaals moest laten zien; er was een enorme boot aangemeerd in de haven, zei hij. Wij reden naar een verlaten dok waar helemaal niets was aangemeerd, waar ik hem snel moest bedienen, terwijl hij angstig spiedend door de raampjes keek, om te zien of er niemand getuige was. Nonkel André was, naast smerig, ook angstig en laf.

Tijdens de terugrit gaf hij een korte beschrijving van de boot die ik niet had gezien, met een boeg die boven de huizen uit kwam en rood en wit was geschilderd, voor het geval dat mijn vader vroeg hoe het was geweest.

Bij het binnenkomen liep ik eerst recht naar de kraan in de keuken om een paar grote glazen water te drinken, waarbij het blijkbaar in niemand opkwam om dat raar te vinden, of het moest zijn dat mijn moeder wel beter wist en vond dat dat normaal was. Nog een theorie die ik later heb ontwikkeld, luidt dat nonkel André er op een of andere manier achter was gekomen wat mijn moeder en zijn vrouw uitspookten, hij mijn moeder daarmee onder druk zette, en in ruil voor zwijgzaamheid de zoon des huizes mocht lenen. Sommige mensen schamen zich nergens voor.

Soms leek het verdacht veel op afgesproken werk: als mijn moeder op woensdagmiddag vertrok voor haar wekelijkse winkelronde, kon men er bijna vergif op innemen dat een kwartier later de bel ging en nonkel André grijnzend en met zijn handen friemelend in zijn broekzakken op de stoep stond. Eén keer, toen ze haar geld was vergeten en ze onverwacht weer aan de deur stond, belde ze aan, hoewel ze toch een sleutel had, maar ze beweerde dat ze die ook vergeten was; ze was in geen geval erg verbaasd, hoewel ze amateuristisch deed alsof, om nonkel André daar aan te treffen in dezelfde kamer als ik, hij met een rood aangelopen gezicht, ik beteuterd en weer zwijgend als een goed onderhouden graf.

Maar dat kan ik haar niet meer vragen, want mijn moeder is dood.

Mijn vader was, begon ik in die dagen te denken, een echte sukkel; onwetend kwam hij elke vrijdagmiddag thuis, en drukte zijn kleine, ogenschijnlijk tevreden gezin aan de borst. Als ik mijn moeder bezig zag tijdens het bedrijven van de liefde, boven op Ria gezeten of op tante Albertina, krijsend als een dolle kraai, kon ik mij niet voorstellen dat ze in het weekend nog de fut zou hebben om het met mijn vader te doen. Of zelfs nog maar geïnteresseerd zou zijn in een schrale vent die wellicht nooit beter had geweten dan het brave horizontale neuken, waarbij ik moet zijn ontstaan. In elk geval hoorde ik tijdens de weekends 's nachts nooit ofte nimmer een gerucht dat erop kon wijzen dat er enige opwinding ontstond in hun slaapkamer, die toch naast die van mij gelegen was; en ik had intussen een scherpe hoorzin ontwikkeld als het erop aankwam na te gaan of er in de buurt gevogeld werd.

Mijn vader had niets in het snuitje, daar ben ik zeker van; men wandelt niet fluitend door het leven, wetend of vermoedend dat terwijl men uit werken gaat, zijn vrouw thuis een goed draaiende seksfabriek uitbaat, waarin uw eigen kind moet meeacteren.

Hoe schraal moest zijn leven zijn, dacht ik toen. Na het spannende verhaal over de hoteluitbater met zijn tuitjesoor bleef ik jarenlang hopen op nog meer opwindends, maar er kwam niets. Door werkzaamheden op de snelweg stond hij een hele periode lang elke week zowel op de heenweg als op de terugweg urenlang in de file, waar hij uitgebreid over vertelde, en het had er een tijd naar uitgezien dat hij ook overzee aan de slag zou moeten gaan en dan zou hij wekelijks met de boot op en af mogen, wat mij volgens hem zeker zou interesseren gezien mijn liefde voor boten. Dat herinnerde hij zich nog van die keer met nonkel André, dat ik daar zo enthousiast over had verteld bij thuiskomst.

Ik begon mijn vader een banale man te vinden, die ik in hoofdzaak apprecieerde om het feit dat hij mij elke week een paar dagen kwam verlossen uit de onprettigheid, maar die voorts niet veel te betekenen had, en die bovendien niet wist dat zijn eigen vrouw voorwerpen in zijn zus stak en toekeek hoe haar zoon bezeten werd door die van de winkel, en nog een trap na kreeg. Ik begon meer en meer teleurgesteld in hem te worden, en ik vroeg mij ook steeds vaker af of ik mijn stilzwijgen moest doorbreken en hem de waarheid moest vertellen. Dat zou hij allicht niet verteerd krijgen, slap als hij was, en hoe het dan verder moest met mijn moeder, tante Albertina, nonkel André en de anderen, als ik uit de biecht zou klappen, ik durfde er niet aan te denken. Ik zat als een rat in de val.

Ik heb eens een keer voorzichtig aan een schoolkameraad gevraagd wat hij 's nachts zoal deed. 'Slapen natuurlijk,' zei hij, 'iedereen slaapt 's nachts. Gij niet?' 'Jawel, jawel,' had ik geantwoord, 'wat zou men anders doen?' Ik stond soms op de speelplaats rond te kijken en mij af te vragen hoeveel andere kinderen ook door hun moeder of hun vader op zo'n manier werden opgevoed en daar ook ten stelligste over moesten zwijgen. Dat ik de enige zou zijn, dat kon niet, dat stond vast voor mij, maar wíé dan – en hoe kwam men dat dan van elkaar aan de weet, als men altijd maar zijn mond moest houden? Ik keek en keek en keek en zag niets, tot de bel ging.

Kinderen zijn vermakelijk omdat ze nog geen verhoudingen kunnen zien. Als ze leren schrijven, beginnen ze hun naam op een blad papier te schrijven in koeien van letters, 'ALEXA', en dan merken ze dat ze 'NDER' er niet meer op krijgen, en dat krabbelen ze dan in kleine, kromme tekens eronder. Daarom ook gaat de tijd zo veel trager als men klein is, omdat men nog geen zicht heeft op het hele blad dat voor hem ligt, en men geen vergelijkingspunten heeft.

Was het maar wat sneller gegaan, heb ik achteraf vaak gedacht, even snel als nu, dan was het beter geweest.

DERTIG

Aan de genaamde Fanta.

Beste,

Ik dank u voor de tekening die u mij via VHK toestuurde. Ik neem aan dat deze uw familie moet voorstellen, waarbij ik mij verbaas over het feit dat deze uit slechts vijf personen zou bestaan.

Dat ik uw twee eerdere brieven onbeantwoord liet, is het gevolg van een ontstaan misverstand, uitgaande van de heer Serge Van Houffelen, die u allicht niet zal kennen en ik raad u aan dit ook zo te houden. Deze heer Van Houffelen heeft mij op frauduleuze wijze iets doen ondertekenen waardoor er nu abusievelijk geldbedragen van mijn rekening worden gehaald, en aan u geschonken.

Ik erken uw dankbaarheid hierover, maar dit was niet de bedoeling en ik zal alles in het werk stellen om dit zo snel mogelijk stop te zetten. Ik moet als gewezen zelfstandig zaakvoerder immers momenteel op mijn geld letten, aangezien ik aan mijn levenslange inspanningen, in tegenspraak met wat doorgaans wordt gedacht, geen kluizen vol geld en bezittingen heb overgehouden. U zult dit niet kennen in uw land, maar de afdrachten voor sociale zekerheid en pensioenstelsels, belastingen en allerlei voorheffingen maken de marges reeds uitermate smal, waarna de opgelegde bijdragen voor de verwenning van werklozen en gelukzoekers, het doorbetalen van werkvolk dat niet beschikbaar is door luiheid, vadsigheid en ingebeelde ziekten, en de door de overheid aangemoedigde tijdskredieten, zogezegd om de kinderen beter groot te brengen of om naast hun demente moeder te gaan zitten – die denkt: wie zit er hier nu weer naast mij? – elke ondernemer vervolgens de doodsteek geven.

Met mijn excuses voor de ontstane ongemakken, en de oprechte wens uitend dat u het goed stelt, verblijf ik,

O. Van Beuseghem

PS Dementie is een ziekte die doorgaans slechts de ouderen treft, en die bijgevolg in uw land niet gauw zal voorkomen. Dit is geen kwade zaak, aangezien het een vreselijke aandoening is die leidt tot geheugenverlies, verwarring, en ten slotte een onthechting van de realiteit en een mensonwaardige aftakeling. Ook de beschaving en de welvaart hebben hun schaduwkanten.

EENENDERTIG

Eerst dit.

Na het onfortuinlijke afscheid van mijn beide ouders binnen de twee dagen waren uiteraard de feestjes bij ons thuis tot een einde gekomen. Aangezien ik op dat moment nog maar enkele maanden verwijderd was van mijn achttiende verjaardag, besloot de rechter om mij toch als meerderjarig en zelfredzaam te erkennen, voldoende om op eigen benen te staan, wat een groot geluk was, want tante Albertina was er als de kippen bij geweest om het hoederecht over mij te vragen; omdat er geen andere bloedverwanten waren, was de kans groot dat ze dat ook zonder morren had gekregen. Dan had ik er fraai bij gezeten, in één huis met die onverzadigbare lodderteef en haar al even onprettige echtgenoot. Ze waren dan ook zichtbaar zeer diep teleurgesteld toen de rechter, een aardige man, verklaarde dat hij oren had naar mijn vraag, en dat uit psychologisch onderzoek was gebleken dat ik een vrij volwassen en evenwichtige jongeman was, wat natuurlijk vooral te danken was aan het feit dat ik goed kan liegen en doen alsof.

Na de uitspraak hadden de wegen van mij enerzijds en van tante Albertina en nonkel André anderzijds zich gescheiden. Ik moest niets meer hebben van dat ellendige tweetal, en zij van hun kant waren wellicht bang dat ik het vuile potje waar ook hun namen in verstopt zaten op een onbewaakt moment zou openschroeven, en nu ze geen macht meer over mij konden uitoefenen door chantage en dreigementen, zou dat voor hen vast een onprettige gebeurtenis zijn gebleken.

Niet één keer poogden zij nog contact met mij op te nemen, nadat ik naar een andere stad was verhuisd en daar mijn bloeiende zaak was begonnen, hoewel ze dat toch moesten weten, want ik stond enkele keren met mijn foto in het middenstandskatern van de krant.

Of ze elders andere jongeren hebben aangezocht om hen met hun verlangens te helpen, dat weet ik niet; misschien hebben ze, door het uitblijven van zulks, elkaar wel herontdekt, of is hun smeerlapperij langzaam uitgedoofd. En nonkel André kan ook naar de hoeren zijn gegaan, want hij en tante Albertina waren bedacht in het testament van mijn vader, dat deze na de verzoening met zijn zus weer in haar voordeel had laten aanpassen, en ze hadden een niet onaardige som geld toegestopt gekregen, waardoor er misschien eens een betaald pleziertje af kon voor de twee gierigaards.

Als mijn vader de waarheid had gekend en had geweten dat hij na de feiten de twee krengen ook nog eens rijkelijk voor hun vuiligheden had beloond, had hij zich zeker in zijn doodskist omgedraaid, al zou dat in zijn geval niet zo gemakkelijk geweest zijn; er viel namelijk niet veel meer om te draaien.

Ik had van een werkneemster in mijn bedrijf, nu ja, werk, veeleer een neemster, die altijd alles wist uit het roddelcircuit, wat niet moeilijk was aangezien zij er alle tijd voor nam in plaats van te strijken, vernomen dat tante Albertina in zeer krakkemikkige toestand met een aantastende leverziekte in een ziekenhuisbed lag.

Hospitalen zijn de gemakkelijkste plekken om van alles uit te halen, wat eigenlijk verbazend is, men treft er de patiënten aan in een weerloze toestand, en als er af en toe eens iemand uit zichzelf doodvalt, wekt dat geen enkele verbazing, zodat men er ook vrij simpel iemand ongestraft een handje kan helpen met het nemen van de laatste bocht.

Het enige wat men moet doen, is vooraf telefonisch informeren naar het kamernummer van betreffende zieke, zich uitgevend voor een bloedverwant; deze gegevens worden steeds op vriendelijke wijze verschaft. Daarna kan men moeiteloos en fluks, zonder de aandacht te trekken en dus niet in schreeuwerige klederdracht, met een bescheiden bosje bloemen of een (desnoods leeg) doosje pralines, het gebouw betreden, zich naar de aangegeven kamer begeven, controleren of er naast de zieke nog iemand in de ruimte aanwezig is, wat in het geval van tante Albertina twijfelachtig was, want ze had familie noch vrienden, mede door haar valse aard, en men is binnen.

Als men er verder voor zorgt dat men niet gaat op de momenten dat de maaltijden worden aangeleverd, of het tijdstip dat doorgaans de medicamenten worden rondgereden, is de kans zeer beperkt dat er nog iemand anders zal binnenkomen, en kan men dus rustig zijn gang gaan, welke deze ook mag zijn; zeker als men bij wijze van voorzorg de draad waar de alarmknop aan hangt boven de in dit geval slapende zieke, verwijdert uit de triangelvormige handgreep waar deze zich aan optrekt, en hem verstopt achter of onder het bed. Als men het op een ongeval wil doen lijken, moet men er wel aan denken om hem achteraf terug te hangen, anders is de kans groot dat er weer een snuggere op een idee komt en zegt: 'Hé.'

Ik zie mij nog zitten in de auto, op de parking, met mijn goedkoop bloemstuk op de passagiersstoel, vloekend van:

'Godverdoeme, verman u, stap uit, ga naar binnen, doe wat ge moet doen.'

Ik zie mij door de gang lopen, met vastberaden tred om geen argwaan te wekken, de suffe ouderling in zijn rolstoel groetend, de kamer binnengaan, en dan sta ik met ingehouden adem naar mijn tante te kijken. Ze is flink verouderd en ze ziet geel. Haar wangen zijn ingevallen, haar gebit ligt op het nachttafeltje naast het bed, niet in een glaasje met zuiveringstablet, maar open en droog en vast vol microben.

Aangezien ze met haar mond open ligt te slapen, besluit ik om eerst een washandje nat te maken in de badkamer, waar het naar oudewijvenstront ruikt, en dat snel in haar bek te proppen (en het er na de feiten uiteraard weer uit te vissen).

Deze vrouw ziet er zo ziek en zwak uit dat ik mij geen enkele weerstand kan voorstellen, en mijn vermoeden blijkt juist. Het duurt zelfs enkele tellen na het inbrengen van het verstikkingsmateriaal voordat ze iets gewaar wordt en wakker schiet, zodanig zit ze wellicht onder de leverherstellende medicatie, en dan heb ik al lang een kussen op haar verschrikkelijke gezicht geduwd.

Haar lichaam schokt van afschuw, maar niet noemenswaardig. De levenskrachten zijn al op voorhand door de ziekte afgebouwd, wat in zekere zin spijtig is, want het maakt de daad enigszins laf, alsof men een ziek vogeltje met een gebroken pootje en een gehavende vleugel onder zijn schoenzool verplettert.

Als ik het tafereel weer in zijn oorspronkelijke staat schik, behalve dan een nu dode tante Albertina, is er niets wat ook maar enigszins kan doen vermoeden dat ze ten gevolge van iets anders dan haar wankele gezondheid is heengegaan.

Op het kaartje zou staan:

**Het heeft de Heer behaagd
tot zich te roepen**

✝

**ALBERTINA
VAN BEUSEGHEM**

Dat is onzin. De Heer was misschien wel al zijn lippen aan het natmaken, maar hij had voorzeker nog niets geroepen; in dit geval was ik de roeper. Aan die gedachte zou ik mij kunnen optrekken, ik zou hem verschalkt hebben, ik zou 'Vaarwel, tante' zeggen, en denken: als er een leven na de dood is, dan zit vanavond al mijn moeder vol wellust op uw gezicht, jammer voor hen dan wel onder het toeziend oog van mijn vader en nonkel André, die nogal vreemd zullen opkijken, tenzij André er dus van wist.

Misschien kan men zich ook in het hiernamaals ergens discreet terugtrekken, dat weet ik niet.

Ik moest godverdomme nog de hal weer binnengaan om aan de automaat mijn kaartje voor de parking te betalen, anders kwam ik niet meer weg. Laffe zak, man, echt waar.

Ik zag mijn weerspiegeling in de glazen deur en ik heb weggekeken.

TWEEËNDERTIG

Zeg.

Ik wil nog iets vertellen over de geile vrouwen die op de groenteman of de bakkersgast wachten, de opnemer van de water-, elektriciteits- of gasmeterstand, kortom: alle beroepsgroepen die uit hoofde van hun functie geregeld op klaarlichte dag de deurbel moeten indrukken, om vervolgens te zeggen: 'Goedemorgen, mevrouw, mag ik u even storen?'

Over het algemeen worden deze heerschappen afgeschilderd als spreekwoordelijke geilzakken die slechts één doel voor ogen hebben, namelijk het tijdelijk onteigenen van gehuwde vrouwen. Denk maar aan de zegswijze 'Hij is zeker van de melkboer', wanneer een kind niet op de vader lijkt qua uiterlijk of vaardigheden: steeds is het dan meteen deze persoon naar wie de beschuldigende vinger uitgaat; hij zal het wel geweest zijn, want als men melk rondbrengt, zal men ook nog wel andere zaken aan huis leveren, de vetlappen.

Zo gemakkelijk zit een vooroordeel in elkaar.

Nu klopt het volkomen dat er geregeld geneukt wordt nadat de deurbel heeft gerinkeld. En wij kunnen met zekerheid aannemen dat een flink aantal borelingen inderdaad het gevolg zijn van het volknallen door postbodes of zelfs ophalers van oud ijzer en andere metalen. Maar het is ongepast en ongehoord om deze beroepsgroepen te bekritiseren, aangezien men steeds voorbijgaat aan de kern van het probleem, namelijk de dames die alleen thuis naar de muren zitten te kijken; tegen manlief houden zij vol dat zij een volle dagtaak uit te voeren hebben, als huisvrouw, die steeds ondergewaardeerd wordt, maar die in werkelijkheid bestaat uit het volmaken van hooguit een uurtje of twee, wat lukraak poetsen en wat groenten snijden voor de soep, later op de dag, en voor het overige: zich stierlijk vervelen. Wat zij natuurlijk niet meer durven of kunnen toegeven, nadat ze zich eerst zo heftig en passievol hebben uitgelaten over hun drukke bezigheden. Niet te geloven is het, dat sommigen ervoor ijveren om hiervoor zelfs een salaris te ontvangen, aangezien hun arbeid even intens en maatschappelijk relevant zou zijn als die van de buitenshuis werkende man – men moet maar het lef hebben.

Dat overigens professionele poetsvrouwen veel langer doen over de schoonmakerij, hoeft geenszins te verbazen. Zij dienen immers hun beloning te verantwoorden, zowel tegenover zichzelf als tegenover de opdrachtgever, en zullen indien nodig de poetsvod vier keer over hetzelfde oppervlak halen, of nogmaals onder de rand van de pot kuisen, hoewel hier geen resten meer te bespeuren vallen. 'Dit kan geen kwaad', zeggen sommigen, 'Baat het niet, dan schaadt het niet', hoort men er opperen, maar zij dwalen: een teveel aan hygiëne speelt de mens wel degelijk parten, is verantwoordelijk voor de afbouw van het natuurlijke afweersysteem, en veroorzaakt, terwijl het tegenovergestelde wordt beoogd, ontstekingen en ziektes waar men, wanneer men zich normaal gedraagt, nooit door lastiggevallen zal worden. Hoeveel mensen er jaarlijks sterven doordat zij juist uit alle macht proberen om de dood op een afstand te houden, door het creëren van een kiemvrije en naar lavendel geurende schutkring om hen heen, valt niet te becijferen.

Daar liggen zij dan, levenloos, borrelende broeihaarden van ontbindingsprocessen, paradijzen van gisting, stank en verval, op hun dagelijks twee keer met bleekwater en ammoniak gereinigde tegelvloer!

Het zij zo.

Nadat het damesblad voor de tweede keer die dag is uitgelezen en er nergens nog een stofje te bespeuren valt, aangezien als men elke dag een uurtje poetst een huis niet anders dan vlekkeloos kan zijn, geloof mij – nadat men zich dus stierlijk is beginnen te vervelen, en het is nog niet eens middag, bestaan er voor verschillende soorten vrouwen verschillende uitkomsten. De ene zal zich aan een vroeg glaasje wagen om de tijd vlugger te doen gaan, wat op langere termijn doorgaans tot een zeer kwalijke vorm van alcoholisme leidt, alcoholisme uit verveling en in huiselijke kring, in volstrekte eenzaamheid ook nog eens; daar raakt men moeilijk van verlost. De andere krijgt last van een opspelende liefdesgrot en zoekt het vertier in het spelen met de neplul, of wanneer deze zijn ware gelaat heeft laten zien, namelijk van koud rubber of een andersoortige kunststof, het binnentrekken en over zich heen jagen van de mannelijke aanbeller, met wie ik een persoon van de daarnet opgesomde beroepsgroepen bedoel, nog aangevuld met de gebeurlijke politieagent die de hondenbelasting int of een vergeten boete langsbrengt, of de uitbater van de rijdende supermarkt of de ijscowagen.

Nu zal hier en daar iemand opperen: 'Ja, maar zo erg is dat toch niet, om tijdens uw werkuren nu en dan eventjes verplicht te worden om te vogelen?'

Die vergist zich. Allereerst vanwege de stigmatisering; als men ergens komt en zegt: 'Ik ben melkboer van beroep', of 'rondrijdende bakkersgast', gaan er reeds parmantig enkele wenkbrauwen de hoogte in, en wordt er schier onhoorbaar gefluisterd: 'Aha, snoeper.' Zulks mag men niet aanvaarden, als men enige trots bezit. Vooroordelen deugen niet, men moet met vaststaande feiten werken.

Ten tweede mag het op een afstand misschien aangenaam lijken, de werkelijkheid is anders, en grauwer. Eén keer iemand een pleziertje doen, tot daaraan toe, daar is nog nooit iemand van gestorven, zeker niet als het plezant is. Maar dagelijks de baan op moeten met deze constante druk, dat telkens als men de deurbel doet rinkelen, men nooit zeker weet wat zich erachter bevindt, en of het heet staat, dat is op de duur niet meer aangenaam – vooral, en ten derde, aangezien een meerderheid van deze vrouwmensen niet van de aangenaamste soort is om naar te kijken, laat staan om aan te raken, laat staan om naakt te bestijgen, sterker nog: zij hebben, ten gevolge van de drukkende verveling, reeds een graad van slonzigheid bereikt die vaak gepaard gaat met een gebrek aan hygiëne, terwijl zij zo al niet de aantrekkelijkste exemplaren van de sekse zijn, aangezien deze laatsten meestal rijker weten te trouwen en ter vermaak veeleer hun toevlucht zullen nemen tot de tennisleraar, de privétuinman of de man die het zwembad schoonhoudt. Dat zij het financieel breder hebben, betekent raadselachtig genoeg dat zij er lichamelijk (vergeef mij de ongewenste woordenknoop) vaak smaller bij lopen. Begeef u maar eens naar een feest waar de adel bijeenkomt, en volk uit de hogere klassen, u zult er zelden of nooit vetlappen ontmoeten. Kijk naar de vorstenhuizen; gering is het aantal koningen, prinsen of gemalinnen dat hulp nodig heeft bij het opstaan na hun banketten, wegens een te zwaar achterwerk of benen die het begeven onder het spek – hoewel zij toch vaak moeten aanschuiven aan rijke tafels, en voorts niet veel omhanden hebben – alle ingrediënten zijn daar aanwezig om tot geheel andere resultaten te komen, namelijk vet- en lodderzucht.

Maar kortom: de melkboer, om het cliché maar te bezigen, blijft achter met het minste stuk van het varken, de lelijkste, doorgaans slecht gewassen, thuis niet aan hun trekken komende, zich zeer gefrustreerd voelende en derhalve onbeheerst naar onbetaalde seks hunkerende wijven, die soms reeds vroeg op de dag naar de drank ruiken. Slechts als men totaal geen beschaving kent of men zeer lage verwachtingen koestert ten opzichte van het bestaan, zal men dit aangenaam vinden, maar ik verzeker u, een normale mens haalt er zijn neus voor op, en dan niet enkel in de figuurlijke zin, jammer genoeg.

Deze mannen verdienen ieders respect.

DRIEËNDERTIG

Hoor hè, kerel.

Zij beweert wel dat zij de vrede, de verstandhouding en de liefde tussen volkeren, rassen en individuen aanbeveelt en voorstaat, zelfs tussen de grootste vijanden, maar eigenlijk is de kerk een instituut dat enkel goed is voor mensen die elkaar al graag zien, zat ik te bedenken toen het over tante Albertina en mijn moeder ging.

Neem het hiernamaals. Tante Albertina zou zeker blij geweest zijn, om voornoemde redenen, om mijn moeder terug te zien. Of ze even blij zou zijn om nonkel André te zien, dat valt af te wachten. Ria? Ja, maar die twee hadden niet zo'n hechte band. Françoise? Wellicht wel, want ze waren allebei krengen. In het geval van tante Albertina zou het dus nogal meevallen. Maar stel dat het hiernamaals bestaat, en ikzelf kom er te gepasten tijde ook terecht, dan zal het een mooie boel zijn, daar wil ik zelfs niet aan denken. En ik kan mij voorstellen dat de Schepper u niet voor de keuze stelt als u eraan toe bent, zeggende: 'Weegt u even op uw gemak af of u sowieso wel iemand wilt terugzien.' Als het bestaat, zal het te nemen of te laten zijn, stel ik mij voor, of allicht zelfs enkel te nemen.

De dood is in dat opzicht een dreigend spektakel; het geloof in de redding is ironisch genoeg gemaakt om mensen zich wat minder ongemakkelijk te laten voelen bij hun heengaan, maar voor iemand die een leven vol haat, minachting en strubbelingen achter de rug heeft, is het geen cadeau.

Discreet had ik gedurende enige tijd de woning van die twee varkens in het oog gehouden, nadat de drang de kop had opgestoken om enigszins in het reine te komen met bepaalde zaken. Aangezien het op donderdag marktdag was en tante Albertina dan al waggelend met een boodschappentas haar inkopen ging doen, kon ik tijdens haar afwezigheid nonkel André zorgeloos een bezoekje brengen.

Ik had mijn plan helemaal klaar. Ik verschaf mij toegang langs de achterkant van de woning, via de tuin, en zo door de veranda naar de keuken, waar nonkel André in zijn onderbroek zijn krant zit te lezen. Hij heeft iets gehoord, maar wellicht denkt hij dat het om een huisdier of een vogel gaat, en hij is niet gealarmeerd tot ik plotseling voor hem sta en zeg: 'Goedendag, nonkeltje.' Ik zeg het zeer vriendelijk, wat hem bang maakt, want iemand die men jarenlang wederrechtelijk heeft gebruikt en die plots een vriendelijke toon aanslaat, dat ruikt natuurlijk naar stront aan de knikker.

Nonkel André is ouder en magerder geworden, wat goed nieuws is, want dat vergemakkelijkt het voor een jonge, stevige mens als ik om iemand te krijgen waar ik het wil. Ik zeg: 'Nonkeltje, dat is lang geleden, u ziet er niet zo goed uit, moet ik eerlijk toegeven', en hij antwoordt niet en kijkt strak naar mij, vol achterdocht. 'Staat er iets in de krant wat we graag zouden weten?' vraag ik, en hij verroert zich niet, en dan zeg ik: 'Morgen wel, want morgen, nonkeltje, staat gij erin, in een proper zwart kaderke met daarboven: "Het heeft de Heer behaagd tot zich te roepen zijn trouwe dienaar", of een andere frase in die trant, bijvoorbeeld: "Dankbaar om wat hij voor ons heeft betekend, nemen wij afscheid van", en dan uw naam, uw geboortedatum en de dag van vandaag, en de melding wanneer ze u horizontaal in de grond gaan stoppen, wellicht volgende week dinsdag of woensdag, met misschien tussendoor ook nog een gelegenheid tot groeten.'

Ondertussen haal ik rustig de blaffer uit mijn rechterzak, en leg die op de tafel, buiten zijn bereik weliswaar, om de nodige indruk te maken. Nonkel André zijn ogen, ook het scheve, zijn opeens twee keer zo groot.

'Ge moet daar niet zo van verschieten', zeg ik kalmerend, maar hij zegt niks terug.

Ik zeg: 'Natuurlijk gaat het in beide formuleringen om een dikke vette leugen. Niemand is dankbaar voor wat u hebt betekend, nonkel. Integendeel, harten zullen veeleer jubelen omdat u uit het zicht bent. En in het andere geval heeft het ook de Heer helemaal niet behaagd om eender wat te doen, in de laatste plaats u tot zich roepen, want die ziet u wellicht ook liever gaan dan komen, zo'n smerig opdondertje als u met talrijke vuile manieren. Maar om een lang verhaal kort te maken, nu we toch aan het liegen zijn, gaan we er nog een leugentje bij lappen. U, nonkel André, of ik zal "gij" zeggen, want we zijn tenslotte familie, gij gaat u zo dadelijk vrijwillig het leven benemen, en ge gaat bovendien eerst eens in uw beste geschrift opschrijven waarom, en afscheid nemen van uw lelijk wijf, en zeggen dat het u spijt, maar dat het leven geen zin meer voor u had, vanwege bijvoorbeeld uw huwelijk, dat u al jaren geen vreugde meer schonk, of de ouderdom, die u afschrikt, of een depressie die u kwelt, ge kiest maar zelf iets, maar we gaan het wel sámen schrijven, hè nonkel. Zodat ge daar niet stiekem van alles in schrijft wat het daglicht niet mag zien, en bovendien kan ik dan uw schrijffouten corrigeren, want dat zou wel spijtig zijn als er ergens een dt-fout staat in uw laatste brief aan de mensheid.'

Nonkel André vliegt overeind en roept om hulp. Ik wil hem het liefst knock-out slaan, wat geen probleem zou zijn, maar dan zou hij geen zelfmoord meer kunnen plegen, of dan zouden ze zich later vragen stellen bij zijn gebroken kaaksbeen. Dus neem ik hem in een houdgreep, zodat hij geen lucht meer krijgt, en met mijn andere hand zet ik het pistool tegen zijn slaap, wat hem kalmeert. Ik zeg: 'Andréke, we gaan niet onnozel doen, zó veel tijd hebben we ook niet, straks komt uw wijf teruggewaggeld en dan zit er voor mij niets anders op dan haar ook kapot te maken, en dat wilt ge toch niet, ik ga met haar nog een tijdje wachten. Wist ge trouwens dat uw wijf het met mijn moeder deed? Nee, dat kan ik mij voorstellen. En niet alleen met mijn moeder, ook met mij, wat ons toch tot op zekere hoogte tot bondgenoten maakt, wij zijn waarschijnlijk de enige mannen die ooit iets van dien aard hebben aangedurfd, gij vrijwillig en ik telkens dik tegen mijn goesting, maar dat is nu niet van belang. Ik ga nog één ontboezeming doen. Wat ik uw olifant nog het meest kwalijk neem, is iets schijnbaar banaals. Ge kent Françoise nog, die van de winkel, wel, die Françoise deed het ook met mijn moeder en met uw echtgenote en inderdaad met mij, en tijdens een van die keren kon ze zich niet inhouden en in al de viesheid en de schaamte die ik toen voelde, vond ik het het allerergst dat uw wijf daar stond op te kijken met een blik zo geil dat ik er niet goed van werd. In plaats van een kind wat te helpen bleef ze maar likkebaardend staan toekijken hoe ik nog een lelijke stamp in mijn maag kreeg ook. Ik heb haar dit nooit vergeven, en de vergelding is nabij, maar eerst ga ik u laten omkomen in haar natste droom. Schrijf uw brief, nu.'

Ik kijk toe en speel met mijn pistool terwijl nonkel André bevend met een balpen zijn brief aan het schrijven is. Ik sta achter hem en kijk over zijn schouder mee hoe hij schrijft in trillende grillige letters, dat het leven hem te veel is geworden en dat het hem spijt en dat hij hoopt de eeuwige rust te vinden. Ik zie erop toe dat hij er geen geheime boodschappen in stopt. Halverwege barst hij in tranen uit, wat goed is, want er vallen er een paar op het papier, en hij begint iets onduidelijks te smeken door zijn snikken heen, waardoor ik hem toch een kleine tik met de kolf op zijn kop moet geven, waarbij hij zichzelf bijeenraapt en zijn taak volbrengt. 'Ik zal u missen, liefste echtgenote', doe ik hem liegen aan het einde.

Of zou ik het wreed maken, en hem met iets lelijks laten eindigen? 'Hopelijk tot nooit meer, enge rat?'

Nee.

'Gij kunt er nogal wat van,' zeg ik, 'nonkeltje, aan u is een groot poëet verloren gegaan, hadt ge u niet beter dáár wat op geconcentreerd in uw levensdagen, dan op het vervullen van uw lusten op manieren die niet zo fraai waren?'

'Komaan nonkeltje, we gaan zwemmen', vervolg ik olijk, en ik neem hem (nadat ik voor de veiligheid tijdelijk zijn mond heb dichtgeplakt met Power Tape) mee naar de binnenkoer, onder het afdak, goed beschut tegen alle mogelijke blikken, en daar staat een zware betonnen bak voor bloemen, met twee ringen aan de zijkanten; daar is snel het touw aan vastgeknoopt dat ik gereed had gehouden in mijn linkerzak, en de strop doe ik zeer stevig rond de nek van nonkel André.

'Twee keer diep ademhalen als ge onder de oppervlakte zijt, en uw longen zitten vol en dan zijt ge binnen de paar seconden zo dood als een pier', zeg ik behulpzaam, terwijl ik het deksel opzijschuif, wat even een krachtinspanning vergt, want het is zwaar. Nonkel André staat te trillen als een espenblad en van alles te roepen onder zijn Power Tape, die ik natuurlijk vóór de duik nog snel moet verwijderen, maar tussen die ruk en de fatale duw is er hooguit een seconde of twee, drie, en gesteld dat iemand het heeft gehoord, dan zouden ze nog altijd kunnen denken dat iemand die zelfmoord pleegt door met een zwaar voorwerp aan de hals in de beerput te springen, ook nog wel instinctief iets zal roepen vlak voor het heengaan, uit pure levensdrang.

Terwijl ik de bak naar de put toe trek, denk ik: als er één snuggere bij zit, gaat die zich waarschijnlijk afvragen of nonkel André die bak wel zelf had kunnen verplaatsen, maar dat zou achteraf natuurlijk moeilijk te bepalen zijn, hoe sterk hij nog was, en zonder mij verder om details te bekommeren doe ik het nodige, en met een prachtige dikke plons dondert de bak in de vloeistof, onmiddellijk gevolgd door nonkeltje André, zijn hoofd eerst, waar inderdaad na het verwijderen van de tape nog een soort van schreeuw uit komt, maar onbeduidend, en zijn benen blijven boven de smurrie uitsteken en spartelen, en zoals ik heb voorspeld, duurt dat een paar ogenblikken, twee keer diep inademen zoals ik heb gezegd, en nonkel André is voor één keer in zijn leven eens tot luisteren bereid geweest, de paljas.

Als ge te lang op dat soort gedachten blijft hinken, daar wordt ge wrevelig van, Dré, ik zeg het u. Ge moogt eigenlijk nooit blijven steken in dadeloosheid, want dan treedt er moedeloosheid op. Dan wordt ge kwaad op uzelf, in plaats van op de mensen die het verdienen. Dan geraakt ge zélf in de knoei, hier vanboven, in plaats van dat het geweten van een ander aan het knagen gaat.

VIERENDERTIG

Aan de heer V. Thillo
Gedelegeerd bestuurder

Hooggeachte,

Gefeliciteerd met uw bloeiende bedrijf. Ikzelf, gewezen entrepreneur zijnd, weet als de beste hoe lastig, nee, hoe schier onmogelijk het is om in het hedendaagse klimaat een onderneming te besturen; men wordt aan alle kanten belaagd door eisers en wetgevers, en degenen die het vriendelijkst bij u aanbellen en van wie men denkt: deze komt met goede bedoelingen, zullen de eersten zijn die na het joviaal aanvaarden van de geurige kop koffie de aktetas openklikken en met een spottende glimlach een document tevoorschijn toveren volgens hetwelk men onder een nieuw en hoger belastingstelsel valt, en wel met terugwerkende kracht.

Daarom wil ik u attenderen op een hiaat in uw organisatie. Talrijke bijdragen stuurde ik reeds naar de hoofdredacteur van uw belangrijkste krant, telkens omtrent belangwekkende maatschappelijke onderwerpen, bijvoorbeeld de doodstraf en de wijze van uitvoering hiervan. In het geheel genomen geloof ik dat men deze beter weer zou kunnen invoeren, wat kostenbesparend zal werken en het risico op recidivisme tot nul zal herleiden.

Niettemin zijn mijn bespiegelingen, die naadloos aansluiten bij de visies en de toon van het betreffende dagblad, en die zelfs in een vergelijkbare stijl (in een zwierige taal, en geheel foutloos!) zijn opgesteld, tot op heden niet gepubliceerd, hoewel zij kosteloos door mij zijn aangeboden. Dit duidt op argeloosheid, onoplettendheid of – laten wij hopen van niet – een grote onverschilligheid voor een efficiënte werking van het bedrijf. Enerzijds loopt men een waardevol artikel mis, dat vele lezers zou boeien en begeesteren, anderzijds moet men een betaalde kracht deze publicatieruimte laten volpennen. Eén keer maakt dit niet veel uit, maar u weet beter dan wie ook dat vele kleintjes een grote vormen, en dat enkel wie elke euromunt tot drie keer toe omdraait, het pad naar het grote vermogen zal vinden, dat is te zeggen, vóór aftrek van belastingen en bijdragen.

Gelieve deze dame, die naar ik aanneem vorstelijk door u wordt betaald om haar werk maar half te doen, op haar tekortkomingen te wijzen.

Overigens kan men zich de vraag stellen of een dergelijke veeleisende functie wel thuishoort in de handen van iemand die ongetwijfeld tegelijkertijd de zorg voor een gezin torst, en die er maandelijks, zogezegd, enkele dagen niet met het hoofd bij is of wenst te zijn. Dit zou al veel kunnen verklaren.

Met vriendelijke groeten, en hopend op een krachtdadige respons,

Oscar Van Beuseghem

VIJFENDERTIG

Dat is te zeggen.

Vroeger, toen er nog gewoon op de werkvloer mocht worden gerookt, allee, toen dat werd gedoogd als ze niet overdreven en ze het proper hielden en niks in de fik staken, toen waren er geen problemen. Het is maar met al die dwaze verbodsregeltjes dat het begonnen is, en nu is het een verworven recht natuurlijk, nu geven ze geen centimeter meer toe. Ik heb dat eens uitgerekend, alle minuten die ze al zuigend aan hun sigaretten op de stoep staan, uiteraard intussen in geuren en kleuren lullend over wat ze allemaal zoal meemaken in de lege woestijn van hun bestaan, en ik verzeker u: elk kwartaal zijt ge een paar werkdagen kwijt, die ge hun wel netjes en met afdracht van sociale zekerheid uitbetaald hebt.

En als het dan nog ergens over gíng. Ik heb een keer staan luistervinken toen ze met z'n drieën bezig waren, en na vijf minuten denkt men: dit bestaat niet. Dat gaat over televisiereeksen waar zij in opgaan, waarvan zij elke plotwending uit de laatste vijf seizoenen nog op hun netvlies hebben, van toen dit en toen dat, en die heeft dat gezegd tegen die en toen was het uit tussen Fonny en Fabby, en wat voor een rotzak die ene is gebleken op wie ze een tijdlang heimelijk verliefd zijn geweest.

Ze praten erover alsof het in het huis naast het hunne is gebeurd en ze er haast zelf bij waren. 'Weet ge nog die keer toen Andy bloemen bij had voor Mandy, wat een schoon kleed dat die toen aanhad, speciaal voor hem, en hij had het niet eens gezien, de stommerik. Dat zou die van mij nu ook durven.'

En zo zetten zij hun lege leven voort. Kijkend naar de prentjes, elke avond, en dan controlerend of hun mistroostige huishouden erop lijkt. Die kereltjes van de tv, dat zijn lepe mannen. Die gaan eerst rondkijken, om hun nonsens zo goed mogelijk op de werkelijkheid te doen lijken, waarna degenen in het kamp van de werkelijkheid op hun beurt zitten te loeren naar het hersenspinsel, waar ze echter van geloven dat het bij hen om de hoek gebeurt. Ge neemt een foto, en ge maakt daar een tekening van die zo waarheidsgetrouw is dat iedereen die ernaar kijkt, denkt dat het een foto is. Zo komt men nergens, natuurlijk, of het moet zijn dat de Schepper het zo bedoeld heeft: houd u maar wat bezig, daarbeneden, verzin maar wat flauwiteiten, maak het niet té bont, houd elkaar wat voor het lapje, en vooral uzelf ook, ik zal geregeld wat onheil over u heen strooien zodat ik ook eens kan lachen, en net als ge denkt dat ge het een beetje verstaat, laat ik u doodgaan en is het voorbij. Wat een feest.

Dat mensen dat niet verstaan, en niet een klein beetje hun best doen om daaraan te ontsnappen, ik begrijp dat niet. Dat ge niet stijf staat van het wantrouwen tegenover alles wat ze op uw bord scheppen, radend van 'wat zal hier weer achter zitten?' in plaats van alles gedachteloos binnen te schrokken – ik kan er met mijn verstand niet bij.

'Smaakt dat eigenlijk, zo'n sigaret?' heb ik eens gevraagd, en ze keken alle drie tegelijk naar boven, met hun vogelkopjes, en ze waren geschrokken dat de baas naar hun intieme roerselenuitwisseling aan het luisteren geweest was, en dus wisten zij niet meteen een goed antwoord te verzinnen op deze nochtans eenvoudige vraag.

'Het is een verslaving', zei de ene, Anita, ten slotte, bij gebrek aan beter.

Ik zeg: 'Ja dat weet ik, maar dat was natuurlijk de vraag niet. Dan had ik gevraagd: "Waarom rookt de mens, terwijl hij weet dat het schade aan de longen veroorzaakt en op termijn kan leiden tot de dood?" De vraag was: "Smaakt het?"'

'Na het eten is dat lekker', sprak de andere snel, Evelijn, bij wie men vanuit deze positie zeer goed kon binnenkijken in de jurk, waar zichtbaar niet veel boeiends te beleven viel.

'En hebt u zopas gegeten?' vervolgde ik op de stroom van het gesprek.

'Een uur geleden een Mars', piepte Anita.

Ik zeg: 'Kom, dames, laat dit voldoende zijn. Binnen wacht de werkelijkheid. De lakens, de kussenslopen, de handdoeken, de keukenschorten, de vaatdoeken, de kledij van het verplegend personeel. Stel u voor dat zij morgen de dagtaak aanvatten, misschien zelfs rekent uw oude omaatje op hen om zich verschoond te weten, en dat zij de kast opendoen en er hangt niets in om aan te trekken of om op de bedden te leggen. En dan bellen ze naar mij, vanaf directieniveau, en dan moet ik zeggen: "Dit klopt, mijnheer de directeur, Anita, Evelijn en Barbara hadden het gisteren veel te druk met andere zaken die onmiddellijke voorrang en uitzonderlijke aandacht verdienden, om zich met uw bagatellen bezig te houden. Zeg tegen uw zieken of bejaarden dat zij het een dagje zonder zullen moeten stellen, raad hun aan om het een etmaaltje proper te houden – 'Niet morsen vandaag met de pudding, mevrouw Schemermans!' 'Op tijd naar de koer gaan, mijnheer Vandeurzen!' – en misschien komen wij morgen weer bij u langs met vers gewassen spullen, dit uiteraard op voorwaarde dat er niets tussen komt, want men weet maar nooit, dat is eigen aan het leven."'

Ik zei dit alles met een brede glimlach op het gezicht, zodat zij in het begin lichtjes lachend stonden te luisteren naar mijn betoog, denkend dat er een goede grap uit zou voortvloeien, maar gaandeweg drong er in hun muizenverstand toch een besef door van een toon en een inhoud die zij niet vertrouwden, en zonder nog iets te zeggen deden zij hun sigaretten uit en schuifelden zij naar binnen.

'Anita,' riep ik, 'die van u brandt nog!' Waarop zij snel terugkeerde en ze uitdeed.

Wijven, kerel, ik zeg het u, als men er niet naast gaat staan, gebeuren er ongelukken.

ZESENDERTIG

Beste Fanta,

Ik ben er tot op heden niet in geslaagd om de geldkraan dicht te draaien. Dit heertje Van Houffelen houdt het been stijf. 'Getekend is getekend', zegt hij en nu dreigt hij op zijn beurt met juridische onplezierigheden. Houd er wel terdege rekening mee dat de stroom weldra zal opdrogen. Ik zal het tot nog toe overgemaakte geld niet terugvorderen, dat zou ons te ver leiden.

Gij woont dus niet ver van het plaatsje Bor, heb ik op de kaart gezien. Dat is curieus: ik moest vroeger altijd het hardst lachen om Bor de Wolf, dat was een dier uit *De Fabeltjeskrant*, wat u niet veel zal zeggen, het was een programma op tv, wat u allicht ook niet veel wijzer maakt. Hebt gij dat daar, tv? Ik betwijfel het. In ieder geval, het is een apparaat waar men dingen op kan zien, meestal een hoop flauwekul, dus ge mist er niet zo veel aan. Behalve dan Bor de Wolf, dat was een chagrijnig beest dat nooit iets zag zitten en dat altijd maar naar het Enge Bos wilde – dat is een bos dat niet echt bestaat, zoals niets in *De Fabeltjeskrant* echt bestaat, maar allee, hij wilde er altijd heen. 'Huuh, ik ga terug naar het Enge Bos', riep hij dan mismoedig.

Allicht is mijn uitleg veel te moeilijk voor u, en breng ik u enkel in verwarring.

Verder ben ik blij dat alles goed gaat met de visvangst, zoals gij in uw laatste schrijven hebt verteld. Hoe ronder de buikjes, hoe blijer de mensen, zeg ik altijd – zeker in een land zoals dat van u. Weet gij dat veel van uw soortgenoten naar onze streken overwaaien, dezer dagen? Zij komen hier hun tijd in weemoed en triestheid doorbrengen, opgejaagd en wel, en door velen scheef bekeken, hokkend in slechte, vochtige kamers in de grote steden, gegeseld door regen en wind; regen, dat is iets kouds en vervelends wat uit de lucht valt, maar het helpt wel bij de akkerbouw. Vrolijk en hunkerend schieten hier de gewassen uit de grond, Fanta! Maar regen is niet plezant om door te lopen, zelfs niet om naar te kijken.

Soit, ik ga afronden, want ik zie mijn kameraad naderen, dat wil zeggen dat ik nog ruim de tijd heb om een postzegel op mijn brief te plakken, want tegen dat hij tot hier gesukkeld is, zijn we een kwartier verder. Wij zitten hier bijna elke dag tegen elkaar te praten, ik vertel hem over mijn leven.

Ik houd u op de hoogte met betrekking tot de zaak-Van Houffelen.

Gegroet,

Oscar Van Beuseghem

PS Hoeveel krijgt gij precies per maand doorgestuurd van Van Houffelen?

ZEVENENDERTIG

Aan Van Houffelen

Zielig figuur dat ge zijt, Sergeke. Ik heb al vier brieven van dat kind in Soedan gekregen, dat denkt nu dat ze haar pleegvader gevonden heeft, en dat straalt van de blijdschap en de verwachting. Ik heb haar teruggeschreven en gezegd dat ge een bedrieger zijt en dat ik zo snel als ik kan de geldstromen zal bevriezen, wat het voor zo'n kind natuurlijk nog veel erger maakt – eerst iets beloven, en dan blijkt het niet waar te zijn. Dat droomt al van de teddyberen en de speelpoppen, of van eens een volle kom rijst met misschien een mergpijp erbij, en dat moet ge dan teleurstellen. Ge zijt een eersteklas nietsnut, Van Houffelen, is het op deze manier dat ge de wereld probeert te verbeteren, of steekt ge gewoon de helft van mijn vijfentwintig euro in uw eigen zak? Denk maar niet dat ik daar niet achter kom, en dan hang ik het aan de grote klok, met uw kloten erbij, dat zal opgewekt klingelen!

Van Beuseghem

ACHTENDERTIG

Mispak u niet.

Sterven doet men steeds alleen, kameraad. In doodse eenzaamheid. Dan mag er nog iemand u iets om de nek knopen en u de put in duwen, u 'Vaarwel!' naroepend, of ze mogen met z'n tienen of twintigen hartverscheurend rond uw doodsbed zitten te smeken van 'Blijf nog wat bij ons, lieve opa' – dat maakt geen verschil. Op het moment dat ge het poortje door gaat, doet ge dat in uw blootste, schrikbarendste allenigheid. Ge gaat letterlijk naar een plek waar niemand u kan volgen, tenzij natuurlijk de achterblijver snel de hand aan zichzelf slaat op hetzelfde moment, en zelfs dán is het nog maar de vraag of men samen de aftocht blaast – tegelijkertijd, dat zeker, maar samen?

Samen bestaat niet, man. Ge hebt veel van die triestige koppels die zogezegd samen door het leven gaan, maar dat zit de godganse dag wat naar elkaar te loeren en zich te ergeren aan wat de ander doet, zijn adem piept en haar tieten ruiken muf en hij rinkelt te lang met zijn lepeltje in zijn koffie en zij laat gifwinden als zij in slaap gevallen is voor de televisie; ge zoudt ervan verschieten als ge het aan de mensen gaat vragen, hoe groot de ergernis is tegenover de ander. Maar samen, hè, holala! Dat is het toverwoord; samen zijn ze vijftig jaar gelukkig, samen beleven ze hun oude dag, samen samen samen. Ik krijg daar kotsneigingen van. Ik mag mij niet voorstellen dat ik met die smerige Nancy samen zou zijn geweest, in welke vorm ook, behalve tijdens het vogelen, maar daar heb ik het later over, ook dan over Els, die gehandicapt was en met wie ik nog plezante streken heb uitgehaald.

Nee, man, dat proberen samen te zijn van de mensen, dat is gewoon omdat ze het leven op zichzelf niet kunnen verdragen; omdat ze niet sterk genoeg zijn om hun schouders daaronder te zetten en dan maar denken: ik zet mij naast deze of gene, dan gaat het gemakkelijker. Niet beseffend dat zij hun bestaan op die manier voor de ratten gooien. Reeds cirkelen de gieren en andere aaseters krijsend door de hoge lucht, als men een jongeling stralend van opluchting en anticipatie de kerkpoort door ziet komen met een jong wijf aan de arm. 'Ik wil!' schetteren ze zonder te begrijpen wat ze eigenlijk zeggen, ze schuiven de ringen over elkaars vingers als waren het ketens, en ze tekenen het register, niet beseffend dat zij hun eigen doodsvonnis daar onderschrijven. Is er ooit al eens iemand op het idee gekomen om op de kaft van dat boek te kijken, staat daar niet op 'Terdoodveroordelingen', in plaats van 'Huwelijken'? 'Executies – derde graad: langzaam/tergend'?

Hierover zal de iets minder verstandige mens op sussende toon zeggen: 'Ach, ge overdrijft. Als mensen graag naast elkaar op de sofa gaan zitten, laat ze maar, zij berokkenen niemand leed en veroorzaken geen overlast.' Dit is in vele gevallen zo. Maar dan vergeet men de schade die de samenleving als geheel lijdt, op een hoger niveau, doordat de individuele ontplooiing van deze mensen nagenoeg volledig stilvalt – misschien niet onmiddellijk na de samensmelting, maar toch gauw.

Hoe vaak ziet men niet de getrouwde man reeds korte tijd na het jawoord uit het sociale weefsel verdwijnen! Zijn deelname aan het publieke debat verschrompelt, zijn gezonde kijk op de dingen vertroebelt, en waar hij u voorheen keer op keer wist te verrassen met zijn goed doortimmerde meningen en heldere inzichten, zit hij nu verplicht weg te teren voor het televisiescherm, amper zijn hart ophalend aan een dor feuilleton of een zielloos debat. Met wat geluk ziet men hem dertig jaar later nog terug, wanneer hij eindelijk eens verlof heeft gekregen, en hij, moedeloos en grijs, met zijn biljartkeu onder de arm naar het café schuifelt, waar zijn futloze stem amper nog boven het getik van de ballen uit zal komen. 'Ja maar,' zal de minder begaafde denker toch nog trachten te poneren, 'hij heeft intussen wel voor een nageslacht gezorgd!' Inderdaad, wee hem! Voor kinderen die net zoals hijzelf en de moederkloek lamzalig voor de buis liggen, starend naar de kleurrijke stroom nonsens die daar passeert, en die net zo weinig voor de maatschappij zullen betekenen als de kip of de kanarie, de vaars of de vos.

Het zij zo.

Mensen kunnen niet meer normaal doen. Ga op een stoel zitten en houd u bezig. Koekeloer wat uit het venster, monster de vogels in de lucht of het gras, huppend van worm naar insect, hopelijk daarbij niet te veel herrie veroorzakend; kijk naar de bomen die bladeren krijgen of net niet, ze verliezen, haal uw schouders op en zeg: 'Zo is het.' Blijf eens thuis, in plaats van de hele tijd overal naartoe te gaan. Ik heb dat eens gelezen van een of andere Fransman, geen dwaze kloot, maar ik ben vergeten hoe hij heette, die zei: 'Kijk, het grootste deel van de problemen van de wereld zou vanzelf opgelost zijn, als de mensen gewoon eens leerden thuis te blijven.' Daar is het ook goed, daar staan geen files op de wegen, daar gebeuren geen ongelukken, of het moest zijn dat er iemand aan de elektriciteit blijft hangen of van de trap dondert, zoals Nancy, maar ik weet het, ik loop te veel vooruit op de zaken.

Lekker gezellig in uw kot, in uw dooie eentje, wat denkt ge?

NEGENENDERTIG

Nee jong, samen, samen, samen.

Een vent die zijn hond aan het uitlaten was, heeft zo ooit eens zijn hart uitgestort tegen mij; hij ging naast mij zitten op de bank in het park waar ik op zat, naar de eenden te kijken of naar de wijven, ik wil het kwijt zijn. Het was zo'n triestige mens van in de zestig, immer op zoek naar een luisterend oor.

Terwijl ik dacht: wat een scharminkel, en nog stinken ook, zei ik opgewekt: 'Wat hebt u me daar een prachthond, beste man!'

Hij haalde zijn schouders op, en antwoordde: 'Het is die van ons Mia. Ons Mia, dat is mijn vrouw.' En hij schudde met zijn hoofd. Hij vroeg: 'Zijt gij getrouwd?'

Ik antwoordde nee.

Hij zei: 'Mijnheer, het is precies alsof elke dag hetzelfde is, thuis; mijn wijf, dat doet maar, dat commandeert maar, ik ben al blij als ik eens naar buiten kan gaan met de hond, om ervan af te zijn, zelfs als het pijpenstelen regent of het kasseien uit de grond vriest. Ik ben niet content, ik ben niet goedgezind, ik ben niks. Ja, ik ben haar gewend, dat is alles. Haar gezaag en haar gezever.

Ik zei: 'Mijnheer, ik versta u, ik voel zelfs met u mee. Maar wat had u verwacht? Dat het leven een feest ging zijn met verrassende wendingen en fonkelende uitkomsten? Dat uw partner u zelfs na vele decennia dagelijks aan het lachen zou brengen, u zou prikkelen, u zou stimuleren om uzelf te ontdekken en uw horizonten te verkennen? Dat zij elke morgen een doorwrochte spreuk van een groot denker op een papiertje naast uw zachtgekookte eitje zou leggen, in kalligrafisch schrift, en uw eitje onder een lieflijk, zelfgebreid mutsje, om uw ochtend kleur te geven en uw geest te stimuleren, en u dan voor de rest van de dag met rust zou laten? Dat zij tijdens lange wandelingen, tijdens een deugddoende vakantieweek, af en toe de blik op de einder zou richten en in uw bovenarm zou knijpen en prevelen: "Ik ben blij dat ge in mijn leven gekomen zijt, Ernest", of Alfons of René of hoe ge ook heet, en vervolgens haar hoofd schuinweg op uw schouder zou drukken, met haar warme haren tegen uw wang?

'Louis', zei hij stil.

'Leg u erbij neer, Louis', vervolgde ik, hem optimistisch op de gebogen rug kloppend, het is wat het is, en gewenning is het hoogste wat men in dit bestaan kan ondervinden, men mag al blij zijn als men daarin enige rust en enig plezier vindt. Wat denkt ge dat uw hond hier zit te doen, bij u? Denkt ge dat hij u graag ziet? Hij is u gewend, meer niet. Wees blij dat ook gij uw vrouw gewend zijt, zoals ge zegt. Veel verder gaan de hemelpoorten niet open.'

Ja, die is naar huis gestrómpeld, toen ik klaar was met redevoeren. De waarheid is voor velen een ondraaglijk goed, ik zeg het u. Gelooft ge mij niet?

Nee jong, het is vandaag mijn dag niet en ik krijg het van alles op mijn zenuwen.

VEERTIG

Maar goed.

Waarom ik in de wasserijwereld terechtgekomen ben, is eigenlijk heel simpel uit te leggen. Er werken veel wijven, en als ik ergens een dubbelzinnige relatie mee heb in dit leven, zijn die het wel. Enerzijds gaat ontegensprekelijk mijn verlangen naar hen uit, anderzijds heb ik, wegens de ervaringen uit mijn jeugd, een heleboel nare gevoelens over hen.

Dat ben ik pas gaandeweg beginnen te beseffen. Als kind stond ik, zoals ik al aangaf, als na schooltijd de kinderen werden afgehaald, mij weleens af te vragen of Franske ook zijn hand in zijn tante moest steken, en of hij daarbij dezelfde tegenzin ondervond als ik. Stilaan is mij duidelijk geworden dat ik mij daarin heb vergist. Volgens de wetenschappers vinden zeker niet in ieder gezin zulke feiten plaats, zelfs nog niet in één gezin op honderd of duizend, dus was ik echt wel een uniek en bijzonder geval.

Eigenlijk is het niet eens zo verwonderlijk, dat deze verwarring kan ontstaan in een jeugdige geest. Wanneer men vanaf een zeer jonge leeftijd een bepaald iets krijgt aangeleerd, waarover schijnbaar bij de volwassenen die het voordoen de grootste vanzelfsprekendheid bestaat, dan haalt men het niet in het hoofd om dit ter discussie te stellen. Stel dat men van kindsbeen af bij de maaltijd eerst het dessert, daarna de hoofdspijs en vervolgens het bord soep krijgt voorgezet, dan zal men dit aanvaarden als de normale gang van zaken, en in de lach schieten wanneer men voor het eerst wordt geconfronteerd met mensen die dit in de omgekeerde volgorde doen. Zolang men de beslotenheid van het eigen gezin niet verlaat, zal men het niet vreemd vinden om na het eten van de kotelet met bloemkool aan moederlief te vragen: 'En wat is het voor soep?'

Het zij zo.

De wasserij was dus voor de wijven.

Vanuit mijn kantoor kon ik zitten kijken, als de jaloezieën open waren, naar al dat vrouwvolk dat daar zijn tijd stond te verdoen. Ik heb mij vaak zitten verwonderen en heb me afvraagd of ze nu zo veel gelukkiger waren, nu ze niet enkel meer als moederschoot en huissloof functioneerden, maar op eigen dringend verzoek in het arbeidsproces waren ingeschakeld. Feitelijk hadden die dames het destijds toch gewoon reuze naar hun zin: nauwelijks verplichtingen, geen stress, geen sociale conflicten, gewoon op uw gemak thuis zitten; enkel moest men 's avonds zuchten dat het een zware werkdag was geweest en dat het huismoederschap niet te onderschatten viel. Terwijl ze nu stonden te knoeien met de vuile was van honderden hotels en ziekenhuizen. Geloof mij, vooral van die laatste en ook van de bejaardentehuizen kwam er soms wat binnen, zowel uit de eetzaal als uit de slaapzalen. Eerst morsen deze oude knakkers tijdens het eten het tafellaken onder, vervolgens baggeren ze hun bed tot de rand vol, vooral de dementerenden. Men kan, als men dit werk lang genoeg doet, zó zeggen welke manden uit de afdeling van de alzheimerpatiënten komen – zelfs met de ogen dicht.

Hoe lang men ook in het vak zit, er zijn altijd nog mysteries, ook voor mij; zo ziet men soms vanuit een chic hotel de lakens binnenkomen, waarvan er één volledig onder de bloedplekken zit. Daar stelt men zich dan de nodige vragen bij, van: wat zou daar gebeurd zijn?

Ik had graag eens de proef op de som willen nemen, en in een hotel waar wij de was voor deden iemand gaan verwonden, om dan 's anderendaags die lakens bij ons in de mand te zien zitten en precies te weten wat er was voorgevallen; als ik ergens niet tegen kan, zijn het dingen die ik niet versta.

Hotels zijn plaatsen waar men, net als in ziekenhuizen, met verbluffend gemak zijn gang kan gaan. De meeste mensen weten dat niet, maar schuif maar eens 's morgens vroeg, als de meeste gasten nog in hun nest liggen, in een hotel aan de ontbijttafel aan, zeg '213' als ze iets vragen, of '607', en dat uw vrouw onderweg is met de sleutel als ze meer bijzonderheden wensen; sla op uw gemak een paar eieren en een ontbijtworst naar binnen, samen met een glas vers fruitsap en een paar tassen geurige koffie, en u wandelt fluitend weer naar buiten met een warme goed gevulde buik, gratis. Als ze u bij het weggaan toch nog tegenhouden, of als de echte 213 of 607 tijdens de maaltijd komt opdagen: wat gaan ze doen? De flikken roepen voor een paar eieren? Het u weer laten opkotsen? Men kan bovendien nog altijd ervandoor gaan ook.

Ook het betreden van gangen en liftkooien is een peulschil. Men stapt het hotel binnen, de lift in, de gang in, en niemand vraagt wat men daar te zoeken heeft, ook niet als men de baas van een wasserij is die even een test komt doen.

Mijn oog viel op een Engelssprekende van vooraan in de dertig, met een keurig mantelpakje aan, en met golvende Amerikaanse haren, enigszins zoals een pruik. Wat deze Amerikaansen met hun kapsel durven aan te vangen, grenst vaak aan het bespottelijke. Gezegd wordt, in wetenschappelijke kringen, dat dit in verband staat met de pogingen van het vrouwvolk om een grote vruchtbaarheid voor te wenden, en aldus een geschikt mannetje te lokken, zoals in het dierenrijk. Dit is nonsens, aangezien men voorbijgaat aan het feit dat een normale man zich weliswaar met de glimlach aan het paringsfeest zal begeven, gesteld dat men te maken heeft met een dame van enige aantrekkelijkheid en niet met een afzichtelijke kraai, maar dat deze man door de band genomen enkel uit is op het lozen van zijn schuimende zaad en het stillen van zijn lusten, en zeker niet op het al doende verwekken van een nageslacht en de daaropvolgende verschrompeling van zijn bestaan tot het verversen van luiers en het inbrengen van de fopspeen. Waartoe dient de wetenschap, als zij voorbijgaat aan de grootste evidenties, namelijk dat wij door de scheppende macht zijn begiftigd met verstand en vrije wil, wat ons wel degelijk onderscheidt van de kameel en de kolibrie, de panter en de papegaai, die tijdens het gretige en dierlijke volhengsten niet eens beseffen dat dit ze een vaderrol zal opleveren, waar de meeste zich vervolgens weinig aan gelegen laten liggen, dit weer in tegenstelling tot de mensenman, die, met uitzondering van het eerstelijnszogen, vandaag de dag met de meeste onprettige verzorgende taken wordt opgezadeld.

Het zij zo.

Nadat zij op de gewenste verdieping de liftkooi heeft verlaten, en ik ook, staat zij haar sleutel te vergelijken met de bordjes met getallen en pijlen naar rechts en naar links, waarna ik haar kamer 407 zie binnengaan. Ik sta zeker een minuut lang te twijfelen voor haar deur, wat lang is als men daar alleen in zo'n stille hotelgang staat, rondjes te draaien, met de handen in de zakken – als er dan iemand van het personeel opdaagt, dan roept men wel de aandacht over zich af.

Angst is een duivel.

Omdat ze denkt dat men haar koffers brengt, opent ze de deur zonder door het piepgat te kijken. Ik geef haar, trefzeker, een vuistslag pal op de neus, en leg haar half bewusteloos op het bed.

Ik sta naar haar te kijken. Wat zou ze hier in godsnaam komen doen, vraag ik mij af, zo'n wijf alleen, wat kan dat betekenen voor de industrie, tenzij haar bazen haar eropuit hadden gestuurd om een mogelijke zakenpartner eens lekker te verwennen; in dat wereldje gebeurt dat vaak. Ik heb eens een vertegenwoordiger van het vrouwelijke geslacht over de vloer gehad, en hoeveel keer die met haar tong over haar lippen is gegaan om haar minderwaardige waspoeder verkocht te krijgen, dat viel niet te tellen. Alleen begrijpt men toch niet dat zoiets midden op de dag langskomt, als al het volk in de zaak is, dan kan men toch niet even zo'n wijf onder zijn bureau laten kruipen zonder gezien te worden, dus heb ik gezegd dat ze tegen halfzeven nog eens moest langskomen voor een nadere kennismaking, en toen begon ze op een ongeziene manier terug te krabbelen, alsof ze verontwaardigd was en ze nooit met haar tong had zitten te lebberen; ze moest dan bij haar man en kind zijn, zei ze met een blik van 'ik heb u wel door, vuile geilaard'. Men zou haar een klap geven.

Ik kan niet lang in de kamer blijven, want elk moment kan de hotelbediende met haar koffer komen, en leg het dan maar eens uit. Ik moet een tweede wond veroorzaken, want het bloed uit haar neus stelt niets voor, om dan de volgende dag de sensatie te voelen als de lakens binnenkomen, en allicht teleurgesteld te zijn als ik vaststel dat de trolleys van dit specifieke hotel allemaal vol zitten met weliswaar bevuild maar zeker niet van bloed doordrenkt wasgoed. Zou zoiets door de politie als bewijsmateriaal worden meegenomen, vraag ik mij af, of is het zo verknoeid dat ze het gewoon niet meer de moeite vinden om het mee naar de wasserij te sturen? Ik heb mijn klanten daar niet veel later nog over aangeschreven: dat wij álles proper krijgen, dat ze nooit moeten denken: dit kan niet meer door de beugel. Men is niet voor niets een wasserij.

EENENVEERTIG

Beste Fanta,

Ja meisje, dertig Zuid-Soedanese ponden, daar durfden ze zelfs bij het wisselagentschap waar ik naar gebeld heb geen halve gok naar wagen, hoeveel dat is in euro's. Dat schijnt nogal te schommelen ook. Ik heb het op het internet opgezocht en daar vond ik ook vijftien verschillende schattingen. Dat is mij schijnbaar nogal een land, dat van u. Kent gij dat, internet? Vast niet. Dat is ook zoiets met een scherm, waar ge van alles mee kunt opzoeken. Op Licht Regiem mogen wij daar een uur per week over beschikken, weliswaar onder toezicht, want ge kunt daar fameuze dingen mee tevoorschijn toveren. Een mens staat daar niet bij stil, dat dat ergens anders niet bestaat.

Ik heb nog eens verder gekeken en ik moet zeggen, uw leiders hebben een goed gevoel voor humor, om 'Gerechtigheid, Vrijheid, Welvaart!' als nationale leuze te kiezen. Aan de foto's te zien vaart er niet veel wel, en ik kan mij voorstellen dat het op het vlak van de gerechtigheid ook niet veel soeps is. Voorts geloof ik wel dat vrijheid een gegeven is dat door veel van uw soortgenoten wordt onderschat. Dat is te zeggen, degenen die de tijd hebben om een uiltje te knappen in de weldadige warmte van de middagzon, of zelfs diverse uiltjes na elkaar, aangezien zij toch niets omhanden hebben, beseffen niet dat dit een bijzonder goed is; pas als zij in onze contreien van de stoomboot stappen, merken zij dat alles wat wij bezitten niet aan de bomen groeit, dat wij daar de handen voor uit de mouwen moeten steken, en trekken zij zich afkerig terug in de kroegen en de steunlokalen, aldaar knarsetandend mijmerend over de zachte bries in het thuisland, zich vaak met behulp van overheidssteun bezattend.

Wat is overigens uw plan, in het leven? Zoekt gij later een betrekking te vinden, of een bezigheid, weliswaar in de buurt van Bor of er toch niet te ver vandaan, desnoods in de dadelverkoop of de visverwerking? Laat mij u dat aanbevelen. Laat u nooit overhalen om te denken dat het elders beter is – wie zoiets met u probeert, is slechts een onverlaat, die doorgaans nog het slechte met u in de zin heeft, qua werkzaamheden, dat zult ge later wel begrijpen.

Op uw foto, waarvoor dank, ziet ge er overigens als een beminnelijk klein meisje uit. En Fanta is een plezierige naam.

Gegroet, terwijl hier de regen tegen de ruiten dretst, en bij u allicht de middagzon ongenadig op uw bolletje brandt,

Oscar

PS Wat doet gij eigenlijk met die dertig Zuid-Soedanese ponden, elke maand?

TWEEËNVEERTIG

Het is merkwaardig hoe men oude mensen bijeendrijft in wat men met een schoon woord verzorgingstehuizen noemt, of bejaardenflats, maar wat in werkelijkheid sterfputten zijn, ongehoorde oorden van verwaarlozing en verdoving. Juist, men pompt veel te veel geld en middelen in het in stand houden van bijna dode lui, waar ik het reeds over had in het kader van de discussie over verspilling en geldmisbruik, waar ook onze houding ten overstaan van negers en ander onbereidwillig of ongewenst volk onder valt. Maar dat wil nog niet zeggen dat men, als men er toch voor opteert om hen in ons midden te houden, onze ouden van dagen, wat ook een veel te bloemrijke naam is voor deze uitgeleefde kreupelen, zomaar op een stoel kan zetten en hen de rest van de dag, en dagen, aan hun lot kan overlaten, hooguit met een breiwerkje op de schoot, waar men dan wat aan zit te plukken en waar nooit nog een sjaal of een paar warme wanten uit voortkomt, daarvoor is men de draad te veel kwijt, vergeef mij de woordenvlecht.

Er zijn natuurlijk uitzonderingen: de enkele kwieke, goed geconserveerde ouderlingen, hoewel 'kwiek' natuurlijk niet echt de lading dekt bij deze zich toch altijd krakend en piepend voortbewegende heertjes en vrouwtjes, die nog op eigen benen staan en ook nog weten deel te nemen aan het openbare leven, zij het in een trager ritme en uiteraard niet vier avonden in de week de chachacha dansend. Men ziet hen weleens op de terrassen zitten op zondagmiddag met een zuinige kop koffie of als het pensioen het toelaat, een bescheiden glas wijn, terugkomend van een tentoonstelling of een wandeling in het park, genietend van de voor- of najaarszon, al naargelang, en dan denkt men: mooi dat deze mensen door de mazen van het net zijn geglipt, de duistere kankers op een afstand hebben weten te houden, alsook de afglijdende hersenen, en niet taterend of juist stil voor zich uit pierend op een stoel zitten, nog hooguit ademend en zich ontlastend. Dat men dankzij de zorg voor zichzelf, maar in de eerste plaats een zeer grote berg geluk de kracht en de helderheid heeft weten te bewaren die ons onderscheiden van de zeemeeuw en de sprinkhaan, de krekel en de kakkerlak, en men niet zoals zovelen op hogere leeftijd stapvoets terugkeert naar het dierenrijk, tot men met de rug tegen de dood staat en nog slechts in staat is om eens krachteloos met de ogen te knipperen of te zuchten, inderdaad zoals de uitgeleefde hond of het zieke paard.

En toch lopen ook deze mensen zonder het te beseffen vaak ontzettend in de weg, ook al versperren zij de trottoirs niet met duwwagentjes en rolstoelen, ook al vernielen zij uw hielbeen niet door er met hun halfblinde kop met hun rollator tegen te knallen, waarop zij sakkerend wegens het onvoorziene obstakel verder sukkelen, zich niet eens verontschuldigend, aangezien zij het niet meer ten volle beseffen wanneer zij de ander leed berokkenen.

Ook de nog heldere en goed op hun benen staande exemplaren zijn vaak irritant en vervelend. Begeef u naar de supermarkt, en vergewis u bij het kiezen van een kassa van de aanwezigheid, voor u, van een kromme grijsaard. Voordat dat zijn kleingeld heeft geteld, zijn uw diepvriesproducten klaar voor de container, ik verzeker het u. Meestal komen ze na het uitgebreide telproces ook nog eens zes cent tekort, waarop zij veelal zonder zich om de rest van de wereld te bekommeren of schuld te ervaren, toch maar de lap van vijftig uit de geldbeugel toveren, die zij eerst wilden bewaren voor een latere datum.

Deze mensen kunnen gewoon niet meer mee met de gang van de moderne samenleving. Zij verstaan dat niet, dat wij aan onze maatschappij een efficiëntie hebben verleend die zij in hun dagen niet kenden, en ook niet nodig achtten. Zij smeerden hun boterham, als er al iets was om erop te smeren, en aten die op; vervulden hun plichten en zwegen voorts.

Ooit stond ik in het postkantoor achter zo'n heertje, dat allicht uit eenzaamheid nog eens een brief had geschreven naar zijn oude nicht in god-weet-waar, of naar Sinterklaas, wie zal het zeggen, en zich een postzegel wilde aanschaffen om het geschrevene ter bestemming te krijgen.

'Dat gaat niet, mijnheer', sprak de beambte keurig. 'Postzegels zijn er enkel in vellen van tien.' Dat werd mij daar een gezucht en gediscussieer, lieve hemel! Van: 'Ja, maar ik schrijf anders nooit brieven', en: 'Ik heb al bijna geen pensioen, wat moet ik met negen postzegels aanvangen?', via: 'Ja mijnheer, maar ik kan er speciaal voor u geen afpeuteren, kunt u er de kleinkinderen geen plezier mee doen?', tot: 'Dat gaat niet, want wij spreken niet meer tegen elkaar, mijn kinderen en ik.'

Bijna zijn hele leven en sociale misère werden daar uit de doeken gedaan. Zo gedetailleerd dat men op de duur een stap naar voren zet, want voor men het weet, is het avond en is de dag voorbij, en zegt: 'Kijk, vrienden van het gesproken woord, mag ik uw programma van vandaag even onderbreken voor een korte mededeling? Namelijk: ik koop dit vel van tien zegels, en schenk het integraal of ten dele, zoals gewenst, aan mijnheer Grijzemans hier, of hoe u ook mag heten, als ik u zo van voren bekijk, zal het misschien

Wrattekens zijn, u zou die eens aan de dokter moeten tonen, want die ziet er mij kwaadaardig uit – dit geheel ter zijde. Ik begrijp en apprecieer dat u op uw leeftijd nog volop wenst deel te nemen aan het gezellig samenzijn, immers, als men zich opsluit, gaat het vaak snel achteruit, en het zal vast en zeker een zeer mooie, fijne brief zijn die u hebt opgesteld, waar de bestemmeling zeer blij mee zal zijn, denkend van: potverdorie, oude Albert laat nog eens van zich horen, of Gaston of Hippoliet of hoe uw moeder zaliger u ook heeft betiteld. Maar dat betekent niet dat u de – ik tel even snel, ik kan er enkele naast zitten – veertien wachtenden hier, mijzelf inbegrepen, zomaar een dagje lang naar believen kunt gijzelen met uw gratis entertainment. Wij vonden het een mooie operette, maar ze heeft lang genoeg geduurd, het verhaal is duidelijk, de partijen zijn gezongen, en nu naar huis! Hier zijn uw zegels!' riep ik, rukte die uit de handen van de postmeester, en duwde ze in die van de ouderling. 'Wie weet krijgt u er zin in en schrijft u nog een paar oude verwanten of de biljartmaat die u al lang niet meer hebt gezien, of desnoods stuurt u maar lukraak wat brieven naar mensen uit het telefoonboek. Het kan mij geen ruk schelen, kromme matrak! Vort! En laat naar dat melanoom kijken!' gaf ik hem op vriendelijke toon de raad mee, terwijl hij met gebogen hoofd naar de uitgang schuifelde, gevolgd door de tweespaltige blikken van de wachtenden, die natuurlijk blij waren dat zij eindelijk van dit heerschap verlost waren, maar die tegelijk deden alsof zij met hem te doen hadden, de lafaards.

DRIEËNVEERTIG

Aan mevr. de Hoofdredacteur

Beste,

Spijts het feit dat mijn vorige bijdrage nog steeds niet is verschenen, zelfs nadat u ongetwijfeld van hogerhand hiertoe een aanbeveling had ontvangen, bezorg ik u hierbij een volgende bedenking. U kunt deze kosteloos afdrukken.

Overigens verricht u voortreffelijk werk, in uw functie. Uw dagblad steekt er met kop en schouders boven uit, wat in hoge mate aan uw inspanningen toe te schrijven zal zijn, wat ik ook heb gemeld aan uw superieuren.

'Verbloemend woordgebruik'

Wij leven in een tijd waarin niets nog correct benoemd mag worden. Voor alles wat niet deugt of minder fraai is, zoals negers, gehandicapten en gepensioneerden, worden talrijke koosnaampjes bedacht. Wie verzint eigenlijk deze termen? 'Ouden van dagen', 'de derde jeugd', 'senioren', 'vijftigplussers', 'de niet-meer-zo-jongeren'? En waarom gaan deze ouderen hier willoos in mee, in dit verbloemen? Hoopt men, door het anders te omschrijven, werkelijk jeugdiger uit de bus te komen? Hangt het hoofd van de gehandicapte minder geknakt op de schouder, lebbert zijn tong minder uit de vochtige mondhoek, stoot hij intelligentere klanken uit wanneer men hem 'een verstandelijk en fysiek uitgedaagde mens met andere mogelijkheden' noemt? Krijgen de negers en andersoortige vreemdelingen die ons bezoeken een scherpzinniger blik, een grotere werklust en een verminderde aandrang om ongevraagd in vrouwenborsten te knijpen, wanneer men hen als 'medelander' betitelt? Nee. Velen geloven dit soort fabeltjes graag, terwijl men hiermee vaak enkel het tegenovergestelde bereikt – niet in het geval van de gehandicapte, want die begrijpt er toch niets van, maar bijvoorbeeld wel bij de neger, die zal mompelen: 'Als men mij hier nu reeds als medeburger beschouwt, betekent dit vast dat ik het juiste gedrag vertoon', wat zal leiden tot nog meer rondlummelen op straat, nog meer nafluiten of veel erger van tienermeisjes, met onveranderd een blik van 'hoe heet ik nu ook al weer?'.

Hoogachtend,

Oscar Van Beuseghem, Oostmoer

VIERENVEERTIG

Jong jong.

Ik zit nog dikwijls aan Ria te denken. Ik probeer mij te herinneren in welke kerk het was dat wij naar haar begrafenis zijn geweest, mijn moeder en ik; mijn moeder zat onbegrijpend naar mij te kijken omdat ik naar haar gevoel ongewoon veel aan het wenen was; wist zij veel dat ik mijn enige liefde ten grave droeg, of in elk geval de vrouw die mij als enige in de wereld ooit met mijn ogen dicht een gevoel van liefde had gegeven, terwijl ik op en neer ging in haar warme kuil.

Ik zou haar graf nog weleens willen bezoeken, maar god weet waar dat staat, en dan nog, ik ken niet eens haar achternaam, en ga op een middelgroot kerkhof maar eens naar de Ria's zoeken, gecombineerd met een bepaald sterfjaar. Misschien hebben ze haar resten al lang geruimd en doet men zijn langgerekte zoektocht voor niets.

In de grote steden ruimen ze al na tien jaar. Ik heb eens vernomen van een werknemer dat dat geen plezante bezigheid is, dat opgraven, tenzij men daar een aanleg of een voorkeur voor heeft. Alles hangt van de grond af, van de kwaliteit van de kisten en de balseming, en van de aard van de ten grave gedragen persoon; sommige mensen vergaan snel en andere heel wat minder fluks, en als men in een specifieke droogte of juist vochtigheid of zuurte van bodem ligt, dan kan het zijn dat men verzeept, of verdroogt en verandert in een mummie, en dat de opgraver zelfs na vele jaren nog op herkenbare vormen en gezichten stoot. De meesten zijn natuurlijk tot skelet verworden, maar het is die onzekerheid, zei deze man, telkens als men met de graafarm van de delfmachine de grond ingaat, of men misschien toch net zo één overlever zou treffen, en een stuk mens naar boven woelt dat men liever niet had gezien – of men moest eropuit zijn om kwade dromen te beleven.

In de containers is het in ieder geval een bont allegaartje tijdens zo'n ruiming. Mens na mens wordt er opeengekieperd, botten, kaken, stukken grafsteen, vermolmde kisten, flarden kostuum of nachtjapons waar men in begraven is, voorwerpen die mee in de kist zijn gelegd, zoals bijvoorbeeld een fles sterkedrank die intact is gebleven. Ik zou daar de lippen niet aan durven te zetten, niet dat die slecht geworden is, maar het idee alleen al: dat dat tien jaar lang naast een rottende dode onder de grond heeft gelegen; die kerel van het kerkhof zei dat hij daar niet de minste moeite mee had. Dat werd een beetje proper gewreven en verdween in zijn werktas, en 's avonds goot hij zich daar een paar stevige borrels van uit, klinkend op de onbekende weldoener, die het niet meer zou horen, tenzij men daarin gelooft.

Ook sieraden en ander kostbaars worden stilletjes weggestoken; de bazen weten dat, zei hij, maar ze zien het als een aanvulling op hun karige loon, en als men zulke rotte arbeid doet, dan mag men wel een extraatje hebben; rijk werd men er bovendien niet van, het waren veelal symbolische grafgiften, de echt waardevolle stukken zaten doorgaans kort na de begrafenis al om de nek van de handenwrijvende schoondochter, of werden al bekeken door de loep van de tweedehandsjuwelier.

Hoe weinig schiet er toch steeds maar over van een leven, dacht ik altijd als ik op rommelmarkten rondliep en daar de inboedels van overleden lui zag staan, met een vadsige, pafferige nazaat erbij, die een sigaret staat te roken en hoopt dat de rommel zo rap mogelijk uit zijn zicht zal zijn, weliswaar tegen een prima prijs.

Het ruikt op zulke plaatsen altijd merkwaardig naar interieurs, ofschoon het buiten is; de geur van die levens is in die kasten en die ledikanten getrokken en laat zich er nooit meer uit verjagen, zelfs al zandstraalt men de boel en zet men er drie lagen lak op; dat blijft naar gepensioneerden rieken. Ik zou nooit in zo'n tweedehandsbed kunnen slapen, waar een oude weduwe haar laatste jaren in heeft doorgebracht, en er wie weet nog in is omgekomen ook; die laatste paniekmomenten, dat angstzweet voor de dood, dat ultieme verzet tegen het onvermijdelijke, de schreeuw, en de ontspanning der spieren achteraf, waardoor men nog winden laat en vocht verliest, nee, heel dat drama samengebald in een mottig oud bed, daar ga ik niet meer in liggen.

Ik weet waarom mensen hun doden liever niet meer thuis laten liggen, en hen naar een mortuarium laten overbrengen. Het zijn die postume bewegingen, die zich soms dagen na het heengaan kunnen voordoen doordat er zich in het lichaam ontbindingsgassen ophopen. Ik ben ooit eens op bezoek geweest bij iemand die thuis in zijn bed lag opgebaard, en daar kreeg men, voordat men binnenging, de dwingende raad om vooral niet per ongeluk tegen het bed te stoten, omdat de kans dan groot was dat er beweging ontstond onder de lakens; dat was een schok voor de achtergebleven weduwe, die toen het de eerste keer gebeurde vol verwachting was opgesprongen omdat ze dacht dat haar overleden wederhelft bij de levenden was teruggekeerd.

Het allerlaatste wat men doet in het leven, is niet doodgaan, het is winden laten. Tot in de kist. De dood is geen feest, al zijn bepaalde aspecten ervan wel vermakelijk.

Het zij zo.

Ik geloof nooit dat ontgravers en aanverwanten erg gevoelige mensen zijn, anders begint men na het werk rare dingen te doen. Ik ken een man die autopsies uitvoert, en die heeft er te veel van, gevoelens, en die heeft daardoor een serieus drankprobleem ontwikkeld; met trieste ogen staat hij elke avond aan de toog van De Beiaard, zichzelf staande te houden, altijd in stilte, terwijl vast de beelden van de dag over zijn netvlies rollen. Een geluk dat hij 's anderendaags nooit levenden moet opereren, denk ik telkens als ik hem ontmoet, want dan zou ik er niet graag onder liggen, met zijn levensstijl.

Voor een geneeskundige moet dat frustrerend zijn: al zijn collega's staan de hele dag in levende weefsels te snoeien, mensen te redden van de dood, of soms ook niet, en hij mag het met de koude schotel doen, de kadavers versnijden, de stille levers onderzoeken met een scherp mes. Ik kan mij goed voorstellen dat men dan al rap een dossier zo laat, wat maakt het ook uit. En dat men begint te drinken – ofschoon het mogelijk is dat hij voorheen een begenadigd chirurg was, die juist door zijn drankverbruik is gedegradeerd naar de hakbank; het is in het leven niet altijd duidelijk wat de oorzaak is, en wat het gevolg.

Maar nu stilaan genoeg over de dood – ik word er ongemakkelijk van.

VIJFENVEERTIG

Van Houffelen,

Ik ben in mijn leven veel smeerlappen tegengekomen, van een niveau dat ik zelfs niet ga beginnen te beschrijven, zeker niet tegen u, maar er zijn er weinig, geloof mij, weinig die in uw buurt komen. Dat schommelt naar alle kanten, die wisselkoersen, de ene dag is het zus en de volgende zo, maar ik heb nu van een hele week het gemiddelde genomen, en wat gij aan mijn Fanta overdraagt, dat is nog geen zes euro waard. Dat wil zeggen dat gij er negentien in uw eigen zak steekt, minus misschien nog een paar voor de transfer. Ik weet niet hoeveel Fanta's er zijn, maar dat uw vinger elke avond zonder aarzelen naar onder glijdt, op de menukaart, naar de Saint-Emilion Premier Grand Cru Classés, daar ben ik gerust in. Ik hoor de garçon al zeggen: 'Voortreffelijke keuze, mijnheer Van Houffelen', want ze kennen u daar vast allemaal bij naam, ze zien uw Mercedes nog maar de parking op draaien en ze beginnen al te kirren onder elkaar: 'Van Houffelen is daar! Fooientijd! Welke poederdoos zal hij vandaag weer bij zich hebben?' Want ook daar twijfel ik geen moment aan, dat ge genoeg aan uw zwendeltje zult overhouden om elke avond een andere kleur uit het escorteboek te kiezen. Ik weet niet of ze daar even hard zullen kirren als de baas hen aanduidt, integendeel, ze zullen veeleer zuchtend van 'Die weer!' onder de douche kruipen. Het kan voor niemand plezant zijn om een hele avond te zitten luisteren naar uw verhalen over hoeveel mensen ge die dag weer hebt bedrogen, en u daarna in uw Mercedes nog eens te moeten afzuigen, Fanta moest het weten.

Benieuwd wat ge hierop te zeggen hebt, maar er tevens rotsvast van overtuigd dat het weer doodstil zal blijven aan de andere kant, verblijf ik,

Van Beuseghem

PS Ik zie onderaan in uw laatste brief dat VHK staat voor Van Houffelen Kindervreugd. Ge moet maar de foute soort ballen aan uw lijf hebben om zoiets te verzinnen, kindervreugd.

ZESENVEERTIG

Ik heb weer geslapen als een roos, Dré, of als een baby, hoe zeggen ze dat? Zonder pillen, gewoon oogjes dicht en snaveltje toe, zoals vroeger met die uil, en deze mijnheer was vertrokken voor een lange, droomloze nacht. Ik heb zelfs de vogels niet gehoord, deze morgen, ik heb lekker door dat gekwetter heen geslapen.

Ik was een paar dagen geleden over de dood bezig, en ik lag daar deze ochtend nog over na te denken; dat is toch iets wat een mens nooit helemaal uit zijn hoofd kan zetten.

Men zou voor de aardigheid eens moeten gaan kijken in de vuilnisbakken die worden buitengezet in de weken na het heengaan van een doorsneemens; men zou vaststellen dat de zaken waaraan de afgestorvene het meest was gehecht, waar hij of zij van vermoedde dat ze nog vele jaren door de nakomelingen zouden worden gekoesterd en waarbij hun gedachten steevast zouden afdwalen naar de aflijvige dierbare, dat uitgerekend die dingen met het grootste gemak en zonder de minste scrupules worden weggesmeten.

Handwerkjes waar het oude moedertje jaren van haar leven aan heeft zitten prullen, de kantstukjes die haar ogen hebben kapotgemaakt en haar vingers hebben doen kromtrekken en waar zij haar allergrootste trots uit puurde, waar haar kinderen tijdens haar leven van stonden te liegen dat ze ze prachtig vonden, en tegelijk met hun ogen rolden en dachten: de oude snuifdoos zou haar geld beter oppotten dan het over de balk te smijten met al haar naaigerief, dan kopen wij er later wel een glinsterende wagen mee – die voorwerpen worden het eerst bijeengegraaid, in plastic zakken gepropt en met het huisvuil meegegeven.

Het diorama van het alpenlandschap in de garage waar talloze treintjes doorheen tuften en floten, met tunnels en perrons en verlichte huisjes, namaakrook uit de schoorstenen en werkende slagbomen, waar vader sedert zijn vervroegde pensionering al zijn tijd aan heeft besteed, met hobbyhout en kippengaas en papier-maché – het wordt vaak al voor de begrafenis door de schoonzoon met de Husqvarna in stukken gezaagd, waarna het in de kachel verdwijnt en in het beste geval de metalen delen in de handen van de kleinkinderen terechtkomen, mochten die nog door treintjes zijn geboeid.

Het valt te hopen dat de hemel, als hij bestaat, geen vensters heeft door dewelke men de wereld der levenden kan aanschouwen, want velen zouden er doodongelukkig door worden, en daar dient de hemel niet voor; zeker wanneer men zijn buurman de dag na de teraardebestelling bij zijn weduwe in bed ziet kruipen, wellustig zuchtend: 'Eindelijk zijn we ervan af', waarna zwoegend en met bleke, gekromde spekruggen de liefde wordt bedreven, een eer die de dode bij leven al vele jaren niet meer te beurt was gevallen door een gefingeerde menopauze.

Nog napuffend en piepend gaat het dan aldus.

'Zijn zijn treinen al weg?'

'Norbert is de boel deze morgen komen kapotzagen.'

'Dan kan ik daar mijn brommer zetten.'

'Ik zie u graag, Fil.'

Ik zeg het u, de menopauze is een fabel, bedacht door vrouwen die het beu zijn om met hun vent te neuken, met zijn rimpelige oude lul, en daarom maar doen alsof het medisch niet meer gaat. Vraag het aan een arts met haar op zijn tanden, en hij zal van ja knikken. Zet eender welk dametje van zeventig buiten het bereik van haar wettige echtgenoot in een sfeervol café vol aardige mannen, giet er twee glazen sherry in, en binnen het halfuur wordt er van bil gegaan, desnoods op de koer. Een kameraad van mij, de voormalige uitbater van een dancing voor ouden van dagen, waar veel weduwes en weduwnaars kwamen, heeft mij dat in geuren en kleuren bevestigd – elke avond moesten ze daar de kakhokjes met de tuinslang uitspuiten, of men bleef er aan de bril plakken van al het oude geil. Dat oude gebroed neukt zich scheel, als het er kans toe ziet, geloof mij vrij.

Onthutsend is het hoe de ouder geworden echtgenoot in dat verzinsel trapt: eerst zijn ze met geen tank te stoppen als het op volgeknald worden aankomt, om vervolgens als dichtgelaste ijskasten door het leven te gaan? Wie gelooft nu zoiets?

Nee, wijven, dat liegt maar raak.

ZEVENENVEERTIG

Iets wat geheel en al aanvaard lijkt in onze samenleving, maar waar ik enkele bedenkingen bij zal formuleren, is het feit dat vrouwen met de auto rijden. De meesten onder ons zullen dit zelfs niet opvallend meer vinden, zo is men eraan gewend geraakt, maar dit is niet normaal, kameraad. Uit tellingen die ik heb uitgevoerd, door om mij heen te kijken alsmede de berichten in de media scherp in het oog te houden, concludeer ik dat ruim driekwart van de ongevallen voorvalt tussen dames en dode voorwerpen zoals paaltjes en muurtjes, of tussen dames onderling, wat op zichzelf niet zo'n probleem is. Dat is zoals wanneer men in de krant leest: afrekening in Albanees milieu; daar wordt ook zelden meer dan een halve kolom aan besteed, juist omdat men denkt: zolang ze elkaar de duvel aandoen, vinden wij dit niet zo erg. Hele moordpartijen mogen geschieden tussen volkeren van buiten onze grenzen, zwaarbewapende commando's mogen trouwfeesten overrompelen (daar hechten zij een groot symbolisch belang aan) en er het van trots glimmende echtpaar doorzeven, alsmede enkele gasten, bij voorkeur een belangrijke oom, en men zal er, overigens terecht, eens de schouders bij ophalen en het langs de neus weg vermelden, als was het: 'Lading citrusfruit op autoweg na slippartij – filevorming beperkt'.

Paaltjes zijn de favoriete voorwerpen van het vrouwvolk. Komt dit doordat zij slechts vluchtig door de achterruit kijken bij het achteruitrijden, denkend met hun eenvoudige vermogens: als er niets groots in de weg staat, zal ik het er maar op wagen, want enkel grote dingen kunnen onheil brengen. Zeggen zij: 'Ach, een paaltje, wat voor schade kan dit nu aanrichten?' Feit is dat men er geregeld een beteuterd met haar handen in haar zij naar de in tweeën geplooide of minstens ingedeukte achterbumper ziet staan kijken, zich daarbij schuddebollend afvragend wat dit voorwerp hier staat te doen, want in de damesgeest is de functie van het paaltje ook steeds volstrekt onbegrijpelijk.

'Wie zet er hier nu een paaltje?' stond dit exemplaar zich, mij ongevraagd betrekkend bij het incident, verbaasd hardop af te vragen. Zij was noch van de lelijke, noch van de knappe soort, zij moest met een gezicht door het leven dat op geen enkele manier opviel; ik wed dat de groenteman bij wie zij reeds jaren haar inkopen deed op een dag heeft gedacht: tiens, deze heb ik precies al eens eerder gezien, maar waar, terwijl zij hem toch twee keer in de week met haar hamsterwangen banaan of soepselder ter weging en afrekening aanreikte. Banaal zijn is een onderschatte zaak – men heeft hardop of in stilte medelijden met schreeuwlelijkerds, mensen met in het oog springende vlekken in het gelaat of haakneuzen, en men spreekt zijn bewondering of afgunst uit jegens knapperds, die fluitend door de straten flaneren met hun geföhnde koppen, maar de banalen ziet men niet; het zijn juist dezen die het het hardst te verduren krijgen, op langere termijn, die wegkwijnen in het onopgemerkt-zijn en de bijbehorende eenzaamheid of depressie, soms leidend tot zelfmoord of opname in een instelling met aangepaste voorzieningen en regimes.

Ik zei: 'Kijk, mevrouwtje, ten eerste, trekt u het zich niet aan. Ik zeg niet dat uw man straks bij uw thuiskomst zal staan te juichen, u eens stevig zal vastpakken, troostend door uw haren zal strijken en zal zeggen dat het de besten kan overkomen, waarbij hij de gedachte onderdrukt: maar duidelijk niet énkel de besten. Wellicht zal hij niet, om u op te beuren, in de kelder afdalen om daar een fles te zoeken die hij voor een speciale dag bewaarde, zoals uw zilveren, of als ik u beter bekijk allicht gouden huwelijksjubileum, en deze ontkurken, klinkend op weer een nieuwe levenservaring. Maar aangezien hij vermoedelijk reeds een en ander van u gewend is, qua onprettige verrassingen, zal hij evenmin door deze bescheiden bluts van de wijs raken, tenzij natuurlijk dit de druppel is die de emmer doet overlopen, nadat u vorige week zijn nagelnieuwe Jaguar XK150 van een ongewenste zijdelingse kras hebt voorzien door er tijdens de maidentrip iets te sportief de parkeergarage mee uit te swingen, of doordat u de verzekeringsonderneming in het verleden reeds zodanig op de proef hebt gesteld dat deze gezegd heeft: "Nog één keer en u mag beiden voor de rest van uw bestaan de fiets nemen."'

Ik vervolgde, aangezien zij haar tong nog aan het zoeken was: 'Nee, mevrouw, de wereld is niet vergaan, de bloemen zijn niet verwelkt, kijk om u heen en u kunt vaststellen dat alles zijn normale gang gaat, de zon schijnt nog, de vogels fluiten hun vrolijkste, of toch een hunner vrolijkste liederen, en wellicht is de aarde niet van haar baan afgeweken, hoewel men dit nooit weet en het zeker moeilijker kan aantonen dan al het voorgaande. Verman u!' besloot ik op luidere toon, aangezien ik merkte dat zij vocht in de ogen had, en vermoedelijk maar de helft had verstaan van wat ik haar had gezegd.

Zij schudde, nijdig, het hoofd. 'Nee, er zal thuis niets over worden gezegd. Geen woord. Deze auto hebben wij samen gekocht, mijn man en ik, vlak voor hij te horen kreeg dat hij aan een zware ziekte leed. Hij is vorige week gestorven', maakte zij haar betoog rond, waarbij zij mij aankeek alsof ik het was die de arme man hoogstpersoonlijk de fatale injectie had gegeven of zonder sussende woorden van uitleg en troost de levensreddende apparaten had uitgeschakeld – terwijl ik haar natuurlijk in hoofdzaak wilde helpen en opbeuren, en verder met deze onverkwikkelijke zaak niets te maken had.

Ik zei: 'Mevrouw, dank voor deze melding. Dit maakt het aannemelijk dat u met de wagen rijdt, ofschoon u moet leren om ook op de paaltjes te letten. Paaltjes zijn er, paaltjes blijven er. Principieel ben ik geen voorstander van het algemeen enkelvoudig stuurmansrecht – u ziet de resultaten van onze breeddenkendheid ter zake met beide ogen – maar in uw geval knijp ik een oogje dicht. Mevrouw!' riep ik opnieuw iets luider, aangezien zij wederom afwezig en met een waas voor de ogen op haar lip stond te knauwen. 'U hebt een rijbewijs, gebruik het met mate, zoals men dit ook over de drank en de sigaretten zegt. Denk niet: ik mag, dus ik doe, of: het is gepermitteerd, dus ik zal. Denk aan de anderen. Leef bewust! Meer heb ik u niet te melden', waarop ik mij omdraaide en haar verliet, allicht nagestaard, maar de dagen dat ik daarom maalde, liggen ver achter ons, geheel uit het zicht, gelukkig maar.

ACHTENVEERTIG

Nee.

Wanneer men maar breed genoeg denkt, eindigt men steeds in de smalte. Dat is een merkwaardige natuurwet, Dré: hoe verder men de grenspalen van het denken verzet, hoe dunner de materie wordt. Het is alsof men een lekker glas bier van drieëndertig centiliter uitschenkt in een maatbeker van een liter, en dit, om hem vol te krijgen, aanlengt met water. Dan heeft men een zeer grote pint, waarop jammer genoeg geen schuim meer staat en die nog slechts zeer in de verte smaakt naar de goede Duvel of Rochefort waarmee men begonnen is.

Uiteraard kan men er niet op tegen zijn dat een talentrijke vrouw, want deze bestaan, wordt toegelaten tot de bestuursniveaus van bijvoorbeeld overheden of ondernemingen. Iedereen die een talent bezit, moet het gevoel krijgen dat dit niet nodeloos door de scheppende machten is geschonken, maar dat men, binnen bepaalde grenzen, hiermee ook iets kan aanvangen. Wanneer een dame de cijfers juist weet te interpreteren en daadkrachtig beslissingen kan nemen die de onderneming of de samenleving ten goede komen, ligt het voor de hand dat haar de toegang tot de hogere echelons niet wordt ontzegd, wanneer zij zich daartoe geroepen voelt.

Echter.

Wanneer men zonder nadenken zegt: 'Vervolgens zullen wij wetten uitvaardigen die organisaties verplichten om een vooraf bepaald aantal dames in dienst te nemen, sterker nog: hun verantwoordelijke functies te verlenen', begeeft men zich reeds met meer dan vijf tenen in het moeras. Kijk naar de politiek. Ofwel zeer vereerd en dus breed lachend slaan daar de vrouwen de hand aan de ploeg, ofwel met voelbare tegenzin, aangezien zij eigenlijk de voorkeur gaven aan de thuisarbeid, die zoals reeds aangestipt niet te zwaar is, en veel ruimte laat voor individuele ontplooiing en recreatie, ook op seksueel gebied, en zij zich slechts na lang aandringen hebben laten overhalen om mee aan de leiding te komen, tegenpruttelend dat zij hiervoor niet over de inzichten en de vaardigheden beschikken; waarop zij de garantie krijgen dat zulks geen bezwaar is, want dat specialisten en kabinetsmedewerkers hen alles zullen voorkauwen, wat zij vervolgens maar hebben na te kwekken voor het oog van de camera's en de nieuwsgierige journalisten, die overigens meer aandacht zullen hebben voor hun diep uitgesneden zomerjurk, weliswaar afhankelijk van het seizoen.

De gevolgen hiervan zijn kwalijk. Machtsstrijden ontwikkelen zich binnen deze entourages, aangezien al deze medewerkers denken: aha, hierin schuilt mijn kans om een invloedrijke schaduwfiguur te worden, die hoewel verkozen noch in het bezit van een geldig mandaat, toch in stilte en in de schemering de lijnen van het beleid uit kan zetten. Deze spanningen en dit ellebogenwerk leiden ertoe dat de politica in kwestie door de verschillende machtsblokken in haar omgeving op drift wordt geduwd, als een ijsberg die door de stromingen in de zee nu eens naar hier, dan die kant op wordt gedreven, en zij nu eens ten gunste van de ene strekking, dan weer van de andere praat, als de buikspreekpop die zij is, en er van een keurig beleid geen sprake kan zijn.

Hierdoor keldert het vertrouwen van de gewone man in de machthebbers, zeker de vrouwelijke, en zal hij de volgende keer wanneer hij naar het stemlokaal wordt geroepen, een proteststem uitbrengen op een bende schertsfiguren die beloofd heeft een einde te maken aan dit soort onzin, maar die tegelijk ook niet bekwaam is om de ware problemen van deze tijd aan te pakken. Ik zeg het u: op middellange termijn leidt dit ogenschijnlijk onschuldige spel der seksen, dit als goedbedoeld en nuttig voorgestelde inhaalproject, niet alleen tot morrende bevolkingen en onbekwame bestuursentiteiten, maar zeker ook tot de onherroepelijke instorting van het staatsbestel. Als wij straks, vriend, onze levensdagen moeten beëindigen onder de gesel van de dictatuur, geregeerd door een sufkop die amper zijn eigen naam kan schrijven, zal dit het gevolg zijn van onze breeddenkendheid, die, zoals reeds aangestipt, steeds leidt tot het smalst denkbare.

NEGENENVEERTIG

Van Houffelen,

Hoe gij 's nachts slaapt, weet ik niet – ja, krabbend aan uw toeter vanwege een vers opgelopen geslachtsziekte, maar ik bedoel: hoe uw geweten u toestaat om voldoende tot rust te komen om de slaap te vatten, het is mij een raadsel. Hoeveel van mijn brieven hebt gij onbeantwoord gelaten? Elke maand zie ik mijn bankrekening slinken, en dat zou nog niet zo erg zijn, mochten deze bedragen bij de rechthebbenden terechtkomen, namelijk de kleine Fanta, maar de gedachte aan u, zittend in uw verwarmde lederen kuipstoel, op weg naar de hoerenwijk om daar uw compagnie voor de avond uit te kiezen, vervolgens met uw gouden American Express incheckend in Hilton of Hyatt, blaffend een fles Dom Pérignon bestellend, en vervolgens de Estse of Letse slet brullend te lijf gaand, terwijl in het plaatsje Bor, ver hiervandaan, de nageltjes over de bodem van de rijstkom krassen, doet de stoom uit mijn oren komen. Als ik u ooit tegenkom, stamp ik u zo hard onder uw ballen dat zelfs de beste doktoren ze niet direct zullen terugvinden.

O. Van Beuseghem

VIJFTIG

Aan de heer K. Verhoeven, Hoofdredacteur

Geachtc,

Sinds kort ben ik geabonneerd op uw dagblad, na dit jarenlang te zijn geweest op een ander, waar men echter niet openstaat voor een gezonde uiting van de vrije mening, mogelijk ten gevolge van een slecht beleid. In een functie als de uwe dient men voortdurend aandachtig en gewiekst te zijn, niet slechts driekwart van de tijd. Gelieve bijgevolg deze brief, met betrekking tot de ouden van dagen, in uw daartoe bestemde rubriek op te nemen, wat kosteloos en rechtenvrij kan gebeuren.

'Behoud uw fierheid'

Met ongeloof moet men vaststellen dat vele ouderen in onze samenleving een loopje nemen met de zorg voor het eigen lichaam, alsof dit op latere leeftijd niet meer strikt noodzakelijk zou zijn. Steeds vaker ziet men senioren, zoals deze categorie van mensen in moderne termen valselijk wordt genoemd, die alle zin voor hygiëne en lichaamsesthetiek zijn kwijtgeraakt, en bijgevolg eveneens het respect voor de medemens, die deze zaken moet aanschouwen en soms ook ruiken.

Jarenlang doet men zijn uiterste best om het in verval gerakende lichaam toonbaar te houden. Men draagt korsetten en steunkousen, men brengt make-up aan, men bezoekt zonnebankcentra en gebruikt rimpelmiddelen, men raadpleegt zelfs chirurgen die de verzakkingen kunnen corrigeren en de uitstulpingen leegzuigen of anderszins camoufleren. Tot men plots, vaak zonder aanwijsbare reden, de lust in het verbloemen verliest en men het letterlijk en figuurlijk laat hangen. Zelfs de moeite om 's ochtends, voordat men de deur uit gaat, even de namaaktanden vast te klikken, getroost men zich niet meer. Dit is verwerpelijk, en tevens in vele gevallen het laatste stadium voor de dood.

Van Beuseghem Oscar, Oostmoer

EENENVIJFTIG

Dit is echt van een niveau, man.

Mijn vader heeft in de garage een vuurtje bij zichzelf gehouden, nadat hij bij thuiskomst van zijn wekelijkse zogezegde handelsreis mijn moeder had gevonden, hangend aan een ijzerdraad, met alleen haar bh aan.

Dat was gebeurd toen ik een week in het ziekenhuis lag met iets aan mijn longen. Ik had daar als kind veel problemen mee, er was ooit iets fout gelopen met mijn ademhalingsspieren, en ik ben altijd heel vatbaar gebleven voor bronchitis en longontstekingen; die keer hadden ze het slecht verzorgd en moest ik opgenomen worden.

Mijn moeder was elke dag aan mijn hospitaalbed komen zitten; ik had graag dat ze iets voorlas, maar meestal had ze daar geen goesting in en vulde ze in haar vrouwenblad een kruiswoordraadsel in; ik moest rusten, zei ze, en dat voorlezen zou mij alleen maar vermoeien.

Om acht uur, als het bezoekuur was afgelopen, ging ze naar huis, zoals ook op die donderdag; ik lag de volgende ochtend uit te kijken naar haar komst, want de kans was groot dat ik die dag naar huis mocht.

Zij daagde niet op.

Om vier uur stond plots mijn vader aan mijn bed, in het gezelschap van een dokter, een gezette man met een rood gezicht en een hoornen bril; allebei keken ze zeer ernstig en bedrukt, mijn vader had bloeddoorlopen ogen en achter zijn rug in de gang zag ik twee politiemannen staan, die weinig discreet naar binnen loerden. Ze moesten hem meenemen voor ondervraging, maar eerst mocht hij het slechte nieuws over mij uitstorten, al deed vooral de dokter dat; mijn vader was blijkbaar zijn stem kwijt.

'Jongen,' zei de dokter, 'uw moeder is komen te gaan.'

Ik weet wel dat men zulk nieuws niet met allerlei verhalen moet inwikkelen, dat men niet moet zeggen: 'We komen u iets vertellen en het is nogal ernstig en gaat u eerst maar eens goed achteroverliggen, er is een ongeval gebeurd en eerst leek het niet zo erg', en dan was het toch serieus en pas na vijf minuten hoort men de waarheid, maar deze openbaring was toch van een plotsheid die mij behoorlijk hard aangreep, op mijn zeventiende.

Mijn vader barstte tegelijk met mij in tranen uit, en in plaats van mij te komen omarmen stond hij daar gedurende een minuut te snotteren met zijn ogen naar de vloer; pas toen de dokter hem aanporde en met een hoofdknik naar mij wees, kwam hij dichterbij en kwam het tot een verstrengeling, die ongemakkelijk aanvoelde; hij hing een paar minuten met zijn volle gewicht op mij, hijgend en snikkend. Hij rook raar.

Daarna nam de dokter opnieuw het woord en zei dat het hem speet, maar dat de politie mijn vader nodig had, en dat het een hele tijd kon duren, zodat ik nog een nachtje in de kliniek zou doorbrengen, waarna mijn vader mij 's ochtends zou kunnen oppikken.

Mijn vader maakte een einde aan de omhelzing, probeerde zijn tranen wat te bedwingen en zei dat het ook hem speet, maar dat het niet anders kon, en dat hij snel terug zou komen en dat ik flink moest proberen te zijn.

Een verpleegster zou mij spoedig gezelschap komen houden, als ik dat wenste; dat wenste ik, en ik had er een kwartier later al spijt van, want het onmens dat ze op mij afstuurden, had zich duidelijk iets anders van haar avonddienst voorgesteld dan dat ze bij een kleine moest gaan zitten die het noorden kwijt was. Wellicht zat ze liever in de keuken van de afdeling tv te kijken, hopend dat er niet een of andere sukkelaar in zijn broek scheet of een beroerte kreeg en op de knop duwde.

De eerste minuten deed ze nog de moeite om iets te zeggen, maar het was een onbeholpen gedoe, vooral omdat ze van toeten noch blazen wist; terwijl ik behoefte had aan opheldering, begon zij mij uit te vragen. 'Wat is er precies gebeurd?' vroeg ze; ik antwoordde dat ik het niet wist; ik was zo geschrokken dat ik niet in staat was geweest om uitleg te vragen.

Toen zweeg ze maar en keek ze rond met een blik van 'wat zit ik hier te doen?'.

Men zou van zulke mensen een grotere inleving verwachten – niet dat ze u daar zwijgend zitten te beloeren, op hun horloge kijkend met een air van 'ik ben hier mijn tijd aan het verliezen, want er is iets op de televisie wat beduidend spannender is dan deze roerloze knaap'.

Het was maar een zweem van verlangen die ik toen voelde, maar het was wel de eerste keer, los van een paar gedachten over het verminken van nonkel André terwijl hij in mijn mond zat, dat ik iets gewaarwerd dat in de richting ging van iemand willen doodslaan, waar op dat moment uiteraard geen sprake van was, aangezien ik een vermoeid longpatiëntje was.

Ik had haar, achteraf bekeken, nog het liefst in de Lavamac van honderdtwintig kilo geduwd, ik denk dat ze daar net in had gepast, en dan een kookwas met voorwas gedaan. Alleen jammer dat die machines geen venstertje hebben waar men het spektakel door zou kunnen volgen; men moest op het geluid afgaan en zich voorstellen hoe het er binnenin toeging.

Mijn vader moest mij 's anderendaags, na de doorlichting door de flikken, komen halen; de dokter was in alle vroegte nog eens langs geweest om te zien hoe het met mij ging, en zei dat ik spoedig zou kunnen vertrekken en dat ik moest proberen dapper te zijn, ook voor mijn vader.

Om elf uur lag ik daar nog altijd te liggen; ik had al mijn kleren al aangetrokken, op mijn schoenen na, en lag zo op mijn bed, te vermoeden dat mijn vader na de lange ondervraging waarschijnlijk overmand door vermoeidheid en verdriet in het zijne was gevallen, en er nu niet direct uit kwam.

Om kwart voor twaalf kwam de dokter weer binnen, opnieuw met een zorgelijk gezicht, en zei: 'Ik heb slecht nieuws, jongen, uw vader is gestorven.'

Hij raakte dit genre van mededeling stilaan gewend, want het kwam er nog flukser uit dan een dag eerder; ik van mijn kant begon het ook gewend te raken, want in plaats van in tranen uit te barsten zat ik als een vis, met grote ogen, naar de dokter te kijken, stokstijf; ik voelde niets meer.

Na een tijdje werd de man ongemakkelijk van mijn gestaar, wat begrijpelijk was. Deze kerel wist gewoon niet meer wat hij moest zeggen; de ene dag wandelt men de kamer van een knaap binnen om nog wat onwennig te zeggen dat zijn moeder de hoek om is, en de volgende ochtend moet men hem het heengaan van zijn vader melden; dat doet iets met een mens, en dat versta ik volkomen. Alle respect voor deze man.

Van de rest van die dag herinner ik mij niet veel meer, behalve dat iemand van de sociale dienst mij is komen ophalen en mij naar de jeugdinstelling heeft gebracht; het was een knap jong ding met zeer uitnodigende tieten, en als de omstandigheden niet zo raar waren geweest, denk ik dat ik haar die avond snoeihard had kunnen liggen volknallen; ze deed me van ver een beetje aan Ria denken.

TWEEËNVIJFTIG

Men ziet dat soms door de stad lopen: een lelijk hobbelwijf dat niet lesbisch is geworden, met een neger. Die laatste heeft dan voor de gemakkelijke weg naar naturalisatie gekozen: als men tegen een stootje kan en het verdraagt dat men zo'n vetberg elke dag moet beklimmen, niet één keer dus, voor de kick, maar op gezette tijden, dan is dat eigenlijk nog niet zo slecht bekeken. Men stapt hier van de boot, men loopt een dag rond in een middelgrote tot grote stad, en men kan er donder op zeggen dat men de keus heeft uit minstens een half dozijn van deze wanhopigen.

Men kiest vervolgens de minst weerzinwekkende van hen uit, trouwt met haar, zogezegd uit diepe liefde, en de hele papierberg waar al uw donkere broeders maandenlang voor in de rij moeten gaan staan, is u bespaard gebleven.

Na de ondertekening van de verbintenis kan men de lichaamsbeleving meteen flink terugschroeven. Hierop zal wel protest klinken vanwege de jonge bruid, maar dan zegt u dat dat zo gaat in uw cultuur; dat het neuken na het huwelijk nog maar één keer in de week kan. Benadruk dat dit gebeurt uit respect voor de vrouw, en verzin een verhaal over een oude geest die dat vele eeuwen geleden in een of ander oerwoud heeft bevolen, en ze voelen zich allicht nog geweldig gewaardeerd ook, en deel van een magische traditie. In één moeite is men grotendeels af van de stinkende verplichting, want men moet rekenen dat dat ook nog eens één keer in de maand ongesteld is, wat het totaal brengt op drie keer in de vier weken, wat billijk is.

Vervolgens kan, zeker dankzij het feit dat intussen de welvaartscheque van staatswege maandelijks in de bus ploft, het uitkijken naar blondines van normale afmetingen beginnen, die niet vies zijn van een intiem moment met een donkere donor.

Toch kan men niet anders dan zich afvragen wat die zwarte kerels in vredesnaam in deze hoek van de aarde te zoeken hebben. Zij hebben het in hun steppes en oerwouden allerminst kwaad getroffen, als men de beelden bekijkt van hoe zij onder de deugddoende overkapping van een boom op een rietje liggen te kauwen, of een grasstengel, of zoals reeds gesuggereerd een dadel, het vrouwvolk monsterend dat, doorgaans met blote tieten, die met wat geluk met de punt nog stevig naar voren wijzen, voorbijgelopen komt, waaruit zij maar te kiezen hebben. Want zo gaat dat in deze landen en culturen, dat men denkt: deze wil ik, en dat men er maar achteraan hoeft te lopen, ze desnoods met enige overtuigingskracht het struikgewas in moet trekken of duwen, waarbij men hoogstens moet opletten dat men de kruik niet breekt die zij op het hoofd dragen, en men kan er zonder dat ze er uitgesproken tegen reclameren zijn gang mee gaan, zelfs met de jongere exemplaren, die op die manier de stiel krijgen aangeleerd, waardoor zij later de kost kunnen verdienen.

Ik heb niet de indruk dat zij naast het luieren en het vrije neuken nog veel omhanden hebben, zeker geen arbeid, aangezien er niets te fabriceren valt, waardoor men toch kan besluiten dat men weinig redenen tot klagen heeft, dat men zelfs in een soort van pretpark leeft waar andere mensen veel geld voor zouden overhebben om ervan te genieten. Denk maar aan de vele mannen die tegen grove betaling naar de oosterse paradijzen gaan om daar minderjarigen in de gewillige lichaamsopeningen te boren, vooral in de papegaaienkut.

Beseffen zij dat niet, de dommeriken, dat zij het in de thuisbasis zomaar voor het oprapen hebben, en dat hier voor hen slechts treurnis en wanhoop te vinden valt, waar men dan nog een barre zeereis voor moet ondernemen, verstoken in een stinkend ruim tussen de bananen, wat ze dan weer graag zullen hebben?

Kan men zich voorstellen dat men na vele weken met een smerige, veelkleurige diarree hier aan wal komt, in de druilregen, en men ziet al die trieste vrouwensmoelen en de bijbehorende denderende reten, vaak op brommertjes gezeten, royaal dooraderd en vol met striemen, en dat moet dan het beloofde land voorstellen? Met wat geluk wordt men in eerste instantie in een vuil appartement geduwd waar al tientallen van uw geurige broeders op een hoop leven, met slechts één toiletpot, die allicht vaak verstopt zit, en dan kan men daar achter het raam gaan zitten dromen van de goeddoende warmte en de zorgeloosheid van wat men heeft achtergelaten.

Ik ben er zeker van dat zij dit spoedig genoeg beseffen, maar dat zij hun fout niet durven toe te geven, noch tegenover de achterblijvers in de rimboe, noch tegenover de ambtenaren die hier al het mogelijke doen om het deze mispunten naar de zin te maken, waarna men dus geen andere keus heeft dan het scenario te volgen zoals daarstraks geschetst. Zij mogen zich dan met al dan niet geveinsde fierheid westerling noemen, ik wed dat zij nog vaak, met de handen werkeloos achter het hoofd, verlangend terugdenken aan de tijd toen zij, tegen een stam rustend, met hun gele ogen naar de dapper wippende tietjes van de dorpsmeisjes zaten te staren, dromend van hoe zij daar later op de dag hun al even gele blubber over zouden uitstorten – want doordat velen onder hen een leveraandoening hebben, in veel gevallen opgelopen tijdens het neuken, ziet die geel.

DRIEËNVIJFTIG

Aan de heer K. Verhoeven, Hoofdredacteur

Beste,

Wellicht is mijn vorige bijdrage zoek geraakt of anderszins niet op haar bestemming aangekomen. Daarom hierbij een volgende bedenking.

Met hartelijke groet,

Van Beuseghem Oscar

Betreft: 'Liefde'

In uw dagblad van maandag laatstleden verscheen naar aanleiding van het valentijnsfeest een foto van een buitengewoon echtpaar, die was vergezeld van een interview met beide echtelingen, van wie de vrouw buitenmaatse afmetingen had, aangezien zij aan een kwaal leed die haar noopte tot het nemen van medicamenten met uitzonderlijke bijwerkingen, althans, dit beweerde zij.

U betitelde deze relatievorm als 'vertederend' en roemde de echtgenoot om zijn onvoorwaardelijke liefde jegens deze buffel.

Al te vaak worden beoefenaars van dit soort praktijken vergoelijkend beschreven als 'liefhebbers van de rubensiaanse stijl'; in werkelijkheid heeft men te maken met een psychische stoornis waarbij de geest wordt wijsgemaakt dat het prettig is als men de liefde bedrijft met een hoop onregelmatig vlees, waar men kop noch staart aan krijgt, en dat dit een meerwaarde betekent.

Waarom beschouwen wij de ene seksuele drift, bijvoorbeeld het aanbidden van kinderen of het copuleren met doden, als een laakbaar verschijnsel, en halen wij goedmoedig en verontschuldigend de schouders op bij een even verschrikkelijke drang, zoals het nastreven van vetlapperij? Welke dubbele moraal is dit toch? Hoe bekijken wij onszelf in de spiegel, nadat wij deze morele tweespalt al dan niet stilzwijgend hebben goedgekeurd? Ik zeg u: consequent zijn doet geen zeer, maar het is in deze dagen een zeer afwezig goed, men looft aan de ene kant en men spuwt naar de andere, zonder dat men dit aan zijn eigen ziel uitgelegd krijgt. Ofwel zijn wij het een, ofwel het ander, en als het aan mij lag, waren wij allemaal het een.

Oscar Van Beuseghem, Oostmoer

VIERENVIJFTIG

Beste Fanta,

Dat de netten van de vissersboot van uw oom gescheurd zijn, is niet zo'n drama, wilde ik zeggen, tot ge mij vertelde dat de reparatie weken zou duren en dat vervolgens de netten altijd nog krakkemikkig zouden blijven, zodat de vangst navenant zal zijn. Wat eet ge dan, intussen? Ik hoop dat er voldoende andere zaken zijn, zoals gewassen en rijst. Ik zou u helpen, maar ge zoudt versteld staan als ge hoorde hoeveel de maandprijs hier is – daar koopt ge bij u een geheel nieuwe boot van, met netten erbij – en bovendien zit die smeerlap van een Van Houffelen zich elke avond vol te proppen met driekwart van uw toelage, waar ik hem reeds talloze keren over geschreven heb, en geloof mij: in niet mis te verstane bewoordingen, maar dat geeft geen krimp. Als ik hem ooit tegenkom, ga ik iets doen wat ik u niet durf te vertellen.

Ik wist niet dat uw vader gestorven is. Wanneer was dat? Mijn vader is ook dood, en mijn moeder, en ongeveer iedereen anders ook, maar dat krijgt ge met oud worden. Ik heb alleen Dré nog, die zit elke dag naast mij op de plastic stoelen, als hij niet ziek is, want Dré is nogal een gammele, zeg niet dat ik het gezegd heb. Ik ben hem sinds kort over mijn leven aan het vertellen, en ik kan u verzekeren: dat is schrikken, als ge dat op een rij ziet staan. Man, man. Fraai is het allemaal niet.

Oud worden is niet plezant, Fanta. Ge gooit dingen door elkaar, dromen en daden, uw hoofd wordt een spiegelpaleis waar ge in verdwaalt, het is een akelige boel. Blijft gij maar jong, zou ik zeggen als ik het voor het zeggen had. Die oom van u, is die te vertrouwen? Ik vraag het maar omdat ik zelf een nonkeltje heb gehad, hij is ook al dood, en hoe, dat het niet zo nauw nam met de dingen. Ik zou u daar meer over willen vertellen, maar ge zijt nog te klein. Maar pas toch maar op voor die mannen, nonkeltjes, daar zit raar volk tussen.

Tot spoedig. En een gelukkige verjaardag, want ik zie dat het bijna zover is. Koop u maar iets met uw dertig ponden, als er al iets te kopen valt, ginder.

Oscar

PS Als bij ons iemand zijn netten scheuren, bij wijze van spreken natuurlijk, want er wordt hier amper nog gevist, of wanneer men bijvoorbeeld door ziekte wordt geveld of anderszins onbekwaam is om voor het gezinsinkomen te zorgen, verloopt dit anders. Men heeft hier voorzieningen in het leven geroepen die in zo'n geval kunnen worden aangesproken door de pechvogel, waardoor deze door de periode van tegenspoed weet te komen. Echter, velen maken hiervan misbruik – een begrip dat ook in uw land niet onbekend zal zijn – en laten zich lustig doorbetalen door baas of ziekenkas, intussen onbekommerd pretparken bezoekend, koopcentra afdweilend of zich aan cafébezoek overgevend, of op de dagen dat er controle komt, geveinsd weeklagend en kermend op de sofa liggend. Dit is een fikse streep door de rekening van de eerlijke ondernemer, geloof mij vrij, en niettemin gaat men vrolijk door alsof het allemaal niet op kan. Geen wonder dat wij in het avondland leven.

VIJFENVIJFTIG

Aan VH Kinderzwendel vzw

Van Houffelen,

Mijn Fanta in Zuid-Soedan, waar ge mij tegen mijn goesting het pleegvaderschap van hebt aangesmeerd, wordt deze week negen jaar. Ik heb haar geschreven dat ze maar iets moest kopen met haar centen, en ik vroeg mij bij dezen af wat gij met uw deel van haar verjaardagsgeld denkt aan te vangen. U eens stevig laten gaan in de Comme Chez Soi? Eens een Braziliaanse pakken in de slettenbazaar? Het schijnt dat die het duurst zijn, tegenwoordig, die doen zonder morren de Eiffeltoren met u. Ge kent dat toch, de Eiffeltoren? Als ze uw hele spel, met ballen en al, in hun bek proppen? Ik hoop dat het zijn geld waard is, en dat ge intussen niet te veel ligt te piekeren over de stand van de wereld. Alles gaat goed, Van Houffelen! De kinderen dansen door de straten, moeders huilen tranen van geluk, de buikjes zijn gevuld en de toekomst straalt als de zomerzon!

Hopelijk sterft ge gauw.

Goedendag.

Oscar

ZESENVIJFTIG

Denkt ge dat ik het versta?

Ze hebben zelfs geen begin van uitleg gevonden over wat er met mijn moeder was gebeurd; vooral het feit dat de opknoopdraad was vastgemaakt aan een handdoekenrek op hooguit anderhalve meter van de grond, in de waskamer, deed vermoeden dat het hier niet om een gewone, intentionele wanhoopsdaad ging, want dan kiest men voor iets hogers. Het feit dat er aanwijzingen waren van hevige seksuele activiteit, vlak voor het heengaan, werd als uiterst verdacht beschouwd, maar er werden geen sporen van vreemde lichaamssappen gevonden; wat er ook gebeurd was, de boel was smetteloos achtergelaten. Een van de onderzoekers vertelde mij dat er na de feiten door onbekenden nog grondig was gepoetst.

Ik zie ze al bezig, de vetslokken.

Aangezien ik over een waterdicht alibi beschikte, werd ik niet als mogelijke dader of betrokkene aan de tand gevoeld, maar enkele dagen later wel, zeer omzichtig, als karaktergetuige, om na te gaan of ik misschien een licht kon werpen op het bizarre heengaan. Ze durfden niet door te vragen, ze zullen gedacht hebben: dat arme schaap, ineens alles kwijt, dus was het voor mij ook niet zo moeilijk om wat verdwaasd voor mij uit te kijken en op alle vragen 'Nee, echt niet' te antwoorden. Of ik ooit had gemerkt dat mijn moeder 's nachts visite kreeg, of ze er vreemde vrienden op na hield, tot en met hoe de relatie tussen haar en mijn vader was geweest – ik schudde het hoofd en deed er het zwijgen toe.

Daarna ging het nog even over mijn pa. Het was duidelijk wat er was gebeurd – tenminste, zo werd het mij destijds verteld: diep onder de indruk van de dood van zijn vrouw en van het eerste verhoor, waarbij ze hem stevig hadden aangepakt, was hij na thuiskomst naar de garage gegaan, was op de grond gaan liggen, had zich overgoten met benzine, een hele bidon van vijf liter, en had zichzelf aangestoken. Hij had voortreffelijk gebrand, want toen ze de boel uiteindelijk geblust kregen, schoten er van hem, behoudens as, alleen nog twee geblakerde uitersten over: twee gewezen onderbenen en een voormalig hoofd.

Mijn vader kennende, kon ik mij voorstellen hoe het gegaan moest zijn; ik dacht dat hij oprecht van mijn moeder hield, hoewel niet op een vleselijke manier, en dat hij een formidabele deuk had gekregen van het politieverhoor, waarbij hij uiteraard als directe verdachte werd behandeld. Wie weet wat ze hem allemaal hadden aangewreven, hoe ze hadden doorgevraagd en hem onder druk hadden gezet. Misschien was hij bij thuiskomst zelfs gewoon vergeten dat ik er ook nog was, woelend in mijn ziekenhuisbed – was het hem gewoon ontschoten dat hij nog een zoon had ook; ik kon mij dat indenken, dat men na zulke gebeurtenissen overmand wordt door radeloosheid en geheel verblind wordt.

De opheldering volgde pas jaren later, toen een loslippige flik in het café mij na een glas te veel wist te vertellen dat mijn pa vrij snel door de knieën was gegaan. Aanvankelijk kon of wilde hij niet vertellen waar hij de voorbije nachten had doorgebracht. Hij kon zich de namen van de hotels niet meer herinneren, hij vond de rekeningen niet. Dat had hij een uurtje volgehouden; daarna was hij geknakt, en kwam het er allemaal in één gulp uit. Dat hij al jaren een andere vrouw had bij wie hij in de week ging slapen; hij deed zijn klanten zo rap mogelijk op maandag en dinsdag en reed dan naar haar; het was zijn tweede, geheime huishouden.

Janken en janken dat hij deed, en toen hebben ze gezegd dat ze dat zouden checken, gedurende de nacht, en mocht hij naar huis; ze zagen ook wel dat mijn vader een sul was die niet snel de benen zou durven te nemen.

ZEVENENVIJFTIG

Hoeveel mensen er een scheve schaats rijden, men zou ervan achterovervallen, als men het wist.

Over het algemeen worden daarbij steeds de mannen met de vinger gewezen, alsof zij in hoofdzaak aansprakelijk zijn voor het stiekeme gevinger en gevogel, maar dit is uiteraard onmogelijk. Voor elke piet die in het geniep in de schede wordt geduwd, moet er, de uitdrukking zegt het zelf, ook een schede aanwezig zijn. Het enige wat mogelijk een verklaring zou kunnen bieden, is dat overspelige mannen het massaal doen met een zeer beperkt aantal vrouwen, die er dan een soort van hobby of sport van maken om in het rond te chachacha-en, maar dat is niet aannemelijk. Nee, kameraad, de wijven zijn er net zo op uit als de venten, en doorgaans hebben zij maar met de vinger te knippen of met de boezem te wiegen of op een specifieke manier uit de ooghoek te loeren, en aan hun wensen wordt voldaan. Dus mogen wij, in tegenspraak met het volksgeloof, stellen dat zij het zijn die grotendeels de paardenmolen van de ontrouw doen draaien, die de kermis der lusten op gang trappen, die, kortom, verantwoordelijk zijn voor de teloorgang van de goede loop der dingen in onze samenleving.

Zeer gemakkelijk kan men ze herkennen, de lui die naast de pot pissen. 's Middags ziet men ze uit de kantoren komen, schichtig rondkijkend maar met een ongewone uitgelatenheid en anticipatie, nadat zij de hele voormiddag aan hun duffe bureaus geile bekken naar elkaar hebben zitten trekken, amper nuttige arbeid verrichtend, integendeel elkaar berichten sturend via de computer, variërend van: 'Deze middag gaat het gebeuren!', via: 'Ik kan haast niet wachten om hem vast te grijpen!', tot: 'Mijn broek is reeds nat.'

Het enthousiasme waarmee zij elkaar enkele straten verder beginnen te kussen, daarbij soms tot stilstand komend op de stoep en ongewoon heftig naar elkaars billen tastend (en de man reeds, zo veel mogelijk ongezien, onder haar tailleur, naar de borsten van de dame), verraadt hen helemaal. Geen enkel normaal koppel van enige leeftijd staat nog op zo'n manier aan elkaar te plukken en te graaien in het publiek domein; immers, men heeft, na een zeker samenzijn, alles al tot vervelens toe verkend en besnuffeld, men kan bij wijze van spreken de vagina in kwestie niet meer ruiken, en men weet dat als de verpakking eraf gaat, de schoonheid en de fierheid van het tietenspel ook al flink beginnen tegen te vallen – dus waarom er nog begerig in staan kneden en knijpen?

Vervolgens zoeken deze tortelduiven bij voorkeur een hotel op dat bestemd is voor korte beurten, zodat zij een uur later respectievelijk leeg- en volgepompt weer aan de zogezegde arbeid kunnen beginnen, meer in het bijzonder het belazeren van de werkgever, daarbij steels en vergenoegd elkaars blikken zoekend, de billen, in haar geval, druipend van de souvenirs. Ik zou weleens becijferd willen zien hoeveel bureaustoelen onze bedrijven jaarlijks moeten vervangen, doordat zij – zogezegd onverklaarbaar – beschadigd zijn door vreemde doch hardnekkige vloeistoffen, waarbij men ofwel doet alsof men het niet snapt, ofwel een oogje dichtknijpt voor dit vettige schaduwspel tijdens de middagpauze.

Omdat dit hotelbezoek na verloop van tijd een wel zeer dure affaire wordt – en leg zulks thuis maar eens uit, dat het gezinsbudget er al weer door is, zonder uiteraard te willen verwijzen naar de kostelijke hobby op het werk – neemt men grommend van frustratie en lust op talrijke dagen genoegen met een droge beurt op de stoep, en vervolgens een lunch met z'n tweetjes, waarbij nog steeds blikken worden uitgewisseld, (wat niet hetzelfde is als hete sappen, maar vooruit) en waarbij indien mogelijk onder de tafel nog een en ander bezegeld kan worden – men kiest natuurlijk het restaurant op basis van de overhanglengte van de tafellakens. Ik ben er zeker van dat sommige eettenten hun binnenhuisinrichting hierop speciaal afstemmen, wetende: veel van deze hitsige dieren letten daar specifiek op, en wat kan het ons schelen hoe wij onze omzet halen, zelfs al is het door het faciliteren van gestreel en misschien zelfs gevinger onder de tafel?

Ik had reeds enkele dagen zo'n duo in de gaten; zij was een niet onknap wijf van wie men zich afvroeg wat zij in godsnaam wilde beginnen met een schlemiel als hij, een licht kalende snul met een bril en altijd hetzelfde goedkope kostuum. Allicht had hij een verantwoordelijke functie op de werkvloer, en hoopte zij op een snellere groei binnen het bedrijf als zij geregeld veinsde dat zij naar zijn worst verlangde. Vrouwen doen zulks.

Ik zat aan het tafeltje naast het hunne in een Italiaans restaurant waar de tafelkleden haast tot op de grond reikten (deze Italianen kennen hun wereld, maar maken er dan in al hun hevigheid weer een schertsvertoning van; dat overdrijft maar raak, deze zuiderse volkeren). Had men gewild, dan had men hieronder een volledig nummer kunnen opvoeren zonder dat de andere eters, als men stil genoeg was, er zelfs maar iets van hoefden te merken.

Ik zei: 'Excuseer, mijnheer, mag ik de menukaart even van u lenen?', wat slechts een Trojaans paard was om te kunnen opmerken: 'Fijn, dat u zo 's middags de tijd maakt om samen met uw vrouw de lunch te nemen. Veel mensen vergeten zulke zaken, in deze drukke tijden. Zij worden opgeslorpt door werk en carrière, en zij verliezen het belangrijkste uit het oog: het gezin en de relatie. Zorgen dat men niet van elkaar vervreemdt! Zien dat men elkaars zorgen en behoeften niet vergeet. Proficiat aan u beiden, want ik zie u deze niet altijd even gemakkelijke opdracht geregeld tot een goed einde brengen, in deze overigens voortreffelijke eettent.'

Nu moesten zij beiden een verlegen grijns op hun gezicht toestaan, waarbij ze trachtten om wat toneel te spelen, met de woorden: 'Dank u wel, mijnheer, we doen ons best', om vervolgens de blikken weer snel naar elkaar te richten en, hun gegeneerde lach inhoudend, te doen alsof zij de draad van een voorgaand gesprek weer oppikten, om van mij af te zijn.

'Hoe lang bent u reeds met elkaar getrouwd?' wrong ik mij er weer tussen. Na enig geaarzel, en met een betrokken gezicht, verzon hij: 'Vijf jaar', en bleef verbijsterd luisteren naar mijn spervuur van vragen, zoals: 'En hebt u samen kinderen?', 'Was de bruiloft in de zomer of de winter?', 'Was zij uw eerste liefde?', 'En hoe hebt u het aan haar aangevraagd?' Maar toen had hij er de buik van vol en sprak, op een toon die hij als vastberaden kende, maar die nog de nodige ruimte voor twijfel liet: 'Mijnheer, het zou fijn zijn als u ons nu met rust zou laten. Wij wensen in alle intimiteit samen iets te eten.'

'Aha! Intimiteit!' riep ik met mijn wijsvinger in de lucht. 'Het toverwoord is gevallen!' En terwijl ik het tafellaken aan hun kant even symbolisch ophief, vooroverboog en deed alsof ik eronder keek, vervolgde ik: 'Eten, zegt u? Bedoelt u: voedsel tot u nemen? Of met uw bevende kantoorpoten ongezien aan de knieën van uw collega zitten, en mogelijk, wanneer de lust de bovenhand krijgt, in haar slipje? Daar heeft zij vanmorgen, stel ik vast, een zeer handig rokje voor aangetrokken, voor zij het echtelijke dak achter zich liet en allicht haar wettige echtgenoot toeriep: "Tot vanavond, liefste schat, ik zie je graag!"'

Dit heerschap probeerde te protesteren, maar liep enkel zeer rood aan van woede en schaamte, en zijn bijzit zat erbij als een konijn zonder tanden, sprakeloos met de lippen op elkaar, en aldus sneed ik hem finaal de pas af.

'En wat hebt u beweerd, deze morgen, tegen uw rechthebbende vrouw, de duts? Dat er vanmiddag een zakenlunch op het programma stond, waarbij u uw neus hebt opgehaald omdat het zogezegd om een zeer vervelende zakenpartner ging? Hebt u verzucht: "Daar heb ik nu eens écht geen zin in", terwijl u reeds een zwelling in de broek voelde, denkend aan het licht erotische blijspel waar wij hier getuige van zijn? Mijnheer, mevrouw,' zei ik, terwijl ik van mijn stoel opstond, 'u bent beiden lelijke leugenaars, en al doende mede aansprakelijk voor de mindere gang van zaken in onze beschaving. Mocht iedereen het op een bedriegen zetten zoals u, wij waren nu reeds weer afgegleden tot het niveau van holbewoners, in het beste geval middeleeuwers, toen men ook maar op deed zonder naar de gevolgen te kijken. Zet uw voze schouwspel maar voort, ooit komt wel de dag dat u zult beseffen hoe verkeerd u was, en tot dan zeg ik: vaarwel, en hopelijk nooit meer tot weerziens', waarna ik de tent verliet, bij het naar buiten gaan een ruime fooi gevend aan de lichtbruine spaghettiman, die knipmessend '*Alla prossima, signore*' zei, met zijn hand een denkbeeldige hoed, allicht een met pluimen, afnemend.

Italianen, leer ze mij kennen, ik zeg het u.

ACHTENVIJFTIG

Ik wilde nog eens dieper ingaan op de omgekeerde evenredigheid tussen vet- en lodderzucht enerzijds en rijkdom en macht anderzijds. Men gaat ervan uit dat de twee hand in hand gaan, aangezien wanneer men over de middelen beschikt, men deze normaal gezien ook opsoupeert; zo zit de mens in elkaar. Het tegendeel lijkt waar te zijn, namelijk dat men veelal rankheid aantreft aan de copieuze tafels van de hogere klassen, waarbij men uiteraard oog heeft voor de uitzonderingen, die de regel bevestigen.

Eveneens voor de politiek geldt deze vaststelling. Goed, meteen springen er enkele voorbeelden in het oog van dikzakken die het roer hanteerden, denk aan Winston Churchill en Helmut Kohl, en zeker aan Idi Amin Dada. Maar zet het gros van de wereldpresidenten en vooraanstaande ministers op een rij, en u kunt in een vrijwel rechte lijn langs hun platte buiken kijken, het verre verleden in. Slechts hier en daar zal een kleine bult zichtbaar zijn.

De uitleg hiervoor is eenvoudig. Reeds zeer lang geleden beseften deze lui dat vetlapperij, hoe courant ze ook in de samenleving voorkomt, op de instinctieve afkeuring van de menigte mag rekenen. Hoe hard zijzelf ook waggelt en hobbelt, de grote massa – wat een slecht of juist een goed woord is in deze context – verkiest, als het gaat over de troepen aanvoeren, de dynamiek van de gezonde manskerel, die als het erop aankomt en er gevaar dreigt over de heg kan springen zonder hulp – hoewel dit soort kerels natuurlijk steeds de laatsten zijn die ook daadwerkelijk deze sprong uitvoeren; dat laten zij, zodra de kanonnen in realiteit bulderen, wel weer over aan het gepeupel, terwijl zij veilig in bunkers bij een kopje koffie of iets sterkers de orders per telefoon of koerier, of duif, doorgeven.

Een proces van natuurlijke selectie heeft hier verder het werk gedaan, waarbij spekruggen en hangbuiken vaker door de stemgerechtigde werden afgescheept, en veelal de energieke, gespierde of toch pezige kandidaten het tot de hoogste echelons schopten, waarna op haar beurt de zelfvervullende voorspelling in werking trad, en bij brede lagen van de bevolking onbewust de indruk ontstond dat minder spek een geschiktere persoonlijkheid inhoudt, en men steeds minder vertrouwen koesterde in mensen die hun omvang niet onder controle kregen, wat inderdaad op zichzelf reeds een zeker teken van zwakte is.

Raadselachtig is het dat deze overtuiging er niet toe heeft geleid dat men deze op zichzelf heeft toegepast, zie ik u denken, Dré, in gedachten rondkijkend in de wereld van elke dag, waar door tallozen moeizaam de ene poot voor de andere wordt gezet, waar men de onvoorstelbaarste lichamen in speciaal vervaardigde tunieken en jurken perst, waar men bij het bestijgen van de trap halverwege een vijftal minuten pauze moet inlassen, aangezien anders de longen het niet houden, waar men zich afvraagt hoe sommigen er in vredesnaam in slagen om 's ochtends het bed te verlaten, en, aansluitend, waar men de materialen vindt om deze ledikanten uit te vervaardigen, want een pershouten doorsneeconstructie van de normale meubelfabrikant kan zo'n gewicht nooit torsen; dat bestaat niet. Kan het dat men wénst een nagewezen zwakkeling te zijn, door niemand vertrouwd en door iedereen, misschien niet in de oppervlakkige straattaferelen maar wel in de diepere sociale omgang, gemeden? Dat men zich actief en doelbewust de vreugde ontzegt van een warm gezin en een aangenaam seksueel leven, kinderen die naar u kijken zonder dat zij denken: daar rolt moeder, en vervolgens de toekomst in blikken, vrezend dat hun hetzelfde te wachten staat, als het waar is dat zulks via de genen aan de volgende generaties wordt opgedrongen? Met welke boosaardige of angstige verwachting staan deze jongeren aan het begin van hun levenspad, en hoe mag men hopen dat zij bevredigend aan de weg timmeren, met dit troosteloze en lillende perspectief voor ogen, dit gedrocht dat zij ginds, van links naar rechts wiegend, de haren ongewassen tegen het hoofd en de wangen geplakt, met vette poten door de modder van het bestaan zien ploeteren, zogezegd de weg bereidend?

Hoe sierlijk daarentegen de zwaan, die statig voor haar kuikens uit glijdt, slechts rimpels in het wateroppervlak voortbrengend, hoewel ook zij kracht zet met haar poten, doch dat krijgt men niet te zien; welk een voorbeeld deze kuikens krijgen, de ranke nek, de onberispelijke veren, de blik onverstoorbaar, de bek die geen nodeloos gesnater uitstoot, maar slechts bij dreigend gevaar het kroost roept; geen wonder dat dit grut, vooralsnog paniekerig schetterend achter de feiten aan trappelend, als krachteloze bolletjes garen, straks zonder moeite en zonder uitzondering eveneens tot zulk een delicaatheid uitgroeit. Hebt gij ooit een dikke zwaan gezien? Nee.

Ik zal het u uitleggen, kameraad. Van alle krachten die schuilgaan in de mens, is niet daadkracht de sterkste, of de hoop op beterschap, of de wil om te slagen, of het volgen van een deugdzaam voorbeeld. Van alle krachten die schuilgaan in de mens, is luiheid de meest overheersende – die oppervlakkig gezien niet als kracht kan worden betiteld, maar die het, in al haar effectiviteit, zeker wórdt. Denken:

iemand anders lost het wel op, terwijl men zelf met een snack voor de televisie zit. Ervan uitgaan: ze worden er genoeg voor betaald, aan de top, en ze steken allicht ongezien nog een royale fooi in de eigen borstzak, laat hen maar iets bedenken. Ik scheur intussen het volgende familiepak wel open. Redeneren, tegen elke vorm van beter weten in: ik kan er toch niets aan veranderen, en dan maar, met de dubbele kin bruin van de choco, van vadsigheid op de canapé in slaap donderen.

Dát is de mens, kameraad. Zó denken velen de eindstreep te halen. Terwijl zij op een nacht onverwacht aan apneu, infarct of aderbreuk, veroorzaakt door hun vetzucht, zullen sterven, amen en uit, en hiernaar onderweg nooit iets zullen presteren wat door anderen de moeite waard wordt gevonden, laat staan bewonderd, hooguit schouderophalend bekeken, van 'en wat dan nog?'.

NEGENENVIJFTIG

Aan de heer K. Verhoeven, Hoofdredacteur

Betreft: uw artikel van zaterdag in de sectie 'Wetenschap' – 'Matige consumptie van alcohol kan volgens de officiële gezondheidsadviezen weldadige gevolgen hebben'

'Zwendel'

Weer laat uw krant zich vangen door de machtige lobbyisten van de farmaceutische industrie en de universiteiten. Dit is niet de eerste keer, en het zal de laatste niet zijn.

Hoe kunnen die knakkers in hun laboratoriums dat weten? Stel, Jules sterft aan een koppige kanker, en Gerda crepeert ten gevolge van een hersenfalen. Men kan in zo'n geval de rolprent niet terugdraaien en zeggen: 'Nu gaan wij eens kijken of Jules of Gerda een langer leven beschoren is, mocht hij of zij deze keer níét iedere dag anderhalf pak Gauloises zonder filter opsmoren, malse biefstukken eten, met saus overgoten, en daarbij een fles jenever leegslokken.' Wie weet zou Jules, gehouden aan een regime van sla en wortelen, kraantjeswater en gezonde boswandelingen, wel van diepe ellende en verveling een eind aan zijn bestaan hebben gemaakt, of zou hij onnadenkend, afgeleid door enkele kwinkelerende vogels, in een ravijn zijn gestapt, lang voor hij nu hoestend van de kanker aan zijn laatste levensrit is begonnen, met buisjes verbonden aan zoemende en ritmisch piepende apparaten; zou Gerda, enkel gevoed met noten en bladeren, weggekwijnd zijn van de zwartgalligheid en de eentonigheid, of, onopgemerkt gebleven door haar magerte, door tram of auto zijn overreden, en niet, zoals nu, met een rubberen darm in het keelgat krampachtig in leven worden gehouden, doch niet meer voor lang.

Gelieve het bij de feiten te houden, en enkel de feiten. Als wij spannende avonturen willen, gaan wij wel naar de rolprent of lezen wij een fictieboek. Daar hebben wij het dagblad niet voor nodig, en al zeker het uwe niet.

Met hoogachting,

Oscar Van Beuseghem

ZESTIG

Pas op, dit is een heel verhaal.

Ik heb het eens voor mij gezien dat ik haar ging opzoeken, die tweede vrouw van mijn vader, en dat bezoek liep helemaal uit de hand, man.

Ik had het nooit gemakkelijk gevonden om die geheime relatie van hem te verkroppen, en mijn vader kon ik er niet meer over aanspreken, dus bleef dat op mijn gemoed wegen en door mijn hoofd spoken – geen wonder dat zulke dingen in het onderbewuste een eigen leven gaan leiden en tot nachtmerries verworden. Geen plezante nachtmerries, als dat al bestaat – het gebeurt zelden dat men een voorval op zo'n rigide, bijna boekhoudkundige manier voor zijn ogen afgespeeld ziet worden, met oog voor de kleinste details en de minste wetenswaardigheden. Tot en met de kleur van het behang.

Als woede in u blijft sudderen, zoekt die toch een weg naar buiten, en dan is het misschien maar beter in zo'n vorm.

Haar naam was Roos en ze had een bloemenzaak, wat altijd plezierig is, vind ik, een schoolmeester die Vanderkinderen heet, of schilderwerken Kwastmans, of mijnheer Bellens die bedrijfsleider is bij een telefoonfirma. Dat zijn mensen die ofwel op een bepaald moment gezegd hebben: 'Ik word wat mijn naam mij opdraagt te zijn', of die zich er aan de andere kant niet door hebben laten tegenhouden, want voor hetzelfde geld denkt men: nee, ik ga niet schilderen, want ik heet al zo en dat zou belachelijk zijn, ze gaan mij uitlachen. Optie drie, dat men er gewoon nooit bij heeft stilgestaan, is volgens mij onmogelijk, tenzij men doorgedreven stom is.

Ik heb ook respect voor ondernemers die hun zaak gewoon naar zichzelf noemen, dus niet naaiwinkel Het Bobijntje maar gewoon naaiwinkel Verelst, en waar ik helemaal niet tegen kan, zijn van die vergezochte namen met een knipoog, vaak in het Frans; ik heb een glazenwinkel gekend, die gelukkig op de fles is gegaan, die ze Verre l'Avenir hadden gedoopt, hoewel 'op de fles' natuurlijk ook een trieste woordspeling is wanneer het een handel in zulke producten betreft. Of een frituur die Comme Chez Swa heet, en als men dan verder informeert bij het bestellen van een friet, door bijvoorbeeld 'Dank u, Swa' te zeggen bij de overhandiging, blijkt de uitbater Alfons te heten, helemaal niet Swa. 'Dat is gewoon voor de grap gedaan, mijnheer', krijgt men dan als uitleg. Daar word ik nijdig van, en ik zou er niet voor terugschrikken om enkele uren later, na sluitingsuur, daar weer langs te rijden, en de frikandellendozen die achter de barak staan opgestapeld in brand te steken, wat in het dagblad 's anderendaags slechts tot geringe schade zou blijken te hebben geleid.

In plaats daarvan heb ik hem discreet verlinkt bij de belastingen, door een briefje te sturen met de melding dat men eens in de boeken van frituur Comme Chez Swa zou moeten neuzen, bij de genaamde Alfons – ik had geen flauw idee wat er te vinden zou zijn, maar men mag ervan uitgaan dat elke zelfstandige wel wat met de cijfers prutst en dat Alfons vast en zeker een aantal potten mayonaise of een voorraad curryworsten niet zou kunnen verantwoorden. Hoewel niets hieromtrent bewijsbaar is, heeft deze actie vermoedelijk met succes plaatsgevonden, want drie maanden later was de ellendige tent gesloten en hing er een oranje kaart met de tekst 'Handelszaak over te nemen' aan het raam, en kon men vermoeden dat Alfons naar iets anders op zoek was om de plezantste in uit te hangen. Men moet steeds een doel hebben in het leven.

Het zij zo.

De bloemenzaak van Roos draaide voor geen meter. Op dinsdagnamiddag was er één klant geweest, en die had ik met lege handen weer naar buiten zien komen; wellicht vond ze de geurende rommel te duur of kwam ze gewoon stickers verkopen ten voordele van de ongelukkige dieren. Vaak kwam Roos met haar knuisten in haar zij in het deurgat staan, rondkoekeloerend, alsof dat de mensen zou aansporen om binnen te komen. Nee dus, of het moest een wanhopige manskerel zijn die dacht: ik zal met dat wijf eens een praatje gaan maken, wanhopig, want Roos had een uiterst banaal gezicht. Helemaal iets voor mijn vader zaliger, dacht ik, een met grijstinten ingekleurd en volstrekt karakterloos smoeltje, met zonder twijfel een bijpassende persoonlijkheid. Ik zie ze in gedachten al in de woning achter de winkel aan de tafel zitten, naar elkaar loerend en niet wetend wat te zeggen, de triestigheid in volle glorie. Arme man.

Vijf minuten voor sluitingstijd diende ik mij aan met een pakje onder de arm, zeggend, op een elegante manier en met de nodige charme, dat ik een zending kwam overhandigen die zij moest aftekenen. Ze nodigde mij uit om haar te volgen, want ze had niets om te schrijven.

Ik maakte gebruik van deze situatie om haar onmiddellijk na het betreden van de woonvertrekken met de hamerkant van mijn bijl op de schedel te tikken, een beetje te hard misschien, want ze vond zelfs geen adem om een gil te slaken en ze was meteen geheel buiten westen; dus deed ik mijn mededeling maar tegen een zwijgende comapatiënt.

Ik zei: 'Mevrouw Roos, u hebt het in het verleden in niet geringe mate met mijn vader gedaan, en het spijt mij dat ik u moet melden dat hij is omgekomen door zelfontbranding, wat u al wist, maar nu weet u het van een bloedverwant. Ik weet niet in hoeverre hij u over zijn gezinssituatie aan de andere kant heeft verteld, maar hij had dus een echtgenote en een zoon, en die zoon, dat ben ik, en ik sta erop om mijn werk hier af te maken, door het afkappen van uw kop.'

Omdat ik het donker moest afwachten om ongezien weg te komen, besloot ik om na het heengaan van Roos het huis te doorzoeken, hopend op een spoor van mijn vader, dat ik even later vond in de vorm van een foto, weggestopt in een lade onder een stapel handdoeken, van hem en zijn maîtresse.

Nu, ofwel was die Roos er de laatste jaren fors op achteruitgegaan, ofwel was het vrouwmens dat in de andere kamer naast haar eigen hoofd lag leeg te bloeden helemaal niet Roos, want de dame op de foto had geen banale smoel. Integendeel, het was een fleurige jonge vrouw met een hartelijke lach, blozende kaken en prachtig golvend lichtbruin haar; er straalde van haar een energie af waar mijn vader helemaal naast leek te verpieteren.

Ik dacht: hier klopt iets niet. Ik ben de foto eens naast dat hoofd gaan houden, maar nadat men onthoofd is, zijn de gelaatstrekken verwrongen, dus daar viel niet veel meer te vergelijken.

De opheldering van dit raadsel stond een dag later in de krant. 'Bloedige overval op bloemenzaak', schreven ze, en voorts dat het lichaam van Hilda, de zus van de uitbaatster, in de woonvertrekken was aangetroffen, dat er geen spoor was naar de dader of daders, dat men geen idee had van de omvang van de buit maar dat de kassa leeg was (dat was ze al), en dat de zaakvoerster vroeger was teruggekomen van haar huwelijksreis in het buitenland.

Daarna werd het tranerig, want deze vrouw, schreven ze, Roos Dehandschutter, had na een lang vrijgezellenleven recent het geluk gevonden in de liefde, en blijkbaar had haar enige zus erop aangedrongen dat ze dat zouden vieren tijdens een reis naar een exotische bestemming, en dat zij intussen wel de zaak zou openhouden – natuurlijk net op het moment dat ik het in mijn kop had gehaald om eens langs te gaan.

Die kranten schrijven ook maar op wat ze horen, dacht ik, zonder het eens na te trekken, want Roos had natuurlijk helemaal geen vrijgezellenleven achter de rug, die lag het jarenlang met mijn vader te doen achter ónze rug, dus zo dramatisch ongelukkig zal ze niet geweest zijn, in elk geval niet in die mate om het zo voor te stellen dat ze nu eindelijk ook eens van de vleselijke huwelijkslusten mocht proeven.

Al met al was het natuurlijk spijtig dat ik haar lieve zus op zo'n manier het hoekje om geholpen had. Zij had zich het leven wellicht anders voorgesteld terwijl ze zich daar hele dagen in die winkel stond te vervelen, geprikkeld door de gedachte aan haar zus, die op dat moment wellicht voor de vijfde keer die dag door haar nieuwe echtgenoot werd gepakt in de hotelkamer in god-weet-waar, want dat stond er dan weer niet bij. En ik durf te wedden dat ze heimelijk ook hoopte op een spannende wending in haar leven; allicht zat er 's avonds thuis ook maar een triestige plant op haar te wachten, die al jaren geleden was vergeten hoe dat moet, neuken. Misschien dacht ze zelfs toen ik mij aanmeldde: hé, wat een aardige man, misschien is dit wel mijn kans om eens stevig over de tafel gelegd te worden (en nodigde ze mij daarom uit in de woonvertrekken!). Toen al die gedachten zich in mijn hoofd ontwikkelden, kreeg ik een gevoel van diepe spijt omdat ik haar zo snel knock-out had geklopt. Ik had mij even met die vrouw moeten onderhouden en had haar een stevige beurt moeten geven, desnoods inderdaad op de tafel, zodat ze nadien met een blij en gerustgesteld en voldaan gevoel en geheel en al ontzenuwd, want dat doet het vrouwelijke orgasme met een mens, aan de reis naar de Schepper kon beginnen.

Men zou ervan opkijken als men wist hoe vaak zulks voorvalt, dat bijvoorbeeld na het heengaan van een vaderfiguur zijn maîtresse en zijn zoon troost zoeken en vinden in elkaars armen, of dat vaderlief het willens en wetens aanlegt met de bijzit (of zelfs de wettige echtgenote) van de zoon, na diens verscheiden. In uitzonderlijke gevallen hoeft men hiervoor zelfs niet te sterven. Ik heb een kerel geweten – niet gekend, ik hoed mij voor dit soort lui – die van een reeks echtelijke twisten tussen zijn eigen zoon en diens vrouw profiteerde om de dame in kwestie eens ongegeneerd in de poes te zitten, weliswaar na het uitspreken van enkele woorden van bemoediging en echtelijk advies. Bovendien bleek de mayonaise te pakken, want enige tijd later zijn zij in het huwelijk getreden, weliswaar na ontbinding van het vorige. Zo werd de opa van het reeds aanwezige kind plots de (stief)vader ervan en veranderde hij van schoonvader in echtgenoot; de vrouw werd stiefmoeder van haar ex-man; het nieuwgevormde koppel kreeg nog een kind, dat 'broer' moest zeggen tegen de zoon van haar vader en de vader van haar halfzus en de ex van haar moeder. Dit is afkeurenswaardig gedrag, dat leidt tot verwarring en scheefgroei.

Het zij zo.

Ik had geweldig veel zin om naar de begrafenis te gaan om eens naar Roos en haar verse echtgenoot te kijken, die zo snel nadat ze het huwelijksgeluk hadden gevonden, in een immens verdriet werden gedompeld; het is voor sommige mensen toch echt niet weggelegd, blijvende vreugde.

Bij een ongeval, of iets wat op een ongeval lijkt, kan men dat doen, maar ik weet uit goede bron dat, als er hoofden zijn afgekapt, men de begrafenisstoet nauwlettend in het oog houdt, omdat er daders zijn die daar graag van komen meegenieten, en zo ben ik niet, of tenminste: zo stom ben ik niet. In dit geval zou er weleens een slimme flik een link kunnen leggen met wat er zoveel jaren geleden was gebeurd, hoewel ik officieel natuurlijk nooit in detail op de hoogte ben gebracht van de capriolen van mijn vader, en al zeker niet van de identiteit van degene die de capriolen beantwoordde.

Het verslag in het dagblad maakte gewag van een intrieste plechtigheid, waarbij de radeloze weduwnaar van het slachtoffer en voorts ook de nabestaande Roos en haar man, beiden met een kolossaal schuldgevoel behept, konden rekenen op de oprechte en warme steun van vele parochianen. Spijtig genoeg had men daarbij een foto afgedrukt waar zo veel mogelijk parochianen op stonden, in plaats van zich te concentreren op de werkelijke rouwenden, die nu klein in het midden te zien waren, maar ik zag meteen dat Roos weer een schrale had uitgekozen, zo'n ventje bij wie men aan zijn houding kan zien dat hij een banaan heeft als ruggengraat. Wat zien soms lekkere poezen toch in dat soort mannen, nu ja, mannen?

Wat kijkt ge zo?

EENENZESTIG

Beste Fanta,

Ik zou u graag iets over onze wereld hier vertellen, maar ik ben bang dat ge er niet veel van gaat verstaan. Bij u gaat dat allemaal anders, ik heb het recent nog opgezocht op de computer, er staat hier een in het ontspanningslokaal en er zit bijna nooit iemand op, die kwibussen hier weten niet veel, het zou al knap zijn als ze de aan-knop konden vinden.

Ik woon in een instelling met nog vijftig andere rare knuppels die weinig tot niets weten. Ze geven ons elke dag drie keer eten en een hoop pillen, en daarmee is de kous af. Dat zal u wel als muziek in de oren klinken, drie keer daags eten zonder er iets voor te moeten doen, maar lekker is dat zelden. Veel hetzelfde, deze middag was het weer kip met rijst, ik zeg soms: 'Als ge niet oppast, krijgen wij hier allemaal spleetogen', en dan moeten ze eens lachen. Snapt gij dat, zulke mopjes?

Ik zit hier al jaren, ten gevolge van vele misverstanden en toevalligheden; daarvoor heb ik een wasserij gehad. Ook dat fenomeen zal u vreemd zijn. In plaats van hun eigen was te doen laten veel mensen dat tegen betaling door anderen opknappen. Dat valt nog te begrijpen in het geval van ziekenhuizen en hotels, want dat zou onbegonnen werk zijn, maar steeds meer particuliere dames vinden zichzelf ook te goed of te knap om zelf nog iets in het huishouden te doen, en begeven zich naar een restaurant of bestellen iets bij de traiteur, allemaal zaken die bij u niet aan de orde zijn, en laten een huishoudster de schoonmaak en de was doen. Dat zal bij u nogal anders zijn! Ik wed dat zelfs gij u al, op uw leeftijd, naar de rivier begeeft bij het ochtendgloren, om daar de hele dag samen met de dorpsvrouwen de kledij schoon te maken, zoals men dat weleens op de televisie ziet. Allicht is dat zelfs niet onplezierig en gebeurt dit onder het zingen van liederen, en qua werkdruk zal het ook wel meevallen, want zo veel textiel wordt er bij u niet gedragen, heb ik al gemerkt.

Ge moet daar toch mee opletten, op latere leeftijd, dat ge die nonkel van u niet te veel op ideeën brengt, en bij uitbreiding vele andere mannelijke dorpelingen, die bij gebrek aan een bezigheid weleens van andermans vruchten willen proeven, zelfs niet enkel van de volrijpe, maar ge zijt nu nog te jong om dat te verstaan. Ik zeg u alleen: draag voldoende kleding, ondanks de hitte.

Uw vriend Oscar

TWEEËNZESTIG

Dat men steeds alleen sterft, had ik al gezegd.

Men moet, als men er de tijd voor heeft, eens een kerkhof bewandelen, geen kleintje, maar een van een zekere omvang, en dan nog in de buurt van een aanzienlijke stad, en vast en zeker heeft men binnen het etmaal de jammerlijkste teraardebestelling gezien die er bestaat: die van een eenzame oude mens, zonder nabestaanden of vrienden die die naam waardig zijn, die regelrecht van zijn of haar fauteuil in het rusthuis de gulzige aarde in wordt gepleurd, zonder verdere plichtplegingen of respect.

Men weet meteen dat men prijs heeft wanneer men de doodswagen niet traag over de kiezels hoort knarsen, treurend op weg naar de laatste put, maar men over de heg zijn koude, matzwarte rug voorbij ziet schieten alsof niet een rouwstoet, maar de Gestapo hem met dolle herdershonden op de hielen zit, dat is te zeggen met hoge snelheid, en zonder aandacht voor de verkeersregels op het domein. Dat men denkt: van deze passagier, dit lastpak, wil men zo rap mogelijk af, dat is zonneklaar.

Vervolgens draagt men de kist in allerijl naar de vers gegraven kuil. Op een afstandje staan twee arbeiders in oranje broeken bij een graafapparaat toe te kijken – ik zal niet zeggen ongeduldig om de boel weer dicht te gooien, want dit soort werkers van stads- of staatswege is maar al te blij wanneer zij niets hoeven te doen, maar toch allicht wensend dat deze klus reeds geklaard was, zodat ze vervolgens met hun modderschoenen op de tafel de krant kunnen gaan lezen in het werkhonk.

Bij dit soort plechtigheden is er geen voorganger van de eredienst aanwezig, aangezien er reeds te weinig zijn en er toch geen publiek is, behalve een verre toeschouwer zoals ik, die gebaart dat hij enkele rijen verder een geliefde afgestorvene bezoekt. De plechtigheid bestaat er bijgevolg in dat de twee dragers van de begrafenisonderneming, in hun lange grijze rokken, hun pet afnemen, die in de rechterhand voor het kruis houden terwijl de linker hun pols omklemt, het hoofd een korte tijd gebogen houden alsof zij vol verdriet terugdenken aan deze fleurige mens, en hoe hij of zij was, na een halve minuut bevrijd van hun dorre plicht hun hoofddeksel weer opkwakken, de arbeiders wenken, en geleund tegen hun lijkwagen een sigaret gaan staan roken, toekijkend hoe de twee nozems snel de doodskist in de kuil laten zakken, daarna met bekwame spoed de put dichtgooien, en hem ten slotte met hun zware werkschoenen aanstampen als was het het graf van een uitgeteerde hond die men aan de kant van de weg heeft gevonden en waar men van denkt: snel even met een laagje aarde bedekken, anders trekt dit de ratten aan.

Ik zei 'wenken', maar ik kan beter 'met een onbeleefde haal van het hoofd hen commanderen' zeggen. De brutaalste bevelen worden steeds door de kleinste luizen gegeven. Een generaal in het leger zal zeggen: 'Doet u dit eens voor mij, mijn beste?', terwijl een korporaal met veel geblaf en gedreig zijn opdrachten aan de rekruten zal overmaken. Ook thuis zijn dezen degenen die met harde hand het huishouden besturen, aangezien zij in alle omstandigheden aanvoelen dat zij eigenlijk niets voorstellen, en daarom meer herrie maken. Wie weet dat hij gezag draagt, zal dit nooit benadrukken of hoeven te benadrukken door zich kwaad te maken.

Nee, ik denk dat men, als vrouw, nog het minst graag met een korporaal getrouwd zou zijn, en dan spreek ik niet enkel uit financieel oogpunt. Het scheelt ook in de klappen en de sfeer.

Het zij zo.

Ik heb al eens op het punt gestaan om naar deze figuren toe te stappen en te vragen of zij wel goed bij hun hoofd zijn, en of zij later eveneens op deze wijze aan hun eind willen komen, en te zeggen dat het minste wat men mag verwachten is dat men een klein beetje eerbied aan de dag legt voor wie, laten we daarvan uitgaan, allicht een goed mens was die steeds keurig zijn plichten heeft gedaan, zijn belastingen heeft betaald en het kwade uit de weg is gegaan. Al kan men daar nooit zeker van zijn, want voor hetzelfde geld heeft men net afscheid genomen van Serge Van Houffelen, of van de lelijkste giftong van het rusthuis, die haar hele leven lang de medemens het bloed onder de nagels vandaan heeft gehaald en allicht zelfs haar arme echtgenoot morsdood heeft getreiterd, wat ook een verschijnsel is dat veel te weinig aandacht krijgt, hoewel het vaak gebeurt.

Maar men geeft een mens het voordeel van de twijfel.

Toen bedacht ik toch op het laatst: ach, deze kerels doen per slot van rekening slechts hun werk, en als de baas zegt: 'Mannen, vandaag lijk X in kuil Y, en snel, of er zwaait wat!', kan men niet verwachten dat zij hierbij staan te snotteren of te doen alsof, en een halfuur lang staan na te denken over de zin van het leven. Die jongens krijgen een salaris om met de auto te rijden en gevoelloos of juist gevoelig voor zich uit te staren, en dat zij zich aan deze functieomschrijving houden, kan hen niet ten kwade worden geduid. Als iedereen dát maar eens deed, in plaats van enkel te hunkeren naar het einde van de werkdag, of zoals de wijven, geniepig op zoek te gaan naar het kleinste gaatje om aan hun plichten te verzaken, waarbij dat kleinste gaatje vaak de eigen kut is die zij laten volpompen, waarna snel de baby ter wereld komt, het zou er op de aarde heel wat minder stroef toegaan. Geloof mij, kameraad.

DRIEËNZESTIG

Ge zult het zien.

De dagen na de dood van mijn ouders bracht ik door in een instelling voor ontspoorde en verdwaalde jongeren. Ze hadden mij de keus gegeven: dat, of bij tante Albertina en nonkel André gaan logeren, maar daar was natuurlijk geen sprake van.

Dan nog liever in een kamertje met twee stapelbedden en drie straatrukkers, één landgenoot en twee zuiderse types, genre Noord-Afrikaan, die fameus blij waren met een nieuwkomer, uitgekeken als zij waren op elkaar, want de eerste avond al bleek een van de drie onder mijn hoofdkussen gescheten te hebben, en het dan goed te hebben aangedrukt, zodat ik al direct een onprettige nachtrust tegemoet ging. Ik wist niet wat ik rook, maar ik kende de omgeving niet, dus ik dacht dat het normaal was.

'Als ge klikt, doen we u morgenavond een nog veel schonere cadeau', siste de lichtbruine sul die boven mij sliep, toen ik de verrassing ontdekt had en ik in het donker zo goed en zo kwaad als het ging met een zakdoek de smerigheid probeerde te verwijderen, wat bij mijn drie nieuwe vrienden een gesmoorde hilariteit teweegbracht. Hardop lachen durfden ze niet, want dan kwam er allicht iemand van de oppassers kijken, en die zou dan genoeg weten, want ik ga uiteraard niet voor mijn plezier in mijn eigen bed kakken.

Tijdens deze eerste nacht trokken ze alle drie één keer aan hun fluit, te beginnen bij mijn bovenbuurman, die vlak voor het inslapen heftige bewegingen maakte en al snel grommend zijn prak in de lakens schoot. Aangezien ik de hele nacht wakker lag van het verdriet en de stank hoorde ik de twee anderen enige tijd later onafhankelijk van elkaar hetzelfde doen; de laatste had er een kwartier voor nodig. Ik hield mij stil en deed alsof ik vredig sliep, want wie weet brengt men anders zulke kereltjes op ideeën en komen ze nog steun vragen ook, waar ik nu even echt geen zin in had, na jaren in de onbezoldigde hulpverlening, en vlak na het heengaan van zowel vader als moeder.

Tussen al dat geruk door had ik zeeën van tijd om te liggen piekeren, voornamelijk over de toekomst, meer specifiek over wat daarin met mij ging gebeuren. Direct weer in mijn ouderlijk huis gaan wonen was geen optie, want mijn vader had door zijn originele zelfmoord het halve kot afgestookt; de bovenverdiepingen had men weten te redden, maar de waterschade was ook daar enorm.

Ik had voorts geen idee van de omvang van de erfenis van mijn ouders. Uiteindelijk bleek het na aftrek van het geschenk aan tante Albertina en nog een hele hoop kosten, zoals begrafenissen (waar ze blijkbaar een dure voor gekozen hadden), om een behoorlijk bedrag te gaan, waarmee ik, zodra alles achter de rug was, mijn eerste stappen in de zakenwereld wist te zetten.

’s Ochtends moesten wij eerst naar de waszaal, waar het krioelde van de etters. Er waren enkele bleke jongens van bij ons bij, maar de meerderheid was volk van buiten de landsgrenzen, die dachten dat ze hier hun gang mochten gaan, hoofdzakelijk negers. Allemaal samen bekeken ze mij alsof ik een stront was, waar ik allicht naar geurde.

Twee mannen hielden toezicht. De ene had een baard en was zeker uit idealisme dit werk gaan doen, maar men kon aan hem zien dat hij het al lang moe was; hij was nerveus en was niet op zijn gemak en zijn ogen trilden. De andere zag eruit als iemand die het eerst als cipier in een gevangenis had geprobeerd, maar die daar te zwak voor was en er weggepest was, en die dan maar in de jeugdzorg was gaan werken, eropuit om zich daar eens goed te laten gelden. Hij keek rond met een lelijke rattenblik, alsof hij de eerste die de zeep op de verkeerde plaats legde, tot pulp zou slaan.

Vandaar ging het naar de eetzaal, waar plastic mandjes met smakeloze witte boterhammen op de tafels stonden. 'Gij nog wat choco, lul?' vroeg een van mijn kamergenoten lachend, terwijl hij de pot onder mijn neus duwde, zodat men niet meer zeker kon zijn van de werkelijke inhoud, want die kereltjes doen niets liever dan vuiligheid uithalen. Ik zei niets en at een boterham zonder iets erop.

Vervolgens werd ik door die met zijn baard gewenkt en werd ik bij de directeur gebracht. Dat was een aardige, kale man van in de vijftig, die vroeg of de eerste nacht goed was verlopen, wat ik beaamde. Ik zweeg over het geschenk onder mijn kussen. Hij zei dat het niet de bedoeling was dat ik hier lang zou blijven, dat ze snel een beslissing van de jeugdrechter verwachtten en dat ze dan moesten zien waar ik kon gaan wonen, maar dat ik er de komende dagen maar het beste van moest maken, met respect voor de reglementen, want het kon natuurlijk niet geaccepteerd worden dat die overtreden werden, zelfs niet door een wees die in feite niets misdaan had. Hij zei ook dat als er problemen waren, want dat gebeurde nogal eens met een nieuwkomer, ik direct alles tegen hem of tegen een opvoeder moest komen vertellen, wat natuurlijk onzin is, dat weet zo'n man toch goed genoeg.

Ik hoefde niet naar de heropvoeding te gaan, want dat was niet op mij van toepassing, dus kroop ik weer in mijn bed; een uit de waszaal meegenomen handdoek legde ik over de plek onder mijn kussen, zodat het wat frisser rook.

Terwijl de kleuters in de klas zaten, verzonk ik snel in een diepe slaap. Daarin volgden de dromen elkaar in snel tempo op. Ik was als kind nooit een grote dromer geweest, ik denk dat ik 's nachts al genoeg meemaakte om in mijn slaap nog behoefte te hebben aan meer avonturen, dus bleef het jarenlang donker in mijn hoofd. Zelfs al slapend schrok ik nu van de veelkleurige filmproductie die in gang werd gezet.

Ik lag naast Ria op een smal bed; ze speelde met een druif tussen haar lippen en duwde die vervolgens in mijn mond, en al kussend lieten wij die heen en weer rollen tussen onze vurige tongen, tot ze knapte, en de lekkere, koele vulling zich in onze monden verspreidde.

Wij konden niet ophouden met kussen, zelfs niet toen een oude kloosterzuster de kamer betrad. Ze bleef een tijdlang hoofdschuddend toekijken, waarna ze vooroverboog, haar lange zwarte gewaad bij de zoom vastpakte en het omhoogtrok; tussen haar witte, rimpelige benen verscheen de kop van een slang, sissend met een smalle, vuurrode tong; de slang begon te spreken, een onverstaanbare litanie in een onheilspellende oude taal, en de non herhaalde de woorden van onder haar sombere kap, ook toen de slang steeds sneller begon te orakelen.

Ria en ik waren opgehouden met tongen, en volgden met open mond het spektakel.

Plots haalde de non van achter haar rug een hakmes tevoorschijn en sloeg daarmee, intussen onverminderd bezeten voortratelend, de slang de kop af. Uit de wond spoot een helgroene, lauwe smurrie op Ria en mij, maar wij lieten ons deze smerige douche welgevallen, we klampten ons aan elkaar vast, en als vanzelf ging deze omhelzing over in een zacht en zoet liefdesspel, waarna wij allebei in een diepe slaap verzonken.

Ik schoot wakker in de realiteit van mijn bed, dat onveranderd naar stront rook.

Die met zijn baard zat op zijn knieën naast mij en haalde zijn vingers door mijn haar. Hij glimlachte. 'Je bent een knappe jongen', zei hij, en zijn baard glinsterde en zijn ogen waren half gesloten van het aankomende genot, waarop ik van onder de lakens mijn mes tevoorschijn haalde en toestak; als uit een fontein spoot het bloed uit zijn hals.

Gealarmeerd door het gedruis stormde zijn collega de kamer binnen met een handvuurwapen in de vuist, hij ontgrendelde het en richtte het op mij, en met een luide knal schoot ik wakker, maar nu echt.

Nee, als dat dromen is, waar mensen zo over doen, dan laat ik het gebeuren liever aan mij voorbijgaan, op het stukje met Ria en de druif na natuurlijk.

VIERENZESTIG

Kinderen worden dezer dagen geheel verkeerd opgevoed. Wat men soms ziet op straat en in winkels, in treinen en wachtruimtes, dat houdt men niet voor mogelijk. Ofwel is men te streng, ofwel te laks, te alert ofwel te loom, te bazig ofwel te onderdanig en flauw, maar zelden kijkt men naar een toestand waar men van denkt: deze is zeer goed. Geen wonder dat velen onder hen, deze kinderen, de draad kwijtraken, op niet zo veel latere leeftijd aan het zwalpen gaan, de drugs verkiezen boven de realiteit, die niet eens zo kwaad is en bovendien ook danig beeld- en bloemrijk, als ik zo rondkijk.

Dat is het juist: wanneer men gewoon wil zien wat er te zien is in het leven van elke dag, dan valt de mond vanzelf open, dan tikt de verbijstering u uit zichzelf op de schouder, zeggend: 'Ik heb nog iets voor u.' Ga een willekeurig uur lang op een bank in een wemelende stad zitten, en men heeft genoeg te herkauwen om zich de komende paar etmalen zeker niet te vervelen, om nog maar te zwijgen van de beelden die maanden later nog op uw netvlies plakken, en waar men blijvend plezier aan kan beleven – soms is één schommelend gevaarte van de vrouwelijke sekse, in hotpants geperst, genoeg om de rillingen een lente later nog in de ruggengraat gewaar te worden. Dan zeg ik: waarom zou men drugs nemen, wanneer dezelfde effecten kosteloos van de straat kunnen worden geraapt? Waar ik aan wilde toevoegen: zonder schadelijke gevolgen voor de gezondheid, maar daar ben ik eerlijk gezegd niet zo zeker van.

Het zij zo.

Hoe ouders hun kind in het gareel trachten te brengen, is een vaak onrustwekkend schouwspel. Men ziet peuters, kleuters en kinderen jengelend aan de benen van moeder hangen, in geuren en kleuren smekend om een of ander product of voorwerp uit de snoep- of speelgoedrekken, waarbij de kloek reeds talloze malen duidelijk het neewoord heeft uitgesproken, wat geen effect lijkt te hebben op de schreeuwende stinkerds. Met een schuldbewuste uitdrukking, u aankijkend van 'ik kan er niets aan doen, aan dit gehuil en gekrijs', manoeuvreren deze dames zich door de supermarkt of het winkelcentrum, zich schamend om het afgrijselijke lawaai aan hun rok, maar schijnbaar niet in staat om de misthoorn uit te schakelen, simpelweg doordat zij geen enkele vorm van gezag over de worm durven uit te oefenen, en denken dat beteugeling schadelijk is. Dat leren zij uit boeken die vrij in de handel verkrijgbaar zijn, waarin zogezegde opvoedkundigen en professoren beweren dat men door het gebruik van dwang de foetus, want dat zijn deze kinderen nog, beschadigt.

Kijk maar eens om u heen in de natuur: wat wij een baby noemen, zou het best van al nog een paar jaren in de donkere, vochtige beschutting van de moederbuik vertoeven, als wij daarnaast bijvoorbeeld de zelfredzaamheid en de flinkheid zien van pas uit het ei ontsnapte eendjes, die reeds na enkele uren (eveneens klaaglijk piepend, dat wel) achter moeder eend aan trappelen, imiterend wat zij doet door ook reeds met het kopje onder de waterspiegel te poken, op zoek naar voedsel. Of kleine katjes die, niet gehinderd door blindheid, niet lang na de worp het nest reeds uit wankelen, als stomdronken hoopjes pluis weliswaar, maar toch reeds de aandrang voelend om de buitenwereld af te tasten, reeds dromend van de muizenvangst.

De honingbij, die moeder niet nodig heeft om uit te leggen hoe zij de snuit in de geurige bloem dient te duwen. Zie het trillende paardenveulen, nog kleverig en stinkend naar de balg, dat zich al snel op zijn knakkepootjes overeind hijst, niet steeds met succes, maar toch: het probeert uit alle macht! Bekijk daarnaast het krachteloze, zichzelf nog lang bevuilende, volstrekt hulpeloze mensenkind, niet eens in staat in zijn eigen neus te peuteren, dat het eerste jaar van het bestaan, of langer, als een richtingloze larve zijn of haar eerstelijnsbehoeftes vervult, zijnde gevoerd worden en vervolgens kakken, en tussen deze ankerpunten in: slapen en het op een gillen zetten. Wat men op zonnige dagen in de babymand parmantig door de straten vervoerd ziet worden – sommigen roepen er 'Koetchi-koetchi!' naar en vragen hoe het heet, het schatje – is feitelijk een onmiskenbare vroeggeboorte, een buitenbaarmoederlijk prototype, een onvolkomen, nog slechts onzorgvuldig vormgegeven probeersel, en daar is men dan zo blij mee en trots op.

Men zou naar de kinderwagen moeten stappen en moeten zeggen: 'Mevrouw, jammer van dit voorval, aanvaard ons medeleven, veel succes op dit moeilijke pad – wij steunen u in gedachten of desnoods gebeden', maar dat hoort men nooit.

Het zij zo.

Aan de andere kant van het spectrum zijn er deze ouders die, wellicht bij wijze van verzet tegen voorgenoemde moderne uitingen van grootbrengen, de grofst mogelijke strengheid nastreven, erger nog dan die welke hun zelf in vroegere tijden te beurt is gevallen, in de hoop op die manier het grut onder controle te houden. Vaak heeft dit het tegengestelde effect, namelijk baldadigheid en rebellie, maar veel erger nog is het, wanneer deze kinderen zich ten langen leste plooien naar de ouderlijke overheersing en zich neerleggen bij hun lot. Men verkrijgt dan op jonge leeftijd minivolwassenen, die op weerzinwekkende wijze hun dwaze vaders en moeders natateren, hun oubollige gedreun echoën, en vaak nog voor hun tiende verjaardag reeds een stijfheid en vermoeidheid vertonen die doorgaans eigen zijn aan zestigplussers, die reeds boos en streng naar de wereld kijken en die men soms letterlijk het wijsvingertje ziet gebruiken bij hun moralistische nonsens.

Triest wordt men ervan, van deze premature gepensioneerden, deze voorgebakken versies van volwassenen, en wat meer is: zij zullen straks degenen zijn die, plots beseffend dat hun voze ouders hun op slinkse wijze hun jeugd hebben ontnomen, woedend de weg terug zullen nemen, in radeloosheid verzanden of wraakgevoelens zullen koesteren jegens de daders, en in sommige gevallen zal het niet bij gevoelens blijven, en zal dit ook daadwerkelijk tot het nemen van bloederige represailles leiden. Oudermoord, ik verzeker het u, gebeurt haast uitsluitend door dit soort fout geknede nepcreaturen.

In het allerbeste geval komen zij na uw dood, spookachtig lachend als hyena's, in het koele maanlicht hun gevoeg doen op uw graf, geloof mij.

VIJFENZESTIG

Aan de vzw VH Kinderleed

Van Houffelen,

Hebt gij eigenlijk een moeder? Of zijt gij op een natte boomstronk ontstaan? En indien toch: weet uw moeder wat gij uithaalt in uw leven, of liegt ge ook nog eens tegen haar? Denkt die dat gij wasmachines verkoopt, of farmaceutisch vertegenwoordiger zijt, en dat ge daarom met uw dikke Mercedes rondrijdt? Wat zou zij ervan denken als zij aan de weet kwam dat gij die aan zwendel en achterbaksheid te danken hebt? Als gij haar naar de ontspanningsmiddag van de gepensioneerden voert, zou zij dan vermoeden dat er op haar plaats luttele uren eerder een Russische stoephoer zat, die u in ruil voor ontwikkelingssamenwerkingsgeld in haar zuinige Slavische bek heeft laten spuiten? Zou die kennis haar gelukkig maken, Van Houffelen, of denkt gij niet dat zij veeleer ontgoocheld zou zijn in haar blinkende zoontje?

Anderen zijn dat heel zeker, dat mag ik u met de hand op het hart garanderen.

O.V.B.

ZESENZESTIG

Spijtig.

De begrafenis van mijn ouders had eigenlijk één plechtigheid moeten worden, aangezien het echtelieden waren en ze zo dicht op elkaar waren doodgegaan, maar omdat het parket het lichaam van mijn moeder nog niet vrijgaf omdat er nog steeds geen duidelijkheid was over wat er was gebeurd, werd besloten om mijn vader, tenminste de schamele delen die van hem overschoten, toch al maar ten grave te dragen, om verdere opslagkosten te vermijden, want zelfs voor stukken moet men de volle prijs betalen.

Daarvoor werd ik op zaterdagochtend opgehaald door iemand anders van de sociale dienst; ik was eigenlijk al blij dat het niet die met haar tieten was, anders had ik niet deftig afscheid kunnen nemen van mijn vader, afgeleid als ik zou zijn, maar dit was dan weer een wansmakelijke man van een jaar of dertig met zo veel schilfers op zijn schouders dat men er zijn ogen niet van kon afhouden; van daar keek men omhoog en zag men de stijve haren uit zijn oor kruipen. Hij had alle kenmerken van een oude zak en men bedacht: dit kereltje vindt nooit een wijfje, op deze manier. De liefde zal een onbereikbaar goed voor hem blijven, hunkerend zal hij zich aftrekken tot de lust over vele tientallen jaren gedoofd zal zijn.

Niet veel zeggend bracht hij mij naar het funerarium waar mijn vader op mij wachtte; het enige wat ik kon denken toen ik naar binnen ging, was waarom men in godsnaam voor zo weinig lijk toch zo'n grote kist nodig had. Een derde had ruimschoots volstaan. Is dat dan voor het oog van de mensen? Als ik het voor het zeggen had gehad, had ik gezegd: 'Neem maar een kinderkist, daar krijgt ge dat wel in', maar dat zal hetzelfde zijn als een volwassene die een kinderschotel bestelt omdat hij niet zo veel honger heeft; dan zeggen ze in de meeste restaurants ook: 'Mijnheer, dat kan niet, daar beginnen we niet aan', wat eigenlijk onzin is, men doet en vraagt en eet wat men wil.

Enkele minuten later kwamen ook tante Albertina en nonkel André de zaal binnen, nonkel André in een zwart kostuum dat duidelijk op de groei was gekocht, terwijl hij wellicht toch al aan het krimpen was; men zag amper de topjes van zijn vingers uit de mouwen tevoorschijn piepen, en hij zag er asgrauw uit, en treurig. Tante Albertina droeg een stijve donkergrijze overjas met daaronder een iets minder donkergrijs kleed, zij begroette mij en hij keek mij niet eens aan, en zo stonden we op een trieste rij naar die grote kist te kijken.

Ik vroeg mij af hoeveel tante Albertina te maken had gehad met de dood van mijn moeder; misschien was het wurgspel haar idee geweest, en had zij daarna zo grondig gepoetst dat de speurders er niet wijs uit konden worden? Zo ja, dan stond zij hier wel érg hypocriet te snuffen en haar neus te snuiten, want dan was zij ook verantwoordelijk voor de schok die mijn vader had gekregen, en dus voor zijn dood.

Ik besloot het maar uit mijn hoofd te zetten, want ik zou het toch nooit weten; op de duur wordt een verhaal zo triestig en ellendig dat men het van zich wegduwt, dat men zegt: 'Laat maar, ik hobbel zelf wel verder richting doodskist, hoe sneller hoe liever', tenminste, dat is hoe ik mij voelde, staand voor het bescheiden stoffelijk overschot van mijn vader.

Was dit het nu, dacht ik bij mezelf. Men doet al die moeite om een kind groot te brengen, als men een kleine bezig ziet terwijl hij voor de eerste keer de letter a schrijft, dat duurt een halve maand voordat dat leesbaar is, en dan denkt men toch steeds: goeie god, wat een weg heeft dat nog af te leggen, netjes leren eten, niet in zijn broek schijten, boeken lezen, wiskunde leren, fietsen, zijn manieren houden, neuken – honderdduizend dingen die er met de grootste moeite in worden gelepeld, dat wordt allemaal schoon afgevijld door de jaren heen, totdat men een toonbare mens is met schone principes en een goed levensdoel. En vervolgens hebt ge maar één seconde nodig, één lucifer, om dat helemaal kapot te maken, dat zorgvuldig opgebouwde wezen, whoefff, weg. Alle moeite voor niets.

Al die vergeefsheid, daar werd ik ongelukkig van, zeker staand naast twee exemplaren van de mensensoort bij wie de opbouw niet eens zo goed geslaagd was, op verschillende niveaus – mijn vader was in alle opzichten een aanzienlijk beter mens dan die twee stinkende varkens hier, en wie lag er in de kist? Juist. Smeerlappen trekken altijd aan het langste eind.

Veel volk passeerde er niet. Een aantal buren en kennissen van mijn ouders, en een paar mensen die ik niet kende, wie weet was Roos er ook bij, maar daar wist ik op dat moment nog niets van. Iedereen kwam ons een vrome hand geven en zei dat het spijtig was, of: 'Innige deelneming bij uw verlies', en toen het tijd was, gingen wij naar de kerk, waar het afscheid werd gevierd door een vette pastoor die het allemaal niet interesseerde. Ik had geregeld goesting om recht te staan, naar het altaar te stappen en hem een kopstoot te geven, en te zeggen: 'Kom, gast, als het zo onverschillig moet, ga dan maar naar huis, ge zijt precies het telefoonboek aan het voorlezen.' Eén keer slaagde hij er zelfs in om de naam van mijn vader te vergeten; ze lezen dat op van voorgedrukte vellen waarop puntjes staan in plaats van de eigennaam, en toen hij kwam aan 'dierbare gelovigen, het is met droefheid dat wij, euh, euh', duurde het drie, vier tellen voordat hij het weer wist, 'euh, Boudewijn Van Beuseghem toevertrouwen aan de vrede van de Heer'.

Ik vond het walgelijk, maar het was per slot van rekening een begrafenis, dus men zwijgt. Links naast mij zat tante Albertina te snotteren en rechts zat nonkel André zonder één uiterlijk teken van gevoel – het was ook maar zijn schoonbroer.

Het bidprentje was het lelijkste dat ik ooit gezien heb. Ik vroeg mij af wie dat allemaal beslist had, tante Albertina waarschijnlijk. Er stond een zeer slecht getekend landschap op de voorkant met een ondergaande zon, dat wellicht het paradijs moest voorstellen, maar dat er zo triestig uitzag dat men dacht: ze mogen het houden. Op de binnenkant stond:

Dankbaar voor wat hij voor ons heeft betekend
nemen wij afscheid van

BOUDEWIJN
VAN BEUSEGHEM

En op de rechterkant een karamellenstukje, vast van de hand van tante Albertina; er was te lezen dat mijn vader steeds een goed mens was geweest en alles had gegeven voor zijn gezin, en nog wat onzin. Aan het eind kwam ik blijkbaar aan het woord, want er stond:

Lieve papa,
stap samen met mama het eeuwigdurend
leven in, waar wij later elkaar weer
zullen zien.
Vaarwel.
Uw zoon

Wat een onbeschaamdheid, dat men dat zonder iets te vragen daarop zet. Voor hetzelfde geld denk ik: ik hoop dat ik u nooit meer tegenkom.

Wat ik ook zeer hinderlijk vond, was dat er met geen woord over zijn tragische einde werd gerept. Dat ziet men vaak, dat men er het zwijgen toe doet als de dood eenmaal is ingetreden, en dat is laf. Zeg dan op zijn minst: 'In dramatische omstandigheden en gevolg gevend aan zijn eigen keuze, en onvermogend om de dood van zijn vrouw te verteren, is van ons heengegaan...' Zo zou ík het zeggen.

Ook die beschimmelde pastoor hield het allemaal vroom in het midden, het ging van 'heengaan' en 'afscheid' en 'diepbedroefd', maar misschien zou men bij zulke gelegenheden meer gebaat zijn bij een fors uitgesproken levensles, een blik in de donkere diepten van het mens-zijn, even samen stilstaan bij de broosheid maar ook de vuile smerige onderkant van het wonderlijke leven, de duivels die ons drijven, de niet-aflatende somberheid, de ontsporingen van sommigen, het potentiële einde achter elke hoek.

ZEVENENZESTIG

Men zou verwachten dat een soort die met uitsterven wordt bedreigd, of waarvan de exemplaren anderszins zeldzamer worden, haar uiterste best zal doen om het tij te keren, krachtige maatregelen zal nemen om in het zadel te kunnen blijven, een tandje bij zal steken om haar bestaansrecht te benadrukken, maar in het geval van pastoors en andere geestelijken is het omgekeerde waar. Het schijnt mij toe dat zij almaar minder moeite doen, zich laten meedrijven in suffigheid en onverschilligheid, zich al hebben neergelegd bij de teloorgang van hun zijnsvorm, en dus enkel nog plichtmatig en somber hun taken uitoefenen, en dan nog alleen de hoogstnodige.

Ik heb er eens een aangesproken, die ik op een middag met zijn armen op zijn rug voor zijn kerk zag staan, turend naar niets in het bijzonder, met ogen die niet veel uitstraalden, tenzij een stil verlangen naar de dood.

Ik zeg: 'Eerwaarde, goedemiddag. Mijn naam is Verhardt. Ik wilde u zeggen dat ik een grote achting heb voor uw ambt, en bewonder hoe u, te midden van alle stormen en tegenslagen, enthousiast en gemotiveerd het woord van de Heer blijft uitdragen. Ik zie het er u niet veel nadoen.'

Deze priester keek mij aan alsof ik net gezegd had: 'Meestal ga ik naar dezelfde supermarkt, maar wanneer ik bezoek verwacht, durf ik het vlees weleens bij de keurslager in de Hoogstraat te kopen, daar is de kwaliteit beter.' Met andere woorden: hij zette een blik op waarin van de Heilige Geest geen spoor te bekennen viel, veeleer van een tramchauffeur die zijn baan reeds twintig jaar zat is, met nog geen uitzicht op pensionering, op een zonnige zondag wanneer de hele wereld lijkt te juichen, terwijl u zelf moet werken.

'Had u iets in het bijzonder gewenst, mijnheer Verhardt?' vroeg hij lijzig.

'Inderdaad,' antwoordde ik, 'ik zou een gesprek met u willen voeren over de leegte in mijn ziel, de slechtheid van de wereld, de rol van God daarin, en de wandaden die er het gevolg van zijn, ook, en zelfs misschien niet het minst, vanwege mijzelf. Ik zoek, kort gezegd, een luisterend oor, dat eveneens de nodige discretie kan garanderen, en al zoekend naar een uitkomst komt men dan al snel bij de geestelijkheid terecht. Met andere woorden: zeker, ik ben een zondaar, en ik zou daarover graag het hart even luchten bij iemand die ik vertrouwen kan.'

'U wilt dus biechten', antwoordde de man ongeïnteresseerd. 'Dat kan volgende donderdag, tussen vier en zes, hier in de kerk. Zoals u ziet, is zij nu gesloten. Wij kunnen niet overal tegelijk zijn, en ik heb acht parochies te bedienen, ik sta hier op een zuster te wachten die mij met de auto naar Sint-Augustinus zal brengen, om een zieke te zalven.'

'Mijn geestelijke nood is niet van dien aard dat ik nog tien dagen kan wachten om hem in uw handen te leggen', vervolgde ik. 'Ik heb u veel te vertellen en allicht zult u er verbaasd van staan, er zelfs de wenkbrauwen bij fronsen. Ik zou een spoedbehandeling zeer op prijs stellen.'

'Mijnheer Verhardt,' sprak de priester nu met een luide zucht, 'de oude weduwe Stinckens is aan haar doodsstrijd bezig. Het kan elk moment voorbij zijn. Zij is een godsvruchtige vrouw, en wellicht stelt zij het heengaan uit alle macht uit, tot ik ter plaatse ben gekomen om haar de oliën toe te dienen. Wat lijkt u het dringendst: de verlossing uit het lijden van deze onschuldige oude dame, of uw gewetenskwestie – die ik overigens geenszins onderschat, noch minacht. Zal ik de erven Stinckens bellen, en vragen of zij moederlief nog tot morgen in leven kunnen houden, desnoods door haar aan het lichtnet te koppelen, want dat er hier iemand op de stoep staat die een paar zonden wil opbiechten? Zal ik dat doen? Even kijken of ik het nummer heb', deed hij nu zeer sarcastisch, terwijl hij zijn gsm uit zijn binnenzak haalde. 'Jammer, ik heb het niet bij mij, u zult mij toch moeten excuseren, goede vriend, ik zie u donderdag', waarop hij de arm opstak naar een naderende oude Ford Escort, die werd bestuurd door een non in vol ornaat die aan de blinde kant was, want zij zat met haar dikke bril over het stuurwiel gekromd alsof zij met moeite de contouren van de rijweg kon waarnemen.

'Zuster Algondia!' riep de priester. 'Hierheen!' Daarop remde zij bruusk, en mijn gesprekspartner repte zich zonder nog een woord tegen mij te zeggen naar het voertuig.

'Rijdt u vooral nergens tegen,' riep ik hem na, 'afschuwelijke lul, en doe de groeten aan de weduwe Stinckens, ik zou nog liever door de duivel zelf gezalfd worden, op mijn uur van afscheid, of besprenkeld worden met koude hondenpis, dan door uw vettige vingers te worden bepoteld, die allicht niet lang geleden nog een knapenreet binnendrongen of het gleufje van een koormeisje zacht aan het gloeien brachten, pervert!' Maar ik vermoed dat hij slechts het eerste deel van de zin had gehoord, namelijk 'Rijdt u vooral nergens tegen', want het portier was snel achter hem dichtgeklapt, en in het voorbijrijden stak hij gemaakt vriendelijk de hand op naar mij, schaapachtig grijnzend en breed bekkend 'Volgende donderdag!' met zijn lippen vormend.

ACHTENZESTIG

Wacht.

Een week later had het parket het opgegeven en stond ik in dezelfde zaal in hetzelfde funerarium naar een identieke kist te kijken, die nu echter wel zeer goed gevuld was met het stoffelijk overschot van mijn moeder. Weer zat tante Albertina naast mij in hetzelfde grijs, en nonkel André in hetzelfde veel te grote zwart. Deze keer speelde er muziek, of het moet zijn dat ik er de vorige keer gewoon over had geluisterd, of dat het nu harder stond. Het was in elk geval iets wat ik niet mooi vond, met violen en piano; het klonk veel te zoet en te speels voor een gelegenheid als deze.

Opnieuw verscheen er een kleine stoet van bezoekers, die somber de kist groetten en vervolgens ons drieën een hand kwamen geven, in een uitzonderlijk geval een omhelzing of twee kussen.

Om een reden die ik niet begreep, vond de uitvaart plaats in een andere kerk, met een andere pastoor, wat alleen maar beterschap kon brengen, dacht ik, wat het ook deed. Dit was een oudere man, het soort waarvan men nog meer vermoeidheid en gewauwel verwacht, maar hij bleek een redelijk spreker te zijn die zich niet aan zijn voorgetikte vellen hield, maar die zich duidelijk enigszins had voorbereid, en die het ook niet schuwde om een bepaalde toedracht te suggereren. Was het haar keuze om het leven vaarwel te zeggen? Daar kwam zijn preek in grote lijnen op neer, waarbij hij geen scherpe standpunten innam, maar ook niet zomaar wat luchtbellen stond te blazen, zoals de vorige.

Ook had hij het even over mijn vader. Die had het vast fijn gevonden, zei hij, als we hier van hen samen afscheid hadden kunnen nemen. Door omstandigheden had dat niet kunnen doorgaan, vervolgde hij, maar hij was er zeker van dat dat soort details, eenmaal voorbij de hemelpoort, niet zo zwaar meer weegt. Hoeveel ongeluk kan een mens dragen, vroeg hij zich hardop af, wat ik een interessante vraag vond en waarbij ik naar nonkel André keek, die weer emotieloos rechts van mij zat; hij moet mijn blik gevoeld hebben, want hij keek terug, kort, maar vast en zeker heeft hij begrepen wat ik bedoelde.

Tijdens de offergang zag ik ook Françoise naar voor hobbelen. Ze leek mij aangeslagen, ze was bleek – ik vraag mij af of het van oprecht verdriet was om de afgestorvene, of gewoon omdat haar wekelijkse ontspanningsavonden nu voorgoed verleden tijd waren, en begin zoiets maar eens opnieuw op te zetten, als men gewend is geraakt aan het gemak, en zeker aan de steun van minderjarigen die het u naar de zin maken. Hélène zag ik nergens; het kan zijn dat ik haar gemist heb, maar misschien was ze ziek of had ze geen goesting. En Ria kon er niet zijn, want die was dus al dood, en eigenlijk zat ik de hele tijd meer aan haar te denken dan aan mijn moeder, met haar jonge stevige lichaam en de zoete dromen die ze mij bezorgde, en in gedachten stelde ik mij voor dat ik in de kist van moeder zou kunnen meereizen naar de eindeloosheid, om daar dan in het echt, of tenminste in geestestoestand, als heerlijke spoken, druiven te eten met Ria, en door niemand ooit nog gestoord te worden.

Wederom stelt men zich de vraag die ik al eerder aanstipte: als het bestaat, het hiernamaals, zou men dan mogen kiezen of men er al dan niet in gaat, en gesteld dat men 'ja' zegt, zou men dan mogen bepalen naast wie men zit of met wie men (als zulks er al is) een kamer deelt? Als het antwoord op die vragen 'ja, dat kan' is, laat mij dan maar snel doodgaan, bedacht ik.

's Avonds in mijn stinkende bed bij die drie smeerlappen dacht ik daar nog verder over na, en het verbaasde mij al niet meer dat ik na het inslapen alweer begon te dromen. Deze keer lag ik daadwerkelijk bij mijn moeder in de kist, die in de aardedonkere nacht hoog door de hemel vloog, geruisloos, en ze was gesloten en toch kon men, gek genoeg, de sterren zien. Het was ijzig koud en de wind van de Tijd woei krachtig, maar ons vaartuig bleef onwankelbaar op koers. Mijn moeders ogen waren gesloten, ik lag in de kleine ruimte tegen haar aan geprangd en ik was bij bewustzijn, het was niet onaangenaam. Mijn moeder ademde niet, maar haar lichaam voelde warm aan, gloedvol zelfs.

Als men omkeek, zag men de aarde kleiner worden, wat een heerlijk gevoel veroorzaakte, want het was een vuile smerige plek die men achterliet.

Na verloop van tijd bereikten wij een plaats die enkel uit licht leek te bestaan, en daar ging ik prompt op zoek naar Ria, met achterlating van mijn moeder. Ik belandde in een landschap dat er aards uitzag, maar dan geheel in witte tinten. Tot mijn verbazing trof ik er bijna vanzelf een kerk aan, die ik nu direct herkende als die waar Ria destijds was begraven. Ik liep het hagelwitte kerkhof op, met zerken en graven in hooguit een lichte grijstint, of in doorschijnende steen. Zonder te zoeken, alsof iets onzichtbaars mij leidde, kwam ik in de derde rij meteen uit bij het graf van Ria, maar de geboortedatum die op de zerk stond, was die van haar dood, en de sterfdatum was vandaag. Ik barstte in hysterische tranen uit toen ik dat zag – men kon dus ook in de dood nog sterven en tot overmaat van ramp was ik net te laat gekomen om haar nog één keer in mijn armen te nemen – en toen schrok ik wakker, wellicht met een grom of een kreet, want twee van mijn makkers vloekten in hun gestoorde slaap.

Wakend lag ik mij af te vragen waar dat gedroom nu ineens vandaan kwam, en te hopen dat het maar een tijdelijk verschijnsel was, want los van de wonderlijke vliegreis leken die dingen toch meestal te eindigen in iets waar ik bang voor was of verdrietig van werd.

Er viel niets tegen te beginnen. Vanaf het moment dat ik mijn ogen sloot en het zandmannetje zijn werk liet doen, tuimelde ik in spannende, maar steevast ook walgelijk aflopende avonturen.

Voor een heleboel mensen op een of ander feest moest ik koken. Ik sloeg een kip de kop af om ze in de pot te doen, maar ze glipte uit mijn handen en liep wild met de vleugels slaand rond, blindelings vluchtte ze het hoekje om en belandde in de beerput. Ik viste ze eruit, waste ze af onder de kraan, tot de ergste stront eraf was, en bereidde ze daarna. Niemand van de eters had iets in de gaten, er waren er die hun duim naar boven staken om aan te tonen dat ze het lekker vonden. Ze waren met meer dan twintig, en toch leek er aan de kip geen einde te komen, zoals in de Bijbel met de vissen en de wijn. Iedereen bleef maar opscheppen en schransen, en het duurde niet lang voordat de eerste gasten ziek werden van pure oververzadiging, en rood aangelopen en kokhalzend, met hun hand voor hun mond, van de feestdis wegbeenden om over te geven.

De gemoederen geraakten verhit, de stemming sloeg om, en een lelijke dikzak wees mij aan als schuldige van dit alles, terwijl zij toch zichzelf de dood in vraten – wat ook werkelijk gebeurde toen een dame met een doffe klap, zoals die van een opgeblazen papieren zak die men stukslaat, ontplofte. Zij kwakte met haar gezicht neer in het bord voor haar op tafel, en vervolgens moest ik op de vlucht, want een leger waggelende, walgende en brakende mensen kwam mij zwaaiend met de vuisten en met tafelmessen achterna.

Zelfs tijdens het dromen al, ín de droom, begon ik mij bewust te worden van de angst voor een verrassende en onplezierige wending. Voortdurend werd ik beheerst door de vrees dat elk moment nonkel André ten tonele kon verschijnen om mij weer als dweil te gebruiken, of Ria, die mij om onduidelijke redenen de huid vol schold en zei dat ze mij nooit meer wilde zien. De pret werd op alle mogelijke manieren vergald, en ik verlangde er bij het ontwaken telkens vuriger naar om mijn hoofd weer donker te kunnen maken, beeld- en geluidloos.

Het werd met de dag erger, er ging geen nacht voorbij of de cinema begon, soms vijf of zes verschillende films na elkaar, tot 's ochtends vroeg.

Het belabberdste was dat ik aan het einde van de nacht geregeld droomde dat ik wakker werd, en er weer iets afschuwelijks gebeurde, zoals die keer met die oppasser met zijn baard, zodat ik soms bij het échte ontwaken niet helemaal zeker van mijn stuk was, vrezend dat ik nog steeds droomde, en er een soort van vagevuur ontstond dat soms langer dan een halfuur kon duren en waarin ik een verterende twijfel voelde of het nu al dan niet gedaan was, en of de dag nu ook in het echt begonnen was.

Het zou nog jaren duren voordat ik erachter kwam dat daar iets aan te doen viel.

NEGENENZESTIG

Ach, Fanta,

Hier zit een mens dan, te wachten tot zijn kameraad in slaap valt of finaal de levenslust laat voor wat ze is; hij is er de laatste tijd niet beter op geworden, mijn beste vriend Dré, Dré knorremans. Altijd misnoegd, altijd ontevreden, zelfs vijandig, hoewel ik hem meer dan voldoende spannende verhalen over mijn leven vertel. Als ik ooit eens de tijd vind en ge zijt er oud genoeg voor, dan zal ik ze u misschien ook eens vertellen. Doe dan maar uw gummilaarzen aan, haha, en neem maar genoeg eten mee voor onderweg.

Ik weet nooit wat gij kent. Gummilaarzen, hebt gij dat? Vast niet. Dat zijn dingen om aan de voeten te doen, voor als het zeer nat is, of om door beken te waden, wat bij u ook niet veel zal voorvallen, als ik uw foto's bekijk. In Bor wordt er niet door beken gewaad!

Ach, tegen de tijd dat gij de rijpheid hebt om mijn levensloop te aanhoren, ben ik al lang vergaan tot botten en klei, kleine Fanta. Zoals de meeste mensen in mijn leven – de meeste terecht, andere jammerlijk. En wie moet u dan steunen, vanuit het verre land? Van Van Houffelen kunnen we het niet laten afhangen, dat is die kloot die driekwart van mijn gift aan u als zogezegde bedrijfskosten achterhoudt, en ik durf u te verzekeren: gewerkt wordt er. In de Sea Grill en daarna in zijn Mercedes SLK – dit zal u wederom allemaal niet veel zeggen, maar trek het u niet aan. Met één vis uit de Sea Grill kan uw nonkel zich allicht een geheel nieuwe boot kopen, en die Van Houffelen werkt er meer dan één naar binnen, van die vissen, geloof mij.

Gedraagt hij zich overigens, uw oom? Knuffelt hij u soms? Of is dat iets wat in uw cultuur niet gebeurt? Dat kan, dat men bij u steeds rechtstreeks tot daden overgaat. Nu ik erover nadenk, heb ik hier nog nooit iemand uit uw contreien zich in het openbaar aan affectie zien overgeven. Ziet gij daar in Bor soms ook mensen van bij ons? En wat denkt gij dan? Daar, nonkel Oscar? Of is de stroom alleen maar van Zuid naar Noord?

Dat kunt gij allemaal niet weten.

Zo, ze zijn daar met het eten, het riekt naar blinde vinken. Dat zijn geen echte vinken, wat vogels zijn, voordat gij ons begint te verdenken van wreedheden jegens de dieren, maar het is een vleesbereiding waar men een vrolijke naam aan gegeven heeft. Ja, wij lachen wat af, Fanta! Tot weldra.

Nonkel Oscar

PS Wat een schitterende tekening hadt gij bij uw laatste brief gevoegd. Ik kon alleen niet zo goed zien wat voor beest het was, een wolf of een hond of een hyena. Hebt gij een hondje, als huisdier? Of houdt men dat niet, in uw cultuur, en eet men liever alles op? Dat zou geen schande zijn, ik versta dat, als men honger heeft. En waarom zou men de koe, het schaap of het varken wel oppeuzelen, en de hond ontzien? Dat is een hoop flauwekul, en bovendien is het zeer huichelachtig.

ZEVENTIG

Ik heb daar zelf lang over nagedacht.

Het was op een bijna lachwekkende manier. Ik droomde op een nacht dat ik als knaap in de keuken werkte van een zeer duur, prestigieus restaurant. Ik was de jongste chef die ze daar ooit hadden aangenomen, en alle andere werknemers waren jaloers op mij en bekeken mij met argusogen, en toen ik op mijn eerste werkdag voor het eerste gerecht een ei in een beker moest klutsen, ontglipte het mij en tikte op de kraaknette tegelvloer kapot, wat tot hoongelach leidde bij mijn collega's. Ik zag de baas van het restaurant teleurgesteld hoofdschuddend in de deuropening staan, denkend: wat een prutser. Alles wat ik die middag op het vuur zette, mislukte.

Het geestige was dat ik 's anderendaags 's ochtends, of liever in de voormiddag, want ik had uitgeslapen, na het doorgieten van de koffie een eitje in het kokende water wilde leggen en dat me precies hetzelfde overkwam als in mijn droom: het gleed uit mijn handen, en het petste kapot op de grond. Ik vond het een bizar maar vooral grappig en onbetekenend toeval, dat ik tegen de middag al vergeten was, want in diezelfde nacht, na de restaurantdroom, hadden tante Albertina en Françoise in mijn slaap weer zulke hemeltergende hekserijen met mij uitgehaald, waaronder een sandwich met mij als schamel beleg tussen hen in, dat zij moeiteloos mijn gedachten overheersten gedurende de rest van de dag.

Niettemin gebeurde er vervolgens iets merkwaardigs, wat ik in vele jaren niet meer had meegemaakt: ik had een droomloze nacht. Ik was een paar keren wakker geworden, mij afvragend wat er aan de hand was, en was er bij het weer inslapen van overtuigd dat de onprettigheden nu wel een aanvang zouden nemen, maar 's ochtends stelde ik opgelucht vast dat er helemaal niets was gebeurd. Dat duurde een kleine week, vijf of zes dagen, waarna een eerste voorzichtige droom zich weer aandiende, en in de dagen die volgden, was de trein weer vertrokken.

Hier kwam de bedenking weer bovendrijven die ik al enkele keren eerder had gemaakt, dat als men veel meemaakt zoals ik dat deed als kind, dromen enigszins overbodig worden, of dat uw ziel die als ballast beschouwt; misschien spelen die twee nog op andere manieren op elkaar in, misschien stut de realiteit de droom en stut de droom de realiteit, of proberen ze elkaar op een afstand te houden door de ander een spiegel voor te houden, wat zelden lukt, want de droom wint meestal.

Maar misschien, in die door mijzelf aanvankelijk wat als buitenissig beschouwde gedachtegang, had de gebeurtenis met het ei 's ochtends voor de perfecte reflectie gezorgd van het nachtelijke spookspel, en het daardoor, zij het tijdelijk, overbodig gemaakt of op de vlucht gejaagd.

De vraag was of het om een toevallige weerkaatsing moest gaan, of dat het ook mogelijk was om het effect met een opzettelijke daad te bewerkstelligen. Dat uittesten was een koud kunstje; het was gewoon een kwestie van wachten tot zich tijdens de slaap iets voordeed wat gemakkelijk genoeg in wakende toestand kon worden nagedaan, en men zou het weten.

De meeste zaken die de daaropvolgende nachten de revue passeerden, waren te gortig, maar toen ik in de vijfde nacht droomde over een buurvrouw die ik in het echt niet had, een lief oud dametje dat sinds vele jaren weduwe was, maar dat sinds de dood van haar man het troostende gezelschap had verkozen van een dwergpapegaai. Hij was een waar kreng. Hij kraste en gierde de hele dag door, hij riep en kraaide en zat eindeloos met de bek tegen de tralies van zijn kooi te raspen.

Op een dag was ik dat beu, en ondanks het feit dat die dame mijn steun en toeverlaat was en ik steeds bij haar terechtkon, klopte ik op haar deur, zei: 'Magda, ik ben het', ik duwde haar, toen ze met een lieve glimlach de deur opende, ruw opzij, stapte het appartement binnen, recht op de kooi af, deed het deurtje open en zonder verder iets te zeggen haalde ik het vogelbeest eruit, wrong het met één flukse beweging en onder luid maar kort protest van het vreselijke dier de nek om – knèk, zei het – en smeet het kadaver met het kopje bungelend aan de romp in de handen van een verbouwereerde Magda. Ze was sprakeloos van de schrik, de tranen rolden over de rimpelige wangen van het arme besje.

Ik had geen oud dametje als buurvrouw, maar het geval met het ei speelde zich in droom en daad ook in verschillende omstandigheden af. Het was, vermoedde ik, het exacte kopiëren van de gedroomde handeling dat ertoe deed.

Ik kocht die ochtend in de dierenwinkel een zo goed mogelijk gelijkende papegaai, ook met rood op zijn kop, en een die een even irritant geluid maakte. Ik heb hem de hele dag bij mij thuis in een kleine kooi laten zitten, en nadat ik 's avonds mijn boterhammen had opgegeten, ben ik resoluut op de kooi afgestapt, heb hem eruit gehaald en hem op exact dezelfde manier de nek omgedraaid. Zelfs de knèk klonk als de knèk in mijn droom.

Het werkte. Een week lang bleef ik 's nachts gespaard van schrille beelden en ellendige verhalen.

Drie weken later droomde ik dat Bellinda mij in mijn 1800S aan de kant van de weg aan het pijpen was.

EENENZEVENTIG

Ik heb u over de vogels verteld, maar dit is slechts een klein gedeelte van mijn houding ten overstaan van de dierenwereld.

Als ik iets mis, hier op mijn stoel, is het de natuur. Ik ben gek op de natuur, op velden en bomen, hoewel ik grotendeels in de stad mijn leven heb gezocht. Dat kon ook bijna niet anders, aangezien ik een zaak te beredderen had.

Geef mij een weide met enkele knotwilgen, een waterpartij in de vorm van een traag stromende stroom of beek, enkele ganzen of eenden aan de oever, het liefst slapend, want ze kunnen behoorlijk veel lawaai maken. (Bovendien zie ik graag slapende eenden, hoe deze met het kopje op de rug gevouwen liggen te dromen, als was het geknakt – als zo'n dier natuurlijk al droomt, en zou het dan steeds over zwemmen in het water gaan? Zou een eend nachtmerries hebben? Ik zeg maar iets, dat een boze jager hem of haar tracht neer te halen met een hagelpatroon, of het nest wordt bedreigd door een hongerige vos? Allicht zijn deze dieren daar te stom voor.) Maar geef mij dit alles, en een groot gevoel van rust en tevredenheid daalt over mij neer.

Waar velen niet bij stilstaan, maar wat een belangrijke waarheid is, een die mijn liefde voor het geheel nog aanwakkert, kameraad, is de haast volledige afwezigheid van negers in de natuur. Op zichzelf is dit vreemd, aangezien zij in hoge mate uit de natuur afkomstig zijn, zich voedend met wat die biedt, en sommigen zelfs nog wonend in boom of struikgewas, of er toch zeker het lommer van opzoekend wanneer men weer eens niet weet wat te doen, of om zich in alle rust en sereniteit voor te bereiden op het bespringen van de andere sekse.

Het is mogelijk dat zij, als zij eenmaal de oversteek naar onze gewesten hebben gemaakt, de buik vol hebben van de natuurpracht, en verblind raken door de fonkeling van de grote stad, waar heel wat meer te ritselen valt en ook aanzienlijk meer wijven rondlopen, die bovendien van een moderne strekking zijn, en dus uit op exotische ervaringen, denkend dat dit het leven glans verleent.

Dorpsmeisjes zijn wat dit betreft minder vertroebeld in het hoofd. Ik wed dat er zijn die ook al dromen van de glimmende negerstok, maar als puntje bij paaltje komt, vergeef mij de ongelukkige taalkluts, zullen zij dermate hard schrikken wanneer zij eindelijk een exemplaar in het wild ontmoeten, dat zij zullen afzien van ontkleding en aansluitende sekspartij, tenzij, uiteraard, zij er door de bruut toe worden verplicht onder bedreiging van een wapen.

Omdat deze negers graag tegen elkaar opscheppen over wat zij zoal hebben verduisterd, die dag, wat hun status in de groep verhoogt, is het platteland, hoe idyllisch het ook moge zijn, geen plaats waar zij vlot gedijen – men ziet hen in gedachten 's avonds al samenkomen bij de beek, onder de wilg, waar de ene zegt: 'Ik heb deze tak bemachtigd', en de andere in het allerbeste geval kan pronken met een roestige fiets, gevonden in een verlaten hooischuur, of een lange witte of grauwgrijze onderbroek, ergens van een waslijn getrokken. Hoe vermakelijk voor de toeschouwer dit ook is, vooral de beteuterdheid op hun tronies, voor henzelf is dit het nastreven niet waard. Zij tonen elkaar liever schitterende uurwerken, halskettingen van waarde of autoradio's en andere uitgebroken toestellen, waar treurig de draden en kabels uit hangen, verwijzend naar het verdriet van hij of zij die, bij terugkeer naar zijn of haar voertuig, het aantreft met een opengebroken deur of een verbrijzeld raampje, en zijn of haar noeste inzet en eerlijkheid weer beloond ziet met een stevige kater en een deuk in blijdschap en vertrouwen.

Ook de bewoners van dorpen en gehuchten spelen een rol bij het geringe aantal donkere bezoekers, aangezien zij, anders dan stedelingen, nog fors durven te protesteren wanneer zo'n kerel hun land betreedt, en er niet voor terugschrikken om luidkeels actie te voeren met het oog op vertrek of verwijdering. Zij zijn nog niet verkreukt door de angst om scheef bekeken te worden wanneer men voor zijn rechten opkomt, of om door deze zwarten zelf van verdrukking en discriminatie te worden beschuldigd, simpelweg wanneer men hen eens onderzoekend aankijkt of bijvoorbeeld contante betaling vraagt wanneer zij in een drankgelegenheid een glas bestellen, of vraagt of zij willen stoppen met likkebaardend naar zijn dochter te zitten loeren, die wegens haar prille leeftijd van zulke aandacht niet gediend is.

Niettemin vertonen deze buitenmensen hierover een hoge graad van schijnheiligheid. Zelf willen zij deze jongens niet, maar, erover aangesproken, zullen zij vaak vurig de stelling verdedigen dat men mededogen met hen dient te hebben, en begrip voor hun toestand en verlangens, en dat men als ontwikkeld mens niet zomaar de grenzen mag sluiten en hun resoluut de toegang mag weigeren.

Daarmee bedoelen zij: 'Wees tolerant en beschaafd, ginds in de grote stad, want dat zijn wij als natie aan de buitenwereld verschuldigd, als mensensoort aan de mensheid; haal uw schouders eens op wanneer zij 's nachts stiekem op uw dorpel zijn komen drukken en ruim het geurige goedje vervolgens op, doe geen aangifte wanneer zij proberen om met z'n drieën uw vrouw buit te maken wanneer zij door een verlaten straat loopt, koop u in stilte een nieuwe fiets of radio, niet reclamerend en zonder de politie te bellen – intussen zullen wij hier wel de beemden en bermen, de lome landwegen en de wiegende korenvelden, de dorpsherbergen en vooral de gemeentelijke steuntrekkerskassen negervrij houden. Wij zullen vredig en ongestoord voort van het leven genieten, weliswaar met de ups en downs die erbij horen, er sterft eens een koe en een tante krijgt iets aan de darmen, een fietsband loopt leeg of opa teert vreedzaam weg, maar neemt ú, stadsbewoner, het voortouw in de stoet der beschaving, toon uw veelzijdigheid en rekbaarheid, bewijs dagelijks in woord en daad dat u door de verlichting bent aangeraakt, en neem, boven op de gebruikelijke ongemakken van het bestaan, de kankers en de dodelijke ongevallen, de miskramen en de afgezette ledematen, ook nog de zorg voor deze bruine beren erbij, de schoonmaak en het ongemak, de angst en de paniek, het verdriet en de stille woede wanneer zij uw pad hebben gekruist.'

Nee, plattelandsbewoners, ik hoef ze niet.

TWEEËNZEVENTIG

Wacht een moment.

Mijn dochter werd geboren op 15 juli van het jaar dat ik veertig werd, negen maanden minus een week nadat ik Nancy in de auto op mij had laten zitten. De teef had er zelf op aangestuurd en ze genoot er met volle teugen van, aan de verlaten bosweg. Ik begroef mijn gezicht in haar lamlendige tieten, die op ooghoogte hingen, en onderwijl bleef zij maar gaan, sissend en hijgend, met haar billen petsend op de mijne, nu en dan met haar mond de mijne zoekend, en dan roerde ze heet en wellustig met haar tong erin. Onze twee bekken waren mestnat van het kwijl.

Nee, het gebeurt niet elke dag dat men op deze manier medewerking krijgt van een vrouwmens, een medewerking die enkel werd onderbroken door de komst van een fietser op het pad waar wij stonden. Men moet toch altijd voorzichtig zijn met dit soort zaken. Dat men een wijf zit vol te knallen aan de kant van de weg, daar maken de meeste mensen geen spel van, ze zullen met een glimlach denken: het is hun gegund, maar als men het in een Mercedes 250 SE Coupé zit te doen, komt er vaak jaloezie bij kijken, en moet men opletten dat ze er de gendarmen niet bij halen.

Nancy was zesentwintig en stond aan de sorteer, en zoals ik al eerder heb aangestipt, heb ik geen zwak voor dikke exemplaren, en dus maakte ik geen aanstalten om haar te lokken; zij lokte mij. Het ging van 'baas' hier en 'baas' daar, met altijd praatjes die net op het randje bengelden, ik bedoel: 'Het is warm vandaag, hè baas, maar dat hebben wij graag, hè baas?', met haar volle glimlach erbij; de oppervlakkige toehoorder zou er waarschijnlijk niets van denken, maar er hing aan alles wat ze zei een geur van vuiligheid en seks.

Zij zag haar kans schoon toen zij op een avond op de parking met haar brommertje stond te kloten, juist op het moment dat ik naar buiten reed. Het bromding wilde wel starten, maar er zat geen vermogen op.

Ik draaide mijn raampje naar beneden en informeerde naar de problemen, en toen we een paar minuten verder waren, zat ze al naast mij op de passagiersstoel en legde ze uit waar ze naartoe moest. Vervolgens begon ze over haar leefomstandigheden te zeuren, die allesbehalve fraai waren; ze woonde in bij haar moeder, die voortdurend met haar gezondheid sukkelde. Haar vader was er eerst vandoor gegaan met een ander vrouwmens, dat wellicht gezond was en aan zijn wensen tegemoetkwam, maar was luttele maanden na zijn heimelijke aftocht om het leven gekomen bij een arbeidsongeval, dat ruimschoots de kranten had gehaald. Doordat hij na de gebruikelijke uren in het zwart bezig was geweest, en er niemand anders aanwezig was, had hij na een kwalijke val een uur of langer op de werkvloer gelegen, waarna de werkgever flink aan de tand werd gevoeld en de achterblijvende familie in een bittere juridische strijd om compensaties verwikkeld geraakte, waardoor de sfeer thuis niet bepaald verbeterde. Per slot van rekening waren ze dan ook nog met een kluitje in het riet gestuurd, waarna er enkel nog somberheid restte, en daar leefden zij nu in.

Ik zweer het u: men mag nog zo de voorschriften voor veiligheid en hygiëne in acht nemen, en er alles aan doen opdat zijn werkvolk in de riantste omstandigheden kan staan doen alsof, toch zal men als werkverschaffer de bonen vreten wanneer een van zijn personeelsleden door stomheid of onoplettendheid in de penarie belandt.

Het zij zo.

Ik was geraakt door haar vertelling, en als men op mijn gevoel speelt, ben ik vatbaar voor veel, zo niet alles, en voor ik er erg in had, was ik een bosweg ingedraaid, waarop Nancy hoegenaamd niet had tegengeprutteld. De seconde dat de motor op een stille plek was afgezet, schoot ze op mij aan als een hongerige wolf; terwijl ze haar tong diep in mijn mond drukte, zat ze met haar rechterhand al mijn rits open te rukken en mijn broekriem los te maken, en luttele seconden later begon ze doelbewust haar ding te doen. Het pijpen was aanvankelijk een tegenvaller, want ondanks haar grote spekmuil zaten er voortdurend tanden in de weg, maar ik moet toegeven dat het mij wel iets deed, nadien, toen zij haar ruime, vochtige spelonk op mijn toren zette en deze er zonder verdere formaliteiten of plichtplegingen, zoals het uitrollen van een condoom, in liet verdwijnen.

Twee weken later kwam zij niet meer opdagen aan de sorteer; ik heb de receptioniste nog laten rondbellen, maar die kon haar nergens vinden. Ik vond al dat ze de dagen na onze neukpartij een beetje afwezig was geweest, niet onvriendelijk, maar ze stond te dromen.

Ik dacht: ik rijd nog eens langs haar huis om te horen of ze dood is, maar dat zou misschien te veel aandacht zijn, wie weet wat mensen zich allemaal in het hoofd halen, en bovendien was het niet nodig, want een hele tijd later belde zij 's avonds bij mij thuis aan.

Ik had in het begin in het halfduister niet eens gezien dat ze zwanger was, met haar van nature reeds dikke pens. Ze zei op valse toon: 'Het spijt me dat ik zo lang niets van mij heb laten horen, maar ik wil u toch deelachtig maken aan uw komende vaderschap, dat zou anders niet proper zijn.' Al sprekend wreef ze met haar linkerklauw over haar buik, die inderdaad bijna op ontploffen stond.

Ik zei: 'Nancy, kom binnen.'

Ze zei dat ze uitgerekend was voor midden juli en dat ze wel contact zou zoeken tegen die tijd. Ik dacht: nu nog mooier, een kleine.

Om mij afdoend over haar te informeren ging ik twee dagen later toch maar langs het adres dat ik kende, waar haar moeder mij kwaadaardig en vals aankeek. Ze was zo mogelijk nog lelijker dan haar dochter, en lijkbleek, en in de kamer stonk het naar iets chemisch. De oude draak zei dat ze niet goedgehumeurd was, want dat haar wicht maanden geleden was vertrokken, ze wist niet waarheen, en dat ze naar de gezinshulp had moeten bellen om een poetsvrouw te vragen, want dat de steun vanwege Nancy volledig was opgehouden.

'Hebt gij kinderen, mijnheer?' vroeg ze.

Ik twijfelde even en zei nee.

Toen zei ze: 'Laat dat dan maar zo, want in het begin denkt ge dat ge daar plezier aan hebt, maar ze steken u toch altijd het mes in de rug, de krengen.'

DRIEËNZEVENTIG

Aan de heer K. Verhoeven, Hoofdredacteur

Beste,

Ik ben zeer benieuwd of u tegen een beetje kritiek kunt. Hierbij mijn volgende bijdrage, waarbij ik reken op uw talent voor zelfrelativering en objectiviteit. Dat men een krant maakt, wil nog niet zeggen dat men niets verkeerd kan doen.

Hoogachtend,

Van Beuseghem

Betreft: 'De kwalijke rol van de dagbladen'

Een niet onaanzienlijk aantal mensen is ervan doordrongen dat het krijgen van een kind een meerwaarde verleent aan het bestaan. Dit is inderdaad niet onmogelijk, in de uitzonderlijke gevallen dat ouder en kind in karakter op elkaar lijken, en aansluitend goed met elkaar overeenkomen. Veel vaker is dit echter niet het geval en wordt de ouder, na jarenlang zichzelf te hebben weggecijferd en zich uit de naad te hebben gewerkt, door het kind beschouwd als een vervelend, almaar minder goed uit de voeten kunnend restproduct, een obstakel op de weg naar zelfontplooiing en geluk.

Dit is niet onlogisch en is ten dele een normaal gevolg van de evolutie van zowel de medische wetenschap als de massamedia. Niet alleen behoeft de steeds ouder (en onvermijdelijk krakkemikkig) wordende ouder gaandeweg meer en meer hulp, maar ook zien de nazaten tegelijkertijd de erfenissommen slinken, aangezien veel van deze oudjes ervan overtuigd zijn geraakt dat zij van het leven mogen en moeten genieten, en tot op hoge leeftijd, desnoods op krukken of gebogen over de rollator, vakantiereizen ondernemen en restaurants bezoeken. De dagbladen spelen hierin een aanzienlijke rol, aangezien zij het rondgehup en -gehobbel van ouden van dagen nadrukkelijk in de kijker zetten en zelfs verheerlijken en aanmoedigen. Dat dit tot spanningen leidt tussen de generaties, is niet te vermijden.

Oscar Van Beuseghem, Oostmoer

VIERENZEVENTIG

Aan de ambassadeur van Zuid-Soedan

Hooggeachte heer,

Ik hoop dat u uw verblijf in ons land aangenaam vindt, ondanks kou, regen en de laatste week ook sneeuw. Gelukkig kan men zich hierop kleden, maar voor een man met uw achtergrond zeg ik niettemin: 'Chapeau!' Wij zijn dit van kindsbeen af immers gewend.

Ik schrijf u naar aanleiding van een heikele kwestie. Reeds geruime tijd wordt er van mijn gepensioneerdenrekening maandelijks een bedrag afgehouden door de genaamde Serge Van Houffelen van de vzw VHK, wat officieel staat voor Van Houffelen Kindervreugd, al valt er niet veel vreugd te beleven, zeker niet voor eventuele kinderen. Deze man is een leugenaar en een bedrieger, die in ons land argeloze burgers ronselt om het pleegouderschap op zich te nemen van kinderen in den vreemde. Hij steekt echter een aanzienlijk deel van de geschonken sommen in eigen zak, en ik durf u niet hardop te vertellen waarvoor die worden aangewend, maar fraai is het niet. Maandelijks komen slechts dertig Soedanese ponden terecht bij de genaamde Fanta, wonende in de buurt van Bor, te Zuid-Soedan – inderdaad, mijn pleegdochter.

Over meer gegevens betreffende dit kind beschik ik niet; zo sluw is Van Houffelen wel, dat hij niet zijn hele winkel prijsgeeft, en door zo te handelen zelf de touwtjes in handen weet te houden. Alle briefwisseling passeert langs zijn bureau.

Ziehier mijn vraag, waarbij ik hoop dat u enige minuten de tijd kunt nemen om ze te lezen en te overdenken. Bestaat de kans om via uw diensten gegevens te verkrijgen omtrent dit kind, namelijk achternaam en precies adres? Zodat ik mijn maandelijksc giften rechtstreeks, en zonder dat er overal geld aan de vingers blijft plakken, kan overmaken. Ik stel mij voor dat er geen honderdduizend Fanta's rondlopen in uw land van oorsprong, zeker niet in de buurt van Bor. Voorts kan ik u melden dat zij een nonkel heeft die Muntuntu heet en die als visser aan de kost komt, waarbij geregeld zijn netten het begeven. Het lijkt mij dus niet onverstandig om uw zoektocht aan te vangen in de buurt van water. Ik ga ervan uit dat deze Muntuntu het goed voorheeft met de mensen, maar het zou misschien geen kwaad kunnen om even na te kijken of hij een strafblad bezit – men weet het nooit zeker, met deze schuine familiebanden, en dit zou u sneller op het spoor van zijn nichtje kunnen zetten.

Hopende dat u mij, maar ook de genaamde Fanta, die een flink meisje is, kunt helpen, want uiteraard zal dit haar, en bij uitbreiding haar familie en vrienden, ten goede komen, en steeds tot enige wederdienst bereid, zelfs in de vorm van een bedragje ter aanmoediging, aangezien dit geloof ik in uw land van oorsprong niet ongebruikelijk is in de ambtenarij en het overheidsbedrijf, verblijf ik,

Met de hoogste achting, Monseigneur,

Van Beuseghem Oscar

PS Gelieve hieromtrent geen contact op te nemen met de heer Serge Van Houffelen, aangezien hij geen vragende partij zal zijn voor deze aanpassing van de feiten, want ik verzeker het u, hij heeft er een en ander bij te verliezen.

VIJFENZEVENTIG

Onderbreek mij niet.

Ik voelde aan mijn water dat die Nancy bepaald geen goede voornemens aan het maken was; na het kalven zou dat opnieuw aan mijn deur staan, deze keer met baby, en met de wens om voorzien te worden van financiële middelen voor de opvoeding. Ook dat nog. Het was halfweg de zomer toen ze inderdaad, afgeleefd en bleek van het bevallen, aanbelde, met medebrenging van een draagbare wieg met daarin zogezegd mijn dochter, die ze zonder iets te vragen Els had genoemd.

Els was een schreeuwlelijk kind en ik dacht direct te kunnen zien dat er iets verkeerd mee was. Het keek scheel en het zat de hele tijd vreemde bewegingen met de tong te maken, alsof het iets onzichtbaars uit de mond wilde werken. Het is niet mooi om dat van uw eigen kind te zeggen, maar erg fleurig zag de toekomst van dit ding er niet uit. Vol walging zat ik naar het witte moederkalf in mijn fauteuil te kijken, met dat mismaakte mormel in haar armen, mij afvragend hoe ik mij hieruit zou kunnen redden.

'Is zij wel van mij?' probeerde ik, en resoluut antwoordde ze ja. In geval van twijfel moest ik maar een test laten doen.

'Wat wilt ge nu?' vroeg ik voort.

Ze zei, naar verwachting, dat ze verwachtte dat ik mijn verantwoordelijkheid zou opnemen en mede zou instaan voor de opvoeding van het kind; dat ze niet dacht dat ik, met mijn drukke professionele leven, steeds de pampers zou vernieuwen en melk lauwwarm zou maken, maar dat het zou volstaan dat ik regelmatig een ronde som in contanten aan haar zou overmaken. Als ik zin had om eens met haar te gaan wandelen, was dat oké.

Ik dacht: ik zal voorlopig een bijdrage leveren, tot ik de moed bijeen heb geraapt en een definitieve oplossing heb verzonnen. Ik zei: 'Ik ben nog bij uw moeder langs geweest', om de conversatie op gang te houden, waarop ze niet reageerde; ik zei: 'Het stonk er verschrikkelijk', maar ook daarop kwam geen antwoord. Ze zat veeleer liefdeloos naar haar kind te staren, met een trek om de mond van 'waar ben ik nu weer aan begonnen'.

Geruime tijd later was ik deze toestand, vooral het overhandigen van bankbiljetten, al lang beu, en vele keren waren mij de lust en het verlangen bekropen om het moederdier eens een doortastend bezoekje te brengen, waarbij er naar een vergelijk kon worden gestreefd, indien mogelijk drastisch.

Het moet zijn dat het krijgen van een kind, zoals men hoort beweren, ook op de man een grote invloed heeft, want hoewel deze toestand er hopeloos uitzag, vooral naar de toekomst toe, want een kind kan men niet even wegdenken, kon ik mij er maar moeilijk toe zetten om de dikke pad die Els het leven had geschonken, en zichzelf al doende in één moeite een interessante en niet al te vermoeiende broodwinning, uit te schakelen.

Ik heb met mijn vinger op de bel gestaan, aan het halfvrijstaande huis dat ze zich nu dankzij mijn steun kon permitteren. Waarschijnlijk zou ze eens raar kijken, als ik na het betalen van de dwangsom zou vragen of ik in ruil boven eens naar ons Els kon gaan kijken, maar ze zou uiteindelijk ook de trap op stommelen.

Voor de vorm sta ik dan even met een vertederde blik gekromd boven de wieg, en daarna laat ik haar voorgaan, en boven aan de trap haak ik mijn voet achter de hare en geef ik haar tegelijk een flinke duw in de bovenrug, waardoor ze gillend en buitelend naar beneden dondert; ik hoor de trapleuning kraken onder haar gewicht en uiteindelijk weet ze zo voortreffelijk te landen, namelijk recht op haar hoofd, dat ook dat ter besluit luid 'krak!' zegt. Dan is het gedaan met het geroep.

Onze Els is een flinke slaapster, ze knort gewoon lekker door, ondanks het helse lawaai. Ik ga nog even kijken naar het plotse weesje, zeg: 'Goedenacht, prinses', vergewis mij beneden aan de trap nog eens van de dood van de moeder, denkend: er is niets vettigers dan dikke wijven die dood zijn, op slag worden al hun lelijke kanten nog eens extra uitvergroot, zoals pafferigheid, hangende wangen, dubbele kinnen en brede reten; doordat de weinige spierkracht die er bestond, helemaal is uitgeschakeld, hangt alle overtolligheid dubbel en dik. Een begrafenisondernemer verdient ieders respect. Til zoiets maar eens op, om te beginnen, er zijn prettiger bezigheden.

In de populaire bladen zou staan dat voorbijgangers en buren waren gealarmeerd door het geschreeuw van een kind. Het ding had de hele voormiddag van de honger en de eenzaamheid liggen krijsen, wachtend op haar ontrouwe moeder, en na verloop van tijd hadden ze de politie gebeld en die had de alleenstaande gruwel onder aan de trap aangetroffen, zo dood als een pier, wellicht ten gevolge van een ongelukkige val na het controleren van haar slapende dochter, genaamd Els, die nu zou worden overgedragen aan een weeshuis, aangezien vermoedelijk de enige nog levende bloedverwant een rotte bedlegerige oma was, die stonk naar de medicamenten, maar dan anders verwoord.

Ik zou bij het lezen denken: Els, wat een ruwe aanvang toch van je jonge leventje, maar wellicht is het beter om vrolijk op te groeien bij kameraadjes en vriendinnetjes dan onder de vleugels van een koe met slechte bedoelingen, een afpersster bovendien, die de vader het geld uit de zakken sloeg, na zich onrechtmatig te hebben laten volpompen.

Ik ben er hoe langer hoe zekerder van dat dat gedoe met haar brommertje een stuk theater was, in de hoop op mij te kunnen kruipen en dit ranzige plan ten uitvoer te brengen, en nooit meer te hoeven werken in haar hopeloze leven. Want dat is toch altijd het uiteindelijke doel van deze natte dozen. Of ze het nu bereiken door middel van chantage, of moederschap, depressie of zorgverlof, leugens of achterbaksheid, of het huwelijk, rusten zullen ze niet tot ze op kosten van een ander met hun dikke vieze billen de hele dag in de fauteuil kunnen zitten, hijgend van de verveling, zichzelf koelte toewaaiend met een eerstelijnsbrochure voor vette en ontoereikende vrouwen waarin ze de raad krijgen zich positief op te stellen tegenover de samenleving, zich afvragend wat er nog in huis is om te eten, wat een sneeuwbaleffect van nog meer vadsigheid teweegbrengt.

Onbegrijpelijk, inderdaad.

ZESENZEVENTIG

Over zulke vrouwen gesproken.

Schommelend ziet men deze de discountsupermarkten binnengaan, zich met beide handen overeind houdend aan hun stootkarretje, de kniegewrichten krakend onder de abominabele massa die zij moeten torsen, met hun lelijke kleine varkensoogjes nerveus turend, als hongerige zeugen die de boer zien naderen met de kruiwagen vol varkenspap, naar de vele met suikers en vetstoffen verrijkte voedingsmiddelen, meestal in ruime gezinsverpakkingen, die ze wel volledig solo leegvreten.

Puffend maar glunderend bereiken zij na een hele poos de kassa, de kar barstensvol met hun toekomstige overtolligheid, koeken, repen, vleespakketten, droge worsten, natte worsten, zakken vol met Marsen met dertig procent gratis, voorverpakte hotdogs, zoet brood, dikke, plompe flessen cola van ontelbare liters, die ze allicht als tienuurtje leeggorgelen, tegen de eerste suikerdip van de dag.

Staat men achter zo'n vleesberg aan de kassa aan te schuiven, dan weet men zich verzekerd van een lange en onprettige wachttijd, niet enkel vanwege de grote hoeveelheid koopwaar, maar ook omdat zij steevast een stapel kortingsbonnen te verzilveren hebben, en bovendien betalen met door de overheid aan laagverdieners en kanslozen – want dat zijn ze – verstrekte cheques van kleine coupures, wat een eindeloos getel en hergetel door de kassajuf teweegbrengt; vaak hebben zij ook reeds een van de artikelen geopend omdat zij hun trek niet de baas konden, en hebben zij de helft ervan tussen de schappen reeds opgeschrokt, wat steeds voor misverstanden zorgt, en discussies met het bedienende personeel.

Intussen wordt men als toeschouwer verplicht naar de vochtige verticale streep op hun kleurrijke legging te staren, terwijl zij steeds dieper vooroverbuigen om de koopwaar uit de kar te halen. De opwinding van het winkelen en het vooruitzicht van de komende vraatsessie hebben immers de zweetproductie aangezwengeld, waardoor ze een geur verspreiden die een mens alle honger ontneemt voor het komende etmaal, een zuurzoete lijfgeur met suikers en vetten doorwasemd, vermengd met de bittere toets van hun bedorven adem, veroorzaakt door holle kiezen en achtergebleven vleesresten, die het tandvlees doen zwellen en etteren. Dan mag men van geluk spreken als zij door al hun gymnastiek geen kruidige wind hebben gelaten, die van tussen hun kleverige bilnaad stiekem langs hun spekrug naar boven is gelekt, de vrijheid tegemoet, aangezien hun darmstelsel niet voorzien is op zo veel gebuig en gehef.

Hoe vaak staat men niet naar zo'n dampcentrale te kijken, vol afschuw, niettemin trachtend om wijs te worden uit het palet van zintuiglijke indrukken die u tegemoet komen gerold en gedreven, de blik ongewild gefixeerd op de gespannen stof van de broek, die vermoeid lijkt – hopeloos laat ze her en der bulten ontstaan en oneffenheden, rimpels en glooiingen, omdat ze de druk niet meer weet te weerstaan en de berg vet zijn meug moet geven.

Men kan, men wil zich niet indenken hoe deze legging 's avonds, na een lange, warme dag, voor het te bed gaan wordt afgestroopt, door het zweten totaal verkleefd met de beenhuid, nog gepeperder riekend, en als een natte tweede huid naast het bed belandt, waarna het ongewassen spekfestival zich op de matras laat zakken; men kan het ledikant horen zuchten, machteloos. Smakkend en zwaar door haar neus ademend, reeds een aanloop nemend naar het spoedig opdoemende gesnurk, zoekt dit barre wezen vervolgens, na het uitknippen van het schemerlicht, de slaap op, reeds denkend aan wat er de volgende ochtend gevreten kan worden. Allicht eieren met spek en ontbijtworsten, en ofschoon de laatste inname nog maar net achter de rug is, in de vorm van twee snoeprepen en een Bifiworst, vergezeld van drie grote bekers limonade, kampt zij reeds met een fonkelnieuw hongertje, vertolkt door een grommende maag en een darmsysteem borrelend als een overvolle en slecht functionerende rioolpijp.

Degene die dit de moderne welvaartsmaatschappij noemt, vergist zich, en zo niet, dan mag men zijn welvaart houden, geloof mij.

Dat doet mij eraan denken.

Er zat zo'n jongedame op een bankje in het overdekte winkelparadijs waar ik geregeld een wandeling maakte. Zij had een opgeblazen gezicht en haar haren plakten daar vettig tegenaan, allicht ten gevolge van haar omvang, aangezien deze vrouw voorzeker niet in een badkuip paste, en het vast ook een heel gedoe was om haar in een douchecabine te wurmen; bovendien kan men zich afvragen of dit wel zinvol zou zijn, aangezien de armen van dit monster te kort en te vet waren om voldoende wasbewegingen te maken, waardoor ruimschoots de helft van haar oppervlakte het zonder zou moeten stellen. Men zou hierbij de hulp van een ander kunnen inroepen, maar dat durft men zich niet voor te stellen, noch wil men het iemand aandoen. Wij zijn allemaal mensen.

Zij had een dikke plak pizza gekocht die rijkelijk was belegd met gesmolten kaas en worst, en die zij reeds voor de helft naar binnen had gewerkt, waarbij haar kin droop van het vet en de tomatensaus, en zij smakkend en loensend met haar diepliggende kraaloogjes om zich heen zat te kijken, als een dier dat een prooi heeft gevangen en beducht is voor rovers of aaseters, klaar om deze klauwend en snerpend van zich af te slaan.

Ik zei: 'Mevrouwtje, goedemiddag. Het doet mij plezier om iemand zo smakelijk te zien eten. De meeste mensen verwaarlozen hun voeding, zij besteden er nauwelijks aandacht aan, zij nemen niet eens de tijd om ervoor te gaan zitten, wat zeer nadelig is voor de spijsvertering.'

Zij keek mij aan met haar mond barstensvol, zodat zij niet méér kon terugzeggen dan iets wat, opborrelend van onder de vette hap, klonk als: 'Wie bent u?'

Onverstoorbaar praatte ik verder. Ik zei: 'Het belang van evenwichtige voeding wordt heden ten dage ernstig onderschat. Men denkt: het zijn de moderne tijden, alles wordt zorgvuldig overdacht en afgewogen in laboratoriums en onderzoekscentra, ik hoef dit zelf niet meer te doen; wat ik in de winkelrekken vind, zal wel goed voor mij zijn. Dit is natuurlijk nonsens. Artsen benadrukken dat velen veel te eenzijdig eten, terwijl men er juist goed op moet letten dat men in gelijke mate vezels, groenten, koolhydraten en vetten opneemt. U, van uw kant, geeft het goede voorbeeld. Uw maaltijd bestaat, als ik het goed kan zien, uit een deegproduct, aangevuld met groenten, zuivel en vlees, in ongeveer de juiste verhoudingen. U hebt hier vast goed over nagedacht voordat u de stap naar de verkoopbalie zette, en het doet mij plezier dat de jongeren die hier in groten getale hun middagpauze doorbrengen, zich te goed doend aan chocoladerepen en energiedrankjes, geïnteresseerd en bewonderend naar u omkijken, elkaar met de elleboog aanstotend, fluisterend: "Zo zou het moeten."'

Smakkend forceerde zij de inhoud van haar mond in haar keelgat, waarna zij mij enkele tellen met haar lippen uiteen bleef aanstaren, en ten slotte sprak: 'Dank u wel.'

'Uw gezin', vervolgde ik, 'is gezegend, mevrouw. Uw kinderen weten zich vast en zeker dagelijks voorzien van uitgekiende porties voedzaam eten, vangen de dag aan met een ontbijt dat voldoende energie geeft tot de middag, weten dat zij het rustig aan moeten doen met de suikerproducten, en behalen al doende ongetwijfeld goede cijfers op school, zowel qua kennis als qua gedrag. Uw man dankt dagelijks de goden, omdat hij iemand zoals u heeft gevonden.'

'Ik heb geen gezin', pufte zij, de plak pizza moedeloos over haar vuist gedrapeerd.

Ik dacht: halleluja, maar ik antwoordde: 'Mevrouw, dit is een onrecht. Hoe wreed de schepping! Dat zij iemand als u, die zichtbaar al het mogelijke goede in zich verenigt, het genoegen en het genot van een warm nest ontzegt. Hoe troostrijk moet dit heerlijke voedsel voor u zijn! Had ik mijn portefeuille meegenomen, ik ging u nog zo'n punt kopen, en ik mag u van harte aanraden om er zo dadelijk zelf nog een bij te duwen! Er is nog plaats beneden! De balzaal is nog bijlange niet vol! De beestjes lusten nog pap! Hoor ze piepen, de hongerige bekjes, zie hun rillende koude lijfjes! Spijs de hongerigen, mevrouwtje, het is een zeer onderschat werk van barmhartigheid, onderschat, maar niet door u, als een ware Marianne voert u de troepen aan, de rechtervuist in de lucht, in de linker een puntzak vol lekkers, de boezem vooruit, met bemoedigende blik omkijkend naar wie u volgt, op naar de volgende frituur, pizzatent of hotdogkraam! Vort!' besloot ik, terwijl ik met de vlakke hand op haar schouder mepte, wat over haar gehele lichaam een deining teweegbracht, die doodliep op haar gezwollen paarse enkels.

ZEVENENZEVENTIG

Aan de heer Kerkhove, Hoofdredacteur

Beste,

Sinds kort ben ik overgeschakeld op uw krant. Deze leunt meer aan bij mijn overtuigingen en visies dan alle andere dagbladen die ik heb geprobeerd. Gelieve dan ook hieronder een bijdrage te vinden, betreffende een onderwerp waarover ik reeds talloze malen mijn mening heb neergeschreven, met grote bijval van velen. U kunt deze rechtenvrij en kosteloos in uw publicatie opnemen.

Hartelijk,

Oscar Van Beuseghem

'Geestesvergroeiingen'

Er bestaan mannen, hoe onwaarschijnlijk dit ook mag klinken, die opgewonden worden door, en een voorkeur hebben voor geslachtsgemeenschap met buitenmaatse, in de volkstaal dikke, dames. Hoe ver van het begane pad moet een ziel zijn afgedwaald, voordat dit zich voordoet! Dat men van het verwijderen van de kleding van zo'n exemplaar zin krijgt in méér, terwijl bij elke stap de vetmassa meer een voorwerp wordt van de zwaartekracht, en men een levende druipkaars te zien krijgt, een almaar verder uitdijende en inzakkende hoop mens, die voorheen nog enigszins bijeen werd gehouden door de stevige elastieken van onderbroek en bustehouder, door de stof van jogging-broek en anorak; lef, moed en aan roekeloosheid grenzende ondernemingszin moet het vergen, aan krankzinnigheid palende nieuwsgierigheid, als men zich aan de exploratie hiervan wil begeven. Exploratie, want het spreekt vanzelf dat het enig gezoek en gepuzzel zal vragen om de entree van zo'n dame te vinden, waarbij men steeds het risico loopt op onprettige bevindingen en smakeloze ontmoetingen met flora, en zelfs fauna, die men normaal niet met een menselijk lichaam associeert. Verwerpelijk is zelfs de gedachte hieraan. De lijders aan dit soort geestesvergroeiingen moeten terechtgewezen, veroordeeld of geholpen worden.

Oscar Van Beuseghem, Oostmoer

ACHTENZEVENTIG

Toeval bestaat niet, nee?

Het was niet zonder verbazing, doch ik herkende haar meteen, dat ik enkele jaren later onze Els op straat in een buggy zag zitten, uiteraard niet geduwd door dikke Nancy, maar door twee magere sukkels, die allicht zelf niet durfden te neuken, en bijgevolg, vermoed ik, zich tot de adoptie hadden gewend, waarbij de blijdschap om het hun toegekende kind al snel werd gesmoord door de vaststelling dat zij niet het hoogste lot hadden getrokken. Want als dit tafereel één ding duidelijk maakte, dan was het wel dat ik het ten tijde van mijn eerste inschatting van de zaken bij het rechte eind had, namelijk dat er aan dit kind een aantal, zo niet talrijke defecten waren, variërend van een scheef oog tot het gelebber met de tong uit de openhangende bek – eigenschappen die nu in al hun pracht en praal waren uitvergroot. Zij zat in haar buggy te kwijlen en 'm van jetje te geven, door spastisch met de onderarmen te bewegen, en een geluid voort te brengen dat leek op het gehinnik van een misnoegde pony. Het ouderpaar keek zorgelijk en ongelukkig voor zich uit, alsof het verderop, onzichtbaar voor het oog van anderen, een droeve toekomst zag liggen.

Nee, dit was geen tafereel waar men spontaan bij begon te lachen. Knus, zullen ze wel gedacht hebben: een kind van ons beiden zogezegd, de vervulling van onze dromen. Ze hebben waarschijnlijk een bescheiden feest gegeven voor de weinige vrienden en kennissen die ze zo te zien maar kunnen hebben. En dan krijgt men iets in de bak geschept waar men zijn leven lang spijt van heeft (waar een echte vader natuurlijk vanaf het eerste moment van wist dat het niet pluis was, maar als er geen biologische band is, let men daar allicht niet zo op, of heeft men die finesse niet in de blik), wat men nog jarenlang moet rondstoten in aangepaste kinderkarren, waar men nooit een deftig gesprek mee kan hebben, wat elke nacht het bed bevuilt en wat hoogstwaarschijnlijk, als het eenmaal tieten begint te krijgen, ook nog eens tegen haar zin door de opvoeder van het dagverblijf in de droge ongeoefende gleuf wordt genaaid, waardoor het karaktertje nog meer misvormd geraakt dan het al was.

Een grapje op zijn tijd kan geen kwaad, dus heb ik de moeite genomen om te zien waar ze naartoe gingen, vader met zijn scheve dikke bril en moeder zo slank als een ijzerdraad, met moedeloze, lang niet meer gewassen plakharen die trouw tegen haar wangen kleefden. Bij het rijhuis waar ze naar binnen gingen, heb ik hun namen genoteerd – hij heette vreemd genoeg Erkin en zij geheel onverrassend Kristien – en 's anderendaags in de voormiddag heb ik gebeld, ik zei: 'Mijnheer Sweyfels, u spreekt met dokter O. Verhardt, inspecteur van de toekenning van gehandicaptentoelagen van staatswege. Ik heb hier het dossier van uw dochter Els, aangenomen dochter inderdaad, zoals u correct aanstipt. U komt in aanmerking voor een aanzienlijke verhoging van de uitkeringen wegens de verregaande staat van verdwazing van uw kind, maar dan moet ik wel een keer bij u langskomen om de nodige controles uit te voeren. Wanneer past dit voor u?'

Erkin Sweyfels reageerde zeer beleefd en zei dat het de volgende dag zou uitkomen, dan was iedereen na het middageten thuis.

'Opgetogen' is een groot woord, maar toch zeer voorkomend waren die twee toen ik aanbelde. Er stonden direct koeken op tafel en het was van 'Wilt u iets drinken?' en 'Nog een chocolaatje, mijnheer de dokter?' – zij zagen natuurlijk de centen al rollen, in die mate misschien dat ze hun vergiftigd geschenk spoedig in een dure inrichting konden opbergen, en verder zonder hinderlijke storingen van hun schamele leven zouden kunnen profiteren, al is profiteren misschien te hoog gemikt.

Els zat in een kakstoel aan het hoofd van de tafel de boel te bekijken met haar tong uit haar mond en met een schele blik. Ik boog mij naar haar toe en zei vriendelijk: 'Dag meisje, Els is het, geloof ik', en ze brabbelde iets terug waar ik geen touw aan kon vastknopen. Het onfortuinlijke ouderpaar nam plaats tegenover mij, ik stelde hun enkele officieel klinkende vragen over de omgang met het kind en de ontwikkeling ervan, waarbij ik Els nauwkeurig monsterde en in de gaten hield, zoals een echte dokter dat zou doen.

'Uit de dossiers blijkt dat de kans op een volledige toelage zeer groot is', sprak ik op wijze toon, waarbij hun ogen gingen flikkeren, want een volledige toelage kreeg haast niemand meer in die dagen, alleen de gevallen die nog net konden in- en uitademen, bij wijze van spreken. 'Maar daartoe', vervolgde ik, 'moet ik een laatste grondig medisch onderzoek uitvoeren. Als u zo vriendelijk wil zijn', zei ik terwijl ik mijn aktetas op tafel zette, 'om het vertrek even te verlaten, dan zal ik het nodige doen.'

Ze gehoorzaamden pas na enig half stil protest, waarbij ik indringend zei dat dit gebruikelijk was, en dat het kind zich aanzienlijk beter op haar gemak zou voelen in een intieme omgeving. Daarna had ik vrij spel.

In een wip was het meisje ontkleed, en kon ik controleren of al haar lichaamsdeeltjes de nodige soepelheid vertoonden, wat bij haar een korte kreet veroorzaakte, die ik met een boze blik smoorde.

Na beëindiging van mijn onderzoek klopte ik op de keukendeur, waar de twee ouders zich hadden teruggetrokken, en riep hen.

'Haar toestand lijkt licht verbeterd te zijn', sprak ik ernstig, toen we weer aan de tafel zaten. 'Dat is vreemd. Normaal gaan in dit soort gevallen de reflexen stilaan achteruit, en hier niet; zelfs de zuigreflex is niet beneden de norm. Het spijt mij u te moeten melden dat u niet voor het beloofde in aanmerking komt, tenzij misschien bij een volgende evaluatie, daarvoor zal ik over een jaar nog eens terugkomen. Gelieve hierover geen verdere correspondentie te voeren met de bevoegde diensten,' voegde ik eraan toe, 'dat zou enkel in uw nadeel kunnen werken.'

Pa en ma keken alsof hun woning net ontploft was, met hen erin.

'U zei daarstraks dat de kans groot was', probeerde de vader nog, maar ik viel hem in de rede en antwoordde dat er nooit iets zeker is in deze dingen, dat het wel medische wetenschap wordt genoemd, maar dat men vaak met onverklaarbare zaken wordt geconfronteerd.

De moeder zei dat ze helemaal niet de indruk had, in de dagelijkse omgang met Els, dat er vooruitgang werd geboekt. Ze deed vaker dan ooit in haar broek en ze smeet met haar eten en ze kon nog altijd geen enkel woordje zeggen, maar ook dit geargumenteer hield ik met een streng handgebaar staande.

'Mevrouw,' zei ik, 'u bent de moeder, ik ben de dokter. Onze ervaringen en competenties liggen ver uit elkaar. U doet vast en zeker uw best, daar twijfel ik niet aan, maar ik betwijfel wel of u echt in staat bent, met uw beperkte capaciteiten, om uit dit kind het onderste te halen. Ik zal zelfs meer zeggen: in de handen van een bekwame opvoeder zou uw Els nu meer dan waarschijnlijk een kabouterliedje zitten te zingen, een relatief mooie tekening zitten te maken met haar stiften, en opgewekt "Dank u wel, dokter", en "Tot de volgende keer!" zeggen.'

Snikkend viel de moeder na deze harde maar noodzakelijke woorden in de armen van haar man, die binnensmonds iets zei wat ik negeerde, waarna ik het duo vriendelijk groette, hun nog een goede dag toewenste, benadrukte dat de studies voor dokter in de meeste gevallen tien jaar in beslag namen en dat de meeste mensen dat in niet geringe mate onderschatten, aardig naar Els wuifde en haar een knipoog toewierp; zij zat mij met een pruillip boos en scheel aan te kijken, de snoes.

'Veel plezier verder in uw knusse gezin,' riep ik, 'ik laat mijzelf wel uit!' Ik trok de deur met een extra harde klap achter mij dicht, zodat het nog aardig nagegalmd moet hebben in dit hebberige huishouden.

Ik moest mijzelf toch feliciteren met zo'n staaltje van acteerkunst; het was goed dat die mensen even op hun nummer werden gezet. Toen ik wegging, waren in elk geval de dollartekens in hun ogen volledig verdwenen, en vervangen door een doffe glans, die men doorgaans aantreft in de kijkers van hen die alle hoop hebben verloren, de sukkelaars.

NEGENENZEVENTIG

Ik had dit reeds aangeraakt in mijn betoog over de wetsgeneeskunde, maar ook binnen de huisartsenij bestaan er verschillende stromingen. Ze bestaan, huisdokters, al gaat het om een minderheid, die plezier aan hun vak beleven. En men heeft er, het gros, die elke ochtend grommelend de dokterstas vastgrabbelen en zuchtend hun hoed opzetten, om vervolgens met een slakkengang, geïnspireerd door vermoeidheid, tegenzin en lamlendigheid, de tocht naar de eerste patiënt aan te vatten, stinkend naar de sigaretten en de sterkedrank, aangezien zij, futloos en wel, niet meer de moeite doen om hun tanden te poetsen of de bek snel met een ontsmettend drankje te spoelen, nochtans goed wetend dat zij een stankprobleem hebben, gevoed door hun diverse verslavingen.

Al heb ik meer sympathie voor de eerste soort, die vrolijk de zieke tegemoet treedt, waardoor deze zich allicht op slag een pak beter voelt, begrijpen doe ik de tweede categorie zeer zeker. Zelden staan wij daarbij stil, aangezien wij steeds onszelf als uitgangspunt nemen in onze gedachten en bespiegelingen over de wereld en de mens, en dit op anderen projecteren, aldus veralgemenend. Maar niet ieder mens heeft een keurig onderhouden lichaam zoals het onze – waarbij wij niet naar enkele kleinere mankementen kijken, zoals een falende haardos of een zekere aanzetting aan de buik of de borsten, dat komt met de leeftijd, of bijvoorbeeld enkele vlekken of wratten, of onregelmatige haargroei in oren en neus, en in de donkere voor van het zitvlak.

De huisarts komt niet steeds in aanraking met nette mensen zoals wij, die ervoor zorgen dat hun lijf en leden ondanks de wassende leeftijd in een daarom niet optimale, maar toch zo goed mogelijke vorm verkeren. Neem de proef op de som, ga de straat op, mocht dat kunnen, en stel u een kwartier lang voor dat gij huisarts zijt en dat elke passant die ge ziet, zich ter plekke voor u dient te ontkleden, voor een diepgaand onderzoek. Ik verzeker u, na vijf minuten stopt u, trillend van angst, met dagdromen.

Er zijn vanzelfsprekend de lodderige vrouwmensen over wie ik het al uitgebreid genoeg heb gehad; denk voorts aan de bleke, met mee-eters bezaaide tieners die op hun eigen, zeer specifieke manier geuren wanneer zij de onderbroek uitdoen, al kunnen zij daar niets aan doen; oudere mannen die zich hebben laten gaan in verdriet of tegenzin, die rammelend van de magerheid rondlopen met hun lange oorlellen en hun erwtjesadem, die zeer kenmerkend is voor een hogere leeftijd en die men soms van een aanzienlijke afstand kan ruiken – stel u voor dat u in zo'n mond uw houten latje moet steken en eisen: 'Zeg eens a!'; huisvrouwen wier lichamen door het baren op hun kop zijn gaan staan of binnenstebuiten zijn gekeerd, en die, doordat zij bijvoorbeeld in de schoonmaakindustrie hebben gewerkt, door voortdurend contact met chemische producten een vuurrode, schilferige huid hebben gekregen waar men met een tang nog niet zou durven aan te komen; negers – want ook dezen worden ziek en hebben recht op verzorging – die aan hun vrije levensopvattingen en hun courante gebrek aan basishygiëne de weelderigste ontstekingen hebben overgehouden, die bij hen op exotische wijze aan de oppervlakte komen, vaak in de schaamstreek; mannen met stuitend overgewicht, de broek doorgaans opgetrokken tot boven de navel, aangezien deze anders met geen enkele ceintuur op te houden valt, waardoor hun scrotum geplet geraakt, en, van buiten af zichtbaar, in twee delen aan weerszijden van de kruislijn hangt, één bal per broekspijp.

Ik zweer het u, de keren dat men denkt: dit vrouwtje wil ik weleens op mijn onderzoekstafel zien liggen, terwijl ik met mijn stethoscoop over haar buik glijd, goedkeurend mompelend, waarna zij bedeesd vraagt: 'Dokter, kunt u ook nog eens mijn schaamlippen controleren, want zij prikken soms', waarop men zegt: 'Uiteraard, mevrouwtje, als u dan even de slip wilt verwijderen?', waarna men zacht maar vastberaden met de vinger het onderzoek verricht, en vervolgens een milde zalf voorschrijft en de raad verstrekt het bedrijven van de liefde met vreemdelingen tot een absoluut minimum te beperken, aangezien dit, of het nu beschermd of onbeschermd gebeurt, tot verregaande verwikkelingen kan leiden; die keren, ik geef het u op een briefje, zijn zeldzaam als witte raven, en raven zijn al zeldzaam op zichzelf. Men moet al diep de Roemeense bossen in, om er nog enkele in levenden lijve aan te treffen, als de plaatselijke bevolking ze al niet gevangen heeft en in de soep heeft gedraaid, onder de ogen van de verbijsterde natuurbeschermer, die jarenlang zorgvuldig het nest heeft afgeschermd en bestudeerd. Deze mensen, in dit soort landen, hebben doorgaans niet het minste respect voor de wetenschap. Het enige wat zij nastreven, is een volle buik, wat te begrijpen valt.

Het zij zo.

Nee, gezien dit alles kan men zich zeer goed voorstellen dat men, dokter zijnde, niet elke ochtend als een vrolijke frans het bed uit hupt, op naar nieuwe, boeiende avonturen. Dat men de hand aan de fles slaat, wanneer men 's avonds de film van de dag nog eens afspeelt in zijn hoofd, en al deze misvormingen en uitwassen van de op zich al wrede natuur ziet voorbijrollen. Dat men na het opstaan de tanden niet meer poetst, denkend: waar dient het toe? Dat men zijn huwelijk laat verzanden, in het volle besef dat ook deze dame onherroepelijk op weg is naar de staat van dienst die men dagelijks bij haar voorgangsters aantreft. Let er maar eens op: wanneer de krant in memoriams brengt van huisartsen, of gewone overlijdensberichten, zullen zij niet vaak de kaap van de zeventig jaar hebben gerond. Velen etteren weg of drinken en roken zich in de vernieling, nog voor de pensioenleeftijd. Ik zeg het u: zij verdienen ons respect.

TACHTIG

Nog vaak reed ik met een triest gemoed voorbij mijn ouderlijk huis, dat na al de rampen nog lange tijd had leeggestaan, wachtend op de herstelling van de brandschade en het toekennen van de verzekeringsgelden, waarna het als bijna-krot openbaar was verkocht voor toch nog redelijk veel geld, dat uiteraard mij toekwam.

Daarna bleef het jarenlang onbewoond, de rolluiken waren steeds naar beneden en er groeide welig onkruid op het trottoir. Waren dat mensen die er niets om gaven of was het in werkelijkheid een speculant geweest die het had gekocht, ik weet het niet, maar het stoorde mij enorm om de nalatenschap van mijn ouders in zo'n erbarmelijke staat te zien staan. Ik werd er misselijk van.

Ik begon de plek te mijden. Als ik in de buurt moest zijn, reed ik vaak blokjes om, om toch maar niet met die kwetsende werkelijkheid geconfronteerd te worden.

Ik wist dan ook niet of ik blij moest zijn of triestig, toen ik op een dag vele jaren later van grote afstand al merkte dat de luiken naar boven getrokken waren, de voordeur openstond en er op de stoep een hele hoop rommel was verzameld: grote brokken gipsplaat, flarden van muurbekleding en uitgebroken plafondpanelen, een rol oud tapijt en talrijke meubels, waaronder de sofa waarop ik helemaal in het begin tante Albertina's oor tussen mijn moeders billen had gezien, en die mij later ook geregeld een werkplek had geboden.

Ze waren bezig de tempel van mijn jeugd uit te mesten, zich niet bewust van wat zich daar allemaal had afgespeeld.

Het is toch sterk dat men ergens gaat wonen en dat men denkt: wat een aardig huisje, en mooi ingedeeld, niet wetend dat daar mijn hele jeugd lang de vieste bezigheden in ontrold zijn, er vervolgens een nooit opgehelderde seksdood heeft plaatsgevonden, en vlak daarop een zelfontbranding. Ik wed dat niemand, staand in het tuinhuis, zou durven te vermoeden dat daar nonkel André voor het eerst op mijn soldaten schoot, onder mijn bange blik.

Nee, men trekt daar vrolijk en opgewekt in, men schildert de muren alsof er niets is gebeurd, men vernieuwt de vloeren en restaureert de oude plafonds alsof het allemaal niets uitmaakt, men voedt daar zonder omzien andere kinderen in op, zich niet bewust van de ranzigheid die er voor eeuwig en altijd in de lucht hangt, want dat veegt men nooit meer zomaar weg.

Deze nieuwe bewoners hadden twee kinderen, een zoontje en een dochtertje, en veel soeps was het duidelijk niet, als men die op de stoep zag spelen. Ze zaten voortdurend allerlei zaken naar elkaar te smijten. Als de jongen met zijn miniatuurvrachtauto aan het spelen was, kwam zijn oudere zusje hem jennen en treiteren, tot hij zijn kookpunt bereikte en hij huilend het ding naar haar hoofd keilde. Dan raapte zij een steen op en gooide die terug, en werd het een wederzijds gegil en een gejank tot de moeder, een lelijk paard van een jaar of vijfendertig met een neus waar men niet goed van werd, zo groot en bultig, en een kapsel in twee kleuren, zwart en wit, naar buiten stapte en, in plaats van die twee kleine krengen een stevige dreun te geven, een opvoedkundig praatje begon af te steken. Dit was er zo een die het opkweken van kinderen uit de reeds eerder vermelde boeken had geleerd, want ze maakte er grote handgebaren bij en vermoedelijk ging het over lief zijn voor elkaar en de ander respecteren, ik kon het vanuit de auto niet goed horen. Ze was geen twee minuten binnen of de heibel begon opnieuw – zoiets weet men toch?

Nogmaals: wie ooit het idee gelanceerd heeft dat men kinderen met zachtheid tot grote mensen gevormd krijgt, zouden ze een straf moeten geven. Kinderen dient men van antwoord te dienen op een manier die ze met hun kleine, onvolgroeide hersenen kunnen begrijpen.

De vader van het gezin was zonder twijfel een ambtenaar, gelet op de zeer regelmatige tijdstippen waarop hij dagelijks het huis verliet in de ochtend, en terugkeerde in de vooravond. Men kon er letterlijk zijn horloge op gelijkzetten; bovendien werd men er telkens weer precies even voorspelbaar weemoedig van om hem te zien. Met zijn mondhoeken naar beneden en met de slaap in zijn doffe ogen, en met zijn goedkope, namaaklederen aktetas in zijn linkerhand, slenterde hij 's ochtends naar buiten, en met hangende schouders en zijn haar in de war slofte hij 's avonds weer naar binnen. Men kan, wil en durft zich niet voorstellen hoe zo iemand zijn kantoor betreedt, noch hoe zijn collega's daar een hele dag op hem moeten zitten te kijken, hoe hij zijn colbertje uitdoet en aan de kapstok hangt, zijn horloge raadpleegt om te zien of hij zeker niet te vroeg begint, zich aan zijn bureau zet en een map of een dossier uit zijn lade haalt, om daarmee de dag door te komen.

Men kan al de kaas tussen zijn witte boterhammen ruiken, die hij 's middags exact tussen kwart over twaalf en kwart voor één zal zitten opeten, onder het lezen van een dagblad, en met een lauwe kop koffie erbij. Zulke mensen geven mij onaangename kriebels, als ik gewoon maar aan hen denk.

Mijn haat jegens hem en zijn onnozele gezin was enkel maar gevoed en gegroeid nadat ik enkele dagen lang aan de overkant van de straat verdekt in mijn auto had gezeten, de drang bevechtend om aan te bellen en naar binnen te gaan en nog eens te kijken naar de plek waar ik mijn jeugdjaren had achtergelaten, waarbij het mij was opgevallen dat de vrouw elke donderdag tussen zeven en negen een activiteit had, een naaikrans of een cursus, of misschien verkocht ze dan haar lichaam voor een zakcent, hoewel dat dan geen grote kapitalen kunnen zijn geweest, gelet op haar rotkop.

Het is niet dat ik bang ben voor twee volwassen mensen, zeker niet die twee, maar men moet onnodige risico's vermijden, en dus besloot ik de woning binnen te dringen tijdens haar afwezigheid, de man en de kinderen uit te schakelen en haar vervolgens op te wachten, en te zien hoe ze op die verrassing zou reageren. Slecht vast.

EENENTACHTIG

Aan de heer Kerkhove, Hoofdredacteur

Beste,

Wellicht is de publicatie van mijn vorige schrijven door onoplettendheid mijnentwege aan mijn aandacht ontsnapt. Daarom stuur ik u het volgende, omtrent een thema dat grote delen van uw lezerspubliek zal bekoren.

Hartelijk,

Van Beuseghem

Betreft: 'Profiteren'

Een sluipend gif in onze samenleving, is de zicht- en voelbare tegenzin waarmee velen zich aan de arbeid begeven. Waarom zien zij hun eigen troosteloosheid niet, de mensen wier beroep een dagelijkse bezoeking is, een tergend karwei waar men zo veel mogelijk aan tracht te ontsnappen door er zo laat mogelijk aan te beginnen, zo vroeg mogelijk te stoppen, en ondertussen lange toiletbezoeken af te leggen, stilletjes krant of magazine lezend, te pas en te onpas buiten sigaretten te gaan roken, keuvelend met andere potverteerders, te doen alsof men met iets nuttigs bezig is terwijl men de quizvragen opstelt voor de halfjaarlijkse ontspanningsavond van de bediendebond? Kortom, als men de uren optelt waarin velen zich vermeien met ledigheid en onnuttigheid, en die toch door overheid of private werkgever worden vergoed, dan geloof ik stellig dat men gedurende een voltijdse carrière vijf volle jaren naar de maan helpt. En wat heeft men eraan? Wees eerlijk, blijf gewoon vijf jaar lang thuis, weliswaar onbezoldigd maar des te gelukkiger, aangezien men rustig zijn gang kan gaan met hobby of sportbeoefening, men de schoolresultaten van de kinderen kan controleren en kan ingrijpen waar nodig, de partner vaker ter wille kan zijn met klussen of coïtale gunsten. Zolang men maar niet verwacht dat iemand er handenvol bankbiljetten en de bijbehorende sociale tegemoetkomingen voor overheeft.

Oscar Van Beuseghem, Oostmoer
Gewezen zaakvoerder V.B. Witwas

TWEEËNTACHTIG

Nu, ernstig.

Men kan niet naar de wereld blijven kijken en blijven zeggen: 'Ik zou...', 'Ik wil...', 'Ik had beter...', 'Ik moest...', 'Mocht ik kunnen...' Men kan niet eeuwig net niet de bel beroeren en bijna het geklingel horen klinken, vrijwel direct gevolgd door de nietsvermoedende voetstappen in de gang; dagenlang in auto's zitten aan de overkant van straten, om de bewegingen in het oog te houden en dan werkeloos en vol slechte energie achterblijven, onrustig spelend met de versnellingspook; vol wrok de lui de dans zien ontspringen die u ontwricht hebben, die zonder erbij na te denken hun zin met u hebben gedaan, hun plezier met u hebben beleefd en geen moment overwogen hebben: wellicht is deze knaap in het geheel niet zo enthousiast over wat wij bij hem teweegbrengen.

Van deze eigen lafheid raakt men op de duur uitgeput, chagrijnig en wankel; zij beschadigt het zelfbeeld, vreet aan de fundamenten van het welzijn, verwoest het zelfvertrouwen en de krachtdadigheid die men nodig heeft als mens in deze wereld. De etter die het in de ziel achterlaat, leidt tot verdriet en angstvalligheid en een groot gevoel van onvolkomenheid.

Daden – daar draait het om, in het leven.

Met mijn krachtige DeWalt DC608-accuspijkerpistool in de rechterhand, weliswaar discreet achter mijn rug gehouden, besloot ik op een onverdachte manier aan te bellen, nadat de duisternis voldoende was ingetreden om ongezien te blijven. Ik hoorde hoe de bel 'dingdong' zei in de gang, waarop een hondje het op een blaffen zette, en op de stoep kon ik het geruzie horen van de twee etterkinderen, die schijnbaar alweer iets hadden ontdekt om het oneens over te zijn, vlak voor het slapengaan.

'Goedenavond, mijnheer, ik ben van uw verzekeringskantoor', gokte ik. 'Uw woningverzekering moet dringend worden aangepast aan de nieuwe normen die van overheidswege zijn opgelegd. Kan ik u daar even over spreken? Mijn naam is Verhardt.'

De flauwerik stamelde dat hij zijn kinderen in bed moest stoppen, maar ik deed alsof ik hem niet hoorde, en hij protesteerde niet eens toen ik naar binnen stapte, de deur achter mij sloot, fluks mijn tacker tegen zijn voorhoofd zette en hem op een 50 millimeter trakteerde.

Hij was te verbaasd om te reageren. Zijn ogen sprongen vol bloed, hij begon te kokhalzen, maar hij bracht amper geluid voort – allicht had ik hem pardoes in het spraakcentrum van zijn hersenen getroffen.

Vervolgens joeg ik hem twee centimeter naar links een tweede, en twee centimeter rechts van het eerste schot een derde spijker de kop in. Door de kracht van de inslagen knakte zijn hoofd tweemaal achteruit en stommelde hij achterwaarts tegen de onderste treden van de trap op, de trap die ik maar al te goed kende. Hij viel achterover, met zijn achterhoofd op de hoek van een trede. Door de schok kwamen de spijkers wat losser te zitten en spoot het bloed in drie prachtige, dunne straaltjes uit zijn voorhoofd. Nooit meer zou hij boterhammen zitten eten, dit stuk triestheid, nooit meer zou men hem ergens zien binnenkomen en denken: daar heb je hem weer, tenzij zeer spoedig in de kerk of het crematorium, naar keuze.

Aan het gekef achter de deur naar de woonkamer was inmiddels geen einde gekomen. Integendeel, het beest rook wellicht dat er iets niet pluis was, dus deed ik de deur voorzichtig open, net zoals destijds, toen mijn moeder op tante Albertina zat. Het dier, van een onbestemd ras maar zeer zielig en klein, zoals zijn baasjes, van wie één reeds zaliger, schoot opgewonden en zonder mij op te merken naar de dode man op de trap. Zijn angstige gekef zou een voorbijganger kunnen alarmeren, dus ik haalde de houten knuppel uit mijn binnenzak tevoorschijn en sloeg het onding met één krachtige tik het miezerige kopje in.

Met de bek opengesperd bleef hij liggen, nog nagrommend, waardoor ik het rijk alleen had, dat is te zeggen, los van die twee kinderen, die blijkbaar zo in hun onderlinge hatelijkheden opgingen dat ze niet eens in de gaten hadden dat er een vreemde mijnheer in de gang stond, en dat papa en Pekkie al niet meer antwoordden als er geroepen werd.

Ik dacht: ik speel mijn rolletje nog even verder en trad de keuken binnen, waar die twee onnozel zaten te doen over een tekening die op de tafel lag.

Ik zei: 'Kinderen, stilte even! Mijn naam is Verhardt en ik ben van de verzekering.'

Op slag werd het ijzig stil en keken twee paar grote ogen in mijn richting.

'Een verzekering', zei ik opgewekt op lerarentoon, 'is een dienst waarbij men jaarlijks een vooraf afgesproken som geld betaalt aan een gespecialiseerde firma, waardoor de verzekeringnemer kan rekenen op bijstand en compensatie in geval van tegenslag of ongeval, zoals een aanrijding met de wagen of brandschade aan de woning. Zelfs in geval van overlijden kan een verzekering haar nut bewijzen, aangezien de nabestaanden in zo'n situatie aanspraak kunnen maken op een aanzienlijke tegemoetkoming. In uw geval, en op het eerste gezicht, zou dit momenteel interessant kunnen zijn, in acht genomen dat er reeds enkele overlijdens hebben plaatsgevonden, maar ik moet u teleurstellen. Er zal van nabestaanden immers geen sprake zijn.'

Die twee zaten naar mij te staren met ogen van 'wat zegt die kerel allemaal', en schichtig werd er naar de deur naar de gang gekeken. Spoedig welde pieperig de vraag op uit de keel van het meisje: 'Waar is papa?'

'Papa ligt morsdood op de trap,' antwoordde ik, 'samen met Pekkie, het hondje, of hoe het ook mag heten. Papa heeft drie spijkers in het voorhoofd en de hersentjes van Pekkie komen eruit langs zijn bekkie. Dat rijmt nogal!' schalde ik vrolijk.

Mijn mededeling moet ongeloofwaardig geweest zijn voor deze onontwikkelde breinen, want er werd niet op gereageerd, tenzij met nog meer gestaar.

Plots schoot het meisje overeind en liep langs de tafel in de richting van de deur, waarop ik snel naar mijn goede trouwe knuppel greep, en haar toen ze voorbijging een formidabele lel op het achterhoofd gaf, waardoor ze met een korte kreet van pijn ter aarde ging.

Daardoor werd ook de tweede etter ernstig gealarmeerd, want hij schoot even driftig overeind van zijn stoel en rende de andere richting uit, de veranda in. Na wat morrelen aan de deur slaagde hij erin deze te openen en de tuin in te vluchten, intussen almaar luider van zijn kinderlijke oren makend.

Hierop moest snel gereageerd worden van mijnentwege. Ik stormde achter hem aan en kon hem moeiteloos vastgrijpen, en met mijn hand voor zijn mond het zwijgen opleggen, hoewel hij stevig weerwerk bood.

Daar stond, in het licht van een flauwe maan, het tuinhuis waar ik met mijn soldaatjes en met nonkel André speelde, en mijn gemoed schoot vol. Mijn prachtige panoramische slagveld van weleer was verdwenen, en vervangen door een klusjestafel waarop allerlei gereedschap wanordelijk door elkaar lag. 'Zo vindt men toch nooit iets terug', zei ik hoofdschuddend en op berispende toon tegen de tegensputterende jongen, 'en goed gereedschap is kostbaar, daar staat men te weinig bij stil. En nu gaat ge stil zijn.'

Ik zette mijn knuppel op zijn keel en trok die hard naar mij toe. Een prop glaswol die daar lag te slingeren, paste na wat gekneed perfect in zijn akelige keeltje, waar hij op reageerde door kokhalzend door het huisje te stampvoeten, wat mij de gelegenheid gaf om ter versteviging een flink stuk plakband over zijn mond te plakken, en vervolgens krachtig zijn knapenneus dicht te knijpen, wat zeer snel het gewenste effect had.

Rap moest ik nu in huis de toestand van zijn zusje opnemen, dat gelukkig nog steeds bewegingloos in de keuken lag, en dat ik moeiteloos de waskamer in kon trekken, die nog steeds als waskamer dienstdeed. Dit was de plek waar mijn moeder dood was gevonden aan het handdoekenrek, een gebeurtenis waarover steeds de nodige onduidelijkheid was blijven bestaan, zodat een reconstructie of simulatie van de feiten wenselijk was.

Het experiment mislukte volkomen. Ik vermoedde dat wanneer men in zo'n benepen positie, namelijk met een ijzerdraad rond de nek, in een staat van opwinding wordt gebracht, men dusdanig het noorden kan verliezen dat men zichzelf, zelfs op geringe hoogte, verhangt. Maar hoe ik ook mijn best deed, dit wezentje was tot geen enkele vorm van geprikkeldheid te bewegen, wat wellicht met de bewusteloosheid te maken had, of met de jonge leeftijd.

Dat ik ontevreden was, spreekt voor zich. Om mij te amuseren tot het moederschip weer aanmeerde, speelde ik nog wat met mijn spijkerpistool. Het was een koddig gezicht, dat deed denken aan die filmaffiches met die kerel met de spijkers in zijn tronie, maar dan andersom. 'Dit krijgen ze niet meer uit elkaar', klonk ik trots, als een meubelmaker die tevreden op zijn perfect getimmerde kast of stoel neerkijkt.

'Hoe heet je, suikertje?' vroeg ik, maar ik kreeg vanzelfsprekend geen antwoord meer.

DRIEËNTACHTIG

Liefste Fanta,

Ge moet mij geloven. Ik ben hemel en aarde aan het bewegen om deze zaak vlot te trekken. Ik heb onlangs zelfs contact opgenomen met de ambassadeur van uw land in ons land, en hem gevraagd om, zelfs onder beding van een kleine financiële tegemoetkoming, uw adresgegevens aan mij te melden, zodat wij niet langer via het kantoor van Van Houffelen moeten corresponderen, maar dat rechtstreeks met elkaar kunnen, waardoor ik u veel beter kan helpen. Ik wil niet onvriendelijk doen over uw bestuurders, maar ik heb van deze man, François Matando, nog steeds geen antwoord ontvangen, hoewel ik hem positief heb benaderd. Zo druk hebben deze diplomaten het ook niet, geloof mij vrij.

Maar versta mij goed, ik zit met een probleem. Mijn ellendige contract met Van Houffelen loopt over twee maanden af. Uiteraard wil ik dit niet vernieuwen, aangezien deze persoon met driekwart van mijn geld ontucht bedrijft en zichzelf in chique stadsrestaurants laat vetmesten, zoals de Sea Grill, dus vraag ik u: stuur mij uw adresgegevens op onderstaand adres, waarbij ik hoop dat het kantoor van deze oplichter deze brief niet opent en tegenhoudt. Vervolgens zal ik u rechtstreeks benaderen om een voortzetting te regelen van mijn financiële bijdragen. Hoe is het verder met uw nonkel Muntundu?

Ge moet het mij melden als hij zich niet in bedwang kan houden.

Hartelijke groet van uw oom Oscar, en laat vlug iets van u horen.

OVB

PS Ik heb zelf ook eens een tekening gemaakt, van u en mij. Ik vind het niet eens zo slecht gedaan van mijzelf. Misschien kan ik u ooit eens zo op de schoot nemen, als alles in orde komt. Dat zou mooi zijn.

VIERENTACHTIG

Soms denkt men dat de grens bereikt is, maar dan loopt men tegen iets nieuws aan.

Het bestaat, het leeft, het loopt rond: dikke lesbische negerinnen. De natuur is een monster, dat doet maar, dat strooit de dingen zomaar in het rond, een tegenslagje hier en een bezoeking daar, een ontoereikendheid of een mankement ginder, maar slechts zelden wordt één hoofd gezegend met een opeenhoping van schandvlekken, zoals deze vette plak.

Zij was gekleed in een lodderende tuinbroek en had een boos gezicht met hangwangen, neusgaten waarin men een halve duim zou kunnen doen verdwijnen, wenkbrauwen als van een grote Rus, tieten die aan weerskanten van de tuinbroeklap hun weg naar de vrijheid zochten (zij hingen als dikke vleesballonnen tegen de zijkant van haar vette lijf geplakt), en gele ogen, zoals men vaak ziet bij deze soort. Zij had een bundel pamfletten in de hand, die ik nieuwsgierig monsterde.

'Wat verkoopt u, mevrouwtje?' vroeg ik vriendelijk, waarbij ik haar goedmoedig toelachte.

Dat viel al meteen niet in goede aarde, want dit soort dames is, nadat zij hun toevlucht hebben gezocht bij de eigen sekse, doorgaans gezegend met een gloeiende haat jegens het andere geslacht. Zo groot is hun woede omdat zij niet mogen deelnemen aan de reguliere paringsfeesten, dat zij zich blind- en domweg afreageren op elk lid van de grote massa.

Met zichtbare tegenzin stak zij mij een van haar pamfletten toe, want dit soort lui preekt ook nog eens het liefst voor de eigen kerk, waarop ik las waar het over ging.

Ik vroeg, nog steeds vriendelijk, want dat brengt u het verst: 'Waar wilt u precies een gelijk loon voor ontvangen, zoals hier geschreven staat?'

'Voor onze arbeid', snauwde zij, en haar woorden werden geruggensteund door enkele krachtige klodders speeksel.

Ik zei: 'Zo zo, en wat voert u dan zoal uit, in het leven, qua arbeid, beste dame?'

'Momenteel niets', sprak zij giftig. 'Ik word gediscrimineerd op de arbeidsmarkt. Dat is punt drie, daar,' en zij wees met haar vette, gevlekte vinger naar mijn papier, 'wij eisen een afdwingbaar verbod op en de beteugeling van discriminatie op basis van huidskleur en seksuele voorkeur.'

Ik dacht bij mijzelf: luister, dikke slons, dat zal allemaal wel, wat u daar eist, maar ik moet u eerlijk bekennen dat als u straks voor mij zit op mijn kantoor om te komen hengelen naar een arbeidsplaats, ik u eerst eens goed ga bekijken, mijn wenkbrauwen ga optrekken, en u vervolgens zonder verdere vragen of opmerkingen eruit gooi, met de woorden: 'Hoe durft u zich hier eigenlijk te vertonen op deze manier, stinkende gleuf? Ik ga u nog niet aannemen om de afvoerputjes in de wasruimte leeg te krabben, uit angst voor sociale onrust, want als de rest van het personeel u opmerkt, gaan zij van pure schrik in staking. Val eerst honderd kilo af, probeer eens wat vriendelijker te kijken in plaats van te doen alsof ik juist onder uw ogen uw familie heb gemarteld, poets uw tanden een keer want daar kómt mij een geurtje van af, en kom dan nog eens terug, misschien valt er dan te praten, hoewel.'

In plaats daarvan zei ik: 'Mevrouw, u hebt groot gelijk. Men kan niet genoeg benadrukken, in onze beschaafde wereld, welk een schande het is dat mensen op basis van allerlei lukraakheden minder bedeeld worden dan anderen. Ik steun uw actie volkomen.'

Deze uitspraak deed haar spekwangen al wat opklaren, merkte ik, en niet vriendelijk maar wel al minder vijandig trok zij nieuwsgierig een van haar wenkbrauwen op, zeggend zonder woorden: hm, misschien is deze kerel iets minder ongeschikt dan ik eerst had vermoed. Toen sprak zij met haar lelijke stem: 'Wij eisen ook een langer zwangerschapsverlof. Dubbel zo lang als nu.'

Nu heb ik u aan het begin van mijn verhaal breed uit de doeken gedaan hoe ik sta tegenover het begerige gedrag der wijven, als het aankomt op het ontlopen van de arbeidsplichten. Dat men kinderen wil, is tot daaraan toe, dat zulks een bevalling vereist, dat is de natuur, en dat het baren een zekere vermoeidheid teweegbrengt bij de vrouw, dat is normaal. Maar dat men daarom een jaar thuis achter de gordijnen moet gaan zitten, zich in de handen wrijvend om het gratis verkrijgen van een salaris zonder één poot te hoeven uitsteken, dat kan natuurlijk niet, ook al niet aangezien de gevolgen voor de betrokken profiteur, zoals beschreven, doorgaans niet je dát zijn, ook al beseffen zij dit niet of zelden.

'Mevrouw,' sprak ik niettemin, 'u bent er eentje naar mijn hart. Ik vond al dat u er wijs en sympathiek uitzag, van een afstand, maar nu ik met u aan de praat raak, begin ik meer en meer met u te sympathiseren. Uw actie is van een hoog niveau, uw streven is ieders bewondering waard, en niemand met een gram verstand zou ook maar een seconde mogen of kunnen twijfelen, om dit alles ogenblikkelijk in de praktijk om te zetten.'

'Inderdaad, mijnheer', antwoordde de dikke spin kordaat maar geheel niet meer vijandig, en zij knikte mij tegelijkertijd toe, en even leek ik de schaduw van een glimlach om haar lippen te zien, al kan dat het zonlicht geweest zijn dat een kunstje uithaalde met haar beginnende snor.

'Luister,' zei ik, 'ik heb u een voorstel te doen. Ik ben zaakvoerder van een niet onbelangrijk bedrijf in de hygiënische sector, en ik bied u een arbeidscontract aan. U mag zich morgenvroeg bij mij op het kantoor melden, ik verzeker u dat u onmiddellijk kunt beginnen. Voor hetzelfde loon als alle anderen, al moet ik er eerlijkheidshalve bij zeggen dat het allemaal dames zijn. Daar zult u zich vast en zeker goed bij op uw gemak voelen, nietwaar?'

Haar gezicht was meteen weer betrokken geraakt. 'Wat voor hygiënische sector?' vroeg zij bars en wantrouwig.

'Een wasserij,' antwoordde ik vrolijk, 'lakentjes proper maken, handdoeken reinigen, mensen gelukkig maken – er gaat niets boven een kraaknet, vers opgedekt, lentefris bed om het humeur een duw in de goede richting te geven', vervolgde ik lulkoekerig.

'Dat is beneden mijn niveau', zei de driedubbele hoer kortaf.

'Wat is dan uw niveau?' vroeg ik nieuwsgierig. 'Beschikt u over hogere diploma's?' Wat ik niet vermoedde, aangezien dit soort spekbergen niet eens in de schoolbanken past, laat staan dat zij er voldoende in kunnen stilzitten om te kunnen opletten en enig resultaat te boeken. Ik bleek het gelijk aan mijn kant te hebben.

'Nee, mijnheer,' antwoordde zij, 'maar diploma's zijn niet het voornaamste. Ik ben niet bereid om mijn dagen te vullen met wassen en strijken, en dan nog voor een ander. En ik ben ook niet bereid om te werken voor een mannelijke baas – waarmee ik u niet persoonlijk bekritiseer', krabbelde zij op het einde nog een beetje terug.

Ik achtte het moment gekomen om de waarheid te spreken, want dit alles liep de spuigaten uit. Ik zei: 'Luister, mevrouwtje spek, ik ben een breeddenkend mens en ik loop hoog op met iedereen, wie hij of zij ook is, en ik heb respect in overvloed. Maar nu moet u eens goed naar mij luisteren. U bent te vet en te lelijk om voor de duivel te dansen, u stinkt, ik weet dit niet zeker, maar zeer waarschijnlijk, gezien hun omvang, hebt u schimmel onder de tieten, ik durf mij uw portaal niet voor te stellen, maar ik geloof dat men daar de arm van een groot en sterk man in zijn geheel in kan doen verdwijnen zonder dat u er iets van voelt, of hooguit wat gekriebel, u bent niets waard en u stelt niets voor, u staat hier op straat onbeleefd de mensen lastig te vallen met uw nonsens, en als ik uw eisen juist interpreteer, bent u ook nog eens van plan om uzelf binnenkort op sluikse wijze te laten bevruchten, waarschijnlijk met negersperma, om vervolgens onder het verteren van de pot, vergeef mij de vervlochten woorden, een nieuwe neger op onze samenleving los te laten, weliswaar nog een kleine, maar kleinen worden groot, en dat zal men terugzien in de misdaadstatistieken. En dan bestaat u het ook nog om een eerlijke arbeidsplaats te weigeren, die u sowieso niet had gekregen, maar dat kon u niet weten, ik had morgenvroeg als u voor de deur had gestaan, de receptioniste bevolen dat zij u eerst drie uur zou moeten laten wachten, om u vervolgens te melden dat de betrekking jammer genoeg vergeven was, toegewezen aan een ranke blondine met tieten die wél in de handpalm passen, met tepels als knikkers zo bol, die door de blouse priemen als waren zij op barsten staande bloemknoppen, klaar om hun vreugde aan de wereld te schenken, aan eenieder die er zin in heeft!'

Met grote gele ogen staarde dit rund mij aan, verdoofd door de verrassing, wat mij geenszins intoomde.

'Ik weet ze niet te vinden', zei ik, 'en ik betwijfel, om mij heen kijkend naar al het zwarte gespuis, óf ze wel ergens ligt, maar áls ze er zou liggen en ik wist waar, de boot naar Afrika, dan zou ik u er eigenhandig op gaan zetten en ik zou net zo lang op de kade blijven wachten tot u aan de einder bent verdwenen, en allicht zou ik de dag erna nog eens komen kijken of u niet stiekem bent teruggekomen. Wijven als u kunnen wij hier missen als kiespijn', besloot ik, 'en ik ben eens benieuwd of men in uw thuisland vrolijk de vlag zal hijsen en spontaan in tropische rondedansen rond een groot vreugdevuur zal uitbarsten wanneer men u met uw mistroostige smoelwerk van boord ziet waggelen, waarbij u de loopplank gevaarlijk zult doen opveren.' Waarna ik haar een korte hoofdknik gaf en verder liep zonder er nog woorden aan vuil te maken.

Achter mijn rug hoorde ik hoe zij plots haar stem terugvond, en mij luidkeels verwensingen toeriep, variërend van 'vuile macho' tot 'rotte hond', waar de meeste omstanders hoofdschuddend en afkeurend op reageerden, en zo was ik toch weer de winnaar van het hele verhaal.

VIJFENTACHTIG

Beste mijnheer Kerkhove, Hoofdredacteur,

Vast en zeker vindt u bijgaand opiniestuk de moeite, voor publicatie in uw krant. Het is nog nergens anders verschenen.

Van Beuseghem

'Verbloemend woordgebruik'

Wij leven in een tijd waarin niets nog uitgesproken mag worden. Voor alles wat niet deugt of minder fraai is, zoals migranten, gehandicapten en gepensioneerden, worden talrijke koosnaampjes bedacht. Wie verzint eigenlijk deze termen? 'Ouden van dagen', 'de derde jeugd', 'senioren', 'vijftigplussers', 'de niet-meer-zo-jongeren'? En waarom gaan deze ouderen hier willoos in mee, in dit verbloemen? Hoopt men, door het anders te benoemen, werkelijk jeugdiger uit de bus te komen? Hangt het hoofd van de gehandicapte minder geknakt op de schouder, lebbert zijn tong minder uit de vochtige mondhoek, stoot hij intelligentere klanken uit wanneer men hem 'een verstandelijk en fysiek uitgedaagde mens met andere mogelijkheden' noemt? Krijgen de negers en andersoortige vreemdelingen die ons bezoeken een scherpzinniger blik, een grotere werklust en een verminderde aandrang om ongevraagd in vrouwenborsten te knijpen, wanneer men hen als 'medelander' betitelt? Nee. Velen geloven dit soort fabeltjes graag, terwijl men hiermee vaak enkel het tegenovergestelde bereikt – niet in het geval van de gehandicapte, want die begrijpt er toch niets van, maar bijvoorbeeld wel bij de neger, die zal mompelen: 'Als men mij hier nu reeds als medeburger beschouwt, betekent dit vast dat ik het juiste gedrag vertoon', wat zal leiden tot nog meer rondlummelen op straat, nog meer nafluiten of veel erger van tienermeisjes, en onveranderd een blik van 'hoe heet ik nu ook al weer?'.

Oscar Van Beuseghem, Oostmoer

ZESENTACHTIG

Bon.

Het probleem was dat het uithuizige vrouwmens bij haar terugkeer meteen zou zien dat er weinig keurigs gebeurd was tijdens haar afwezigheid. Zelfs al zou ik de lichamen van mijnheer en hond verwijderen, dan nog had de gang een andere, donkerder kleur dan voorheen, en de tegelvloer was zo glibberig dat men zich er amper staande op kon houden. Ik schroefde de lamp in de gang uit, zodat ik de thuiskomer, terwijl ze twijfelend op de tast naar binnen ging, een mooie spijker cadeau kon doen – ware het niet dat ik dat mens even na negen uur op het raam aan de straatkant hoorde kloppen. Allicht was ze haar sleutel vergeten en wilde ze niet aanbellen uit vrees de kinderen te wekken, hoewel er nog maar weinig, om niet te zeggen niets meer, te wekken viel.

Alsof de zaken nog niet ingewikkeld genoeg waren, hoorde ik enkele ogenblikken later de stem van een man die haar vergezelde, of die zij ter plaatse om hulp vroeg.

Zij belde aan. De eerste keer voorzichtig, en vervolgens een tweede en een derde maal, veel krachtiger en langer. Het gepraat zwol aan; boos siste zij: 'Waar zit die nu, de kemel?'

Ontsnappen via de tuin was onmogelijk; die was omgeven door de blinde achtergevels van de aanpalende huizen. Ik trok mijn jas uit en smeerde mij in met wat nog vloeibaar was van het bloed van mijn slachtoffers. Ik maakte een flinke scheur in mijn hemd en trok mijn schoenen uit. Ik draaide het vermogen van mijn DeWalt op het minimum, anders schiet men er los doorheen, ging op mijn buik in het gras liggen, en wachtte af.

Toen ik na een kwartiertje de voordeur hoorde opengaan, schoot ik mezelf een 50 millimeter in de wang. Ten slotte gooide ik mijn instrument in het struikgewas.

Een ijzingwekkende kreet klonk in de gang, vervolgens gehuil en getier. Papa en Pekkie waren gevonden. Ik vermoed dat het moederwezen daardoor in zwijm viel, want abrupt kwam er een einde aan het tumult. Haar compagnon moet onmiddellijk de politie gebeld hebben, aangezien er amper vijf minuten later op straat sirenes te horen waren. Vervolgens drongen behoedzaam de eerste agenten de woning binnen, voorafgegaan door de lichtbundels van hun zaklampen. 'Godverdomme!' braakte de agent uit die de waskamer binnenging, waarin ik hem geen ongelijk kon geven.

Nog steeds omzichtig, want men wist niet of de aanrichters van dit spektakel nog in huis waren, stapten zij de tuin in. 'Hier ligt er nog een!' siste de eerste. Ik kon zijn stinkadem ruiken toen hij zich over mij heen boog. Hij liet mij verder ongemoeid— ik zag er vast zo smerig en bebloed uit dat hij geen leven meer in mij vermoedde. Intussen werd, opnieuw met een luide, paniekerige vloek, in het tuinhuis de kleine Benny gevonden, of hoe hij ook geheten mag hebben.

Op dat moment achtte ik de tijd rijp om de aandacht te trekken, door een zachte maar gekwelde grom voort te brengen.

'Deze leeft nog!' riep de stinkadem. Ziekenbroeders kwamen met een brancard door de gang gestommeld. 'Hij is er erg aan toe', sprak de ene zonder veel kennis van zaken. 'Pas op, hij zit waarschijnlijk ook vol spijkers', opperde een agent, en zeer voorzichtig hesen ze mij op het mobiele bed. 'Is dat de vader?' hoorde ik, toen ik naar buiten werd gedragen, een flik vragen. 'Waarschijnlijk wel', stootte de debiel die mij droeg uit. De moederfiguur was gelukkig al weggebracht, dus zij zou mij voorlopig niet kunnen aanwijzen als de booswicht.

Op de spoedafdeling van het ziekenhuis bleek al snel dat er, los van die wangwond, niet veel aan mij mankeerde. Hoe meer bloed ze van mij afwasten, hoe meer er een ongeschonden blanke huid kwam bloot te liggen, kwetsuurvrij, en een uur later al werd ik, gerepareerd en wel, onder politiebegeleiding naar een kamer gebracht, waar mij even later door vier mannen in burger de vraag werd gesteld wie ik was en wat mijn aanwezigheid in de woning in kwestie te betekenen had. Intussen bleek de dame des huizes bij haar positieven te zijn gekomen. Ze had de stijve met zijn drie extra tochtgaten in de gang aangeduid als haar echtgenoot, en de twee zielloze mormels als haar kinderen, en had verbaasd gereageerd op de vraag wie dan die met zijn kalende hoofd in de tuin was. Vast was ze daarna weer in coma gegaan, in het volle besef dat ze er voortaan alleen voor stond, op haar onbenullige levenspad.

Ik diste een verhaal op over vier donkere types die de woning waren binnengedrongen en van wie er een Abdelkader heette, nadat ik, een kennis van de vader, had aangebeld om een glas te komen drinken, omdat we elkaar lang niet meer gezien hadden. Maar aangezien ik niet eens zijn voornaam kende, wekte ik de argwaan van de speurders op.

Kom, dit was al met al een stommiteit geweest, vier keer willen toeslaan, plus een hond, Pekkie, en waarom, enkel en alleen omdat ik het in mijn hart niet kon verdragen dat zulke luitjes hun leven kwamen leven in het huis dat zo'n rol had gespeeld in mijn jonge dagen. Men zal het altijd zien, dat het fout loopt op het moment dat men iets doet wat niet strikt noodzakelijk is, dat men zich een beetje laat meeslepen en zijn grenzen overschrijdt.

ZEVENENTACHTIG

Van Houffelen, smeerlap,

Ze hebben u bij uw kloten! Ik lees het hier zojuist in het dagblad. Ik hoop dat ze uw post doorsturen naar de gevangenis, zodat ge deze afscheidsbrief nog te lezen krijgt. Onderkruiper, haha, ge gaat feestelijke tijden tegemoet, reken daar maar op. Met uw zeepsmoel in de nor, dat gaat niet lang duren voordat een heel brede met een heel dikke donkere fluit zijn oog op u laat vallen, en u zonder verdoving in het diepste van uw poepgat pakt. Gaat gij met véél triestheid terugdenken aan uw lederen fauteuils en de zachte lippen van de zuigorgels uit de Balkan! Kermend gaat gij 's avonds op uw harde matras liggen, en dan zult ge nog van geluk mogen spreken als een van uw celgenoten u niet uit uw bed sleurt en u een pak rammel geeft omdat hij van uw gejammer niet kan slapen. Bloedend uit alle openingen zult gij dan uw daden overdenken, weeklagend van 'Had ik het maar nooit gedaan!' en kronkelend van de spijt, en dan moet ge nog voor de rechter komen, die ook niet mals zal zijn voor uw gerotzooi, want wat is er erger dan mensen beduvelen met het oogmerk zogezegd de wereld te verbeteren, om vervolgens de armsten onder ons ook nog eens hun geld te ontzeggen, en er schaamteloos mee aan de zwier te gaan? Uw moeder, als die al bestaat of ooit bestaan heeft, wat niet waarschijnlijk is, zit nu zeker bibberend van verdriet aan de keukentafel, te huilen als een kleuter, beseffend wat zij heeft aangericht door u ter wereld te brengen, wensend dat zij kon teruggaan in de tijd om deze misstap alsnog te annuleren, en als zij 's nachts na lang woelen toch de slaap weet te vatten, komt gij vast en zeker haar dromen onveilig maken, pronkend met uw hoeren, bankbiljetten in hun preuten stoppend, met de hakken van uw kostelijke Italiaanse schoenen stervende negerkindjes in de berm doodtrappend, spuwend naar hun radeloze moeders die u bidden om genade, uw duivelse lach galmend over de stoffige vlakten, waarna gij met uw gezelschap in uw limousine verdwijnt, en gij uit het raampje nog eens uw middenvinger opsteekt naar de rouwende achterblijvers, en roept: 'Weer een paar mondjes minder! Prutsers!'

Hoe zoet en gezegend straks de dag waarop gij voor talloze jaren van uw vrijheid zult worden beroofd, hoe oprecht de glimlach waarmee ik diezelfde avond mijn nachtlicht zal uitknippen, erop vertrouwend dat er gerechtigheid bestaat en dat de wereld, hoe rot en ranzig ze ook is, toch nog een kans maakt om goed te eindigen, nu weer een van de spilfiguren van het kwaad is uitgeschakeld.

Vaarwel, zak. Hoewel: een vaarwel zou veel te schoon zijn voor u.

Oscar Van Beuseghem

ACHTENTACHTIG

Ik hield na mijn overbrenging naar de politietoren eerst een tijdlang vol dat ik niet wist hoe ik met een spijker door mijn wang en bloedend als een rund in die tuin terecht was gekomen, waarna ik van de ene versie op de andere begon te springen, waardoor men het idee zou kunnen krijgen dat ik niet goed bij mijn verstand was.

Zo probeerde ik de ondervragers te doen geloven dat ik tijdens het voorbijwandelen van de woning door een paniek simulerende vader des huizes naar binnen was geroepen, dat hij mij naar de keuken had gelokt, waarna hij mij op vermelde wijze had aangevallen met een mij onbekend spijkerpistool, en dat ik door de daaropvolgende bewusteloosheid in het geheel niet wist wat er verder was voorgevallen in deze onplezierige zaak.

Daarna stak ik mijn vinger in de lucht, met mijn ogen aangevend dat mij een licht opging, en zei ik, opnieuw met veel overtuiging, dat ik die vooravond een wandeling had gemaakt langs de havenkom, door onbekenden van achter was aangevallen, ten val was gebracht, en met een prikkelend middel in een zakdoek was verdoofd, en dat ik een onbestemde tijd later wakker werd op de vermelde plek, terwijl een wetsdienaar met een kwalijke adem zich over mij heen boog.

Vervolgens stak ik een betoog af over tandhygiëne, die vooral van belang was, vond ik, voor overheidspersoneel dat rechtstreeks in contact stond met de brede bevolking, en wees ik erop dat men een rotte adem zeer eenvoudig door een geregeld bezoek aan de tandarts kan verhelpen, waarbij tandplak, de grootste veroorzaker van het ongerief, relatief pijnloos en met gemak kan worden verwijderd. Ook helpt het om op zijn leefgewoontes te letten, merkte ik op, waarbij roken en het gebruik van alcohol een rol spelen.

Op veel bijval van de toehoorders kon dit betoog niet rekenen. De sfeer werd grimmiger, terwijl ik toch in de eerste plaats deed alsof ik het goed bedoelde met betrekking tot de ordehandhaving.

Aangezien ik handschoenen had gedragen, was er van vingerafdrukken op mijn DeWalt geen sprake, wat niet belette dat men de druk opvoerde en aandrong dat ik gewoon zou bekennen, want dat er geen uitweg meer voor mij was. Enkel werd steeds dwingender de vraag waarom gesteld, wat hadden die mensen mij misdaan, wat was mijn band met dit eenvoudige gezin, waarop ik verwonderd vroeg: 'Welk gezin?', en mij verder weer van den domme hield.

Men probeerde allerlei trucjes uit, waarbij men bijvoorbeeld vroeg of de hond veel kabaal had gemaakt toen ik hem de hersenpan insloeg, wat ik met de vraag 'Welke hond?' beantwoordde, en toen ze er nog eens over begonnen: 'Welke hersenpan?' Ik zat daar voorts maar rond te kijken en minzaam te glimlachen, daar hadden ze niet veel aan.

Tegen de avond hadden ze blijkbaar ook uitgevogeld dat ik destijds de zoon des huizes geweest was in dit specifieke gebouw, wat hen nog meer in verwarring bracht, tenzij dat er misschien een begon te denken dat ik, door het drama dat zich daar destijds had afgespeeld, een soort van waanidee had opgedaan, een geestelijke misvorming of een andersoortige scheefgroei, en dat ik er daarom zoveel jaren later in een zinsverbijstering op uit was getrokken, in het kader van een zin- en richtingloze wraakexpeditie.

Ik bleef maar ratelen; dat de geest van mijn moeder, verontrust door de nieuwe bewoners van haar huis, was neergedaald, mij met een list ter plaatse had gelokt, zodat ik getuige zou kunnen zijn van haar represailles, maar dat zij, nog verdwaasd door de lange reis vanuit het hiernamaals, mij voor iemand anders had aangezien, en mij jammerlijk een spijker door de wang had gejaagd, waarna zij haar vergissing inzag en luid weeklagend opnieuw ten hemel was gestegen.

Al gauw zag ik in de ogen van mijn ondervragers dat ze bepaald niet blij waren met mijn verhalenkermis. De ene begon te zuchten en de andere met zijn bloeddoorlopen ogen te rollen. Ze keken elkaar aan met een blik vol vermoeidheid en wanhoop, en dus deed ik er nog een schepje bovenop. Elke keer als men mij even rust had gegund om iets te drinken of, voor henzelf, om op adem te komen, en ze mij vroegen om mijn relaas voort te zetten, verzon ik iets nieuws waarvan ik gebaarde dat het aansloot op het voorgaande, maar dat totaal geen steek hield in hun ogen.

Zo vertelde ik na de parabel over mijn moeder plots dat ik reeds jaren op de zolderverdieping van het huis in kwestie woonde, in stille afzondering, en dat ik mij na de komst van de nieuwe bewoners een tijdlang koest had gehouden, maar dat hun aanwezigheid mij toch op de zenuwen was beginnen te werken, en dat ik hun vervolgens had voorgesteld om het pand te verlaten. Toen ze daar niet op ingingen, hadden twee gezanten van mijn verre beschaving ingegrepen op de manier waarop dat in mijn cultuur de gewoonte was.

'Welke cultuur mag dat dan wel zijn?' vroeg een van hen nieuwsgierig.

Ik antwoordde: 'Mijnheer, aangezien u, om den brode, bij de politie dit soort werkjes opknapt, verwacht ik niet dat u kaas hebt gegeten van de hogere kunsten en beschavingen, zeker niet van die waar ik vandaan kom, dus zal ik mij niet de moeite getroosten om er woorden aan vuil te maken.'

Toen begon ik onder zijn woedende blik toch over mijn afstamming, die terugging tot het Rusland van de zeventiende eeuw, en nog verder in de duistere hoogten van Nepal, waar de berggoden mijn grootvader, die 844 jaar oud was geworden, onder luid applaus van de omwonenden het leven hadden geschonken in het jaar 112 voor Christus, en zei ik dat ik hun verder de omzwervingen wilde besparen via welke ik in dit werelddeel was terechtgekomen, maar dat ze er gerust op konden zijn dat het geen plezierreis was geweest. Zeker niet voor een man van mijn leeftijd, 499 jaar oud.

'Mijn verjaardag valt over drie weken', wist ik daar nog aan toe te voegen, en dat ik het zou appreciëren als ze tegen die tijd hun werkzaamheden zouden hebben afgerond en mij op vrije voeten zouden hebben gesteld, aangezien ik graag zo'n belangrijk feest op gepaste wijze en in overeenstemming met onze eeuwenoude tradities zou vieren, namelijk met een heerlijke schotel rauwe slang met het vel er nog aan, opgediend door een koor van elfjarige blondharige knaapjes, onder het zingen van de hymne 'Oscar! Oscar! Van Beuseghem! Oscar!'

NEGENENTACHTIG

Echt man.

Die kerels waren al na drie dagen klaar voor de sloop. Ze zaten met open mond en tranen in de ogen naar mijn onvermoeibare gezwets te luisteren, ze kwamen wellicht 's avonds thuis en sloten zich op in de kelder, doof voor de smeekbedes van hun vrouw en kinderen om te zeggen wat er scheelde, en deel te nemen aan de gezinsmaaltijd.

Op de ochtend van de vierde dag vertelde ik dat het onmogelijk was voor mij om nog aanwezig te zijn bij de gesprekken, aangezien mijn geloof mij opdroeg om elke driehonderdste maand van een kringjaar ter boetedoening gedurende vier etmalen te zwijgen, wat inging om kwart voor tien stipt die ochtend, waarna ik met een verzaligde glimlach mijn mond begon te houden. Al snel gaven ze hun pogingen om nog een woord uit mij te krijgen op, aangezien ik hen enkel stomweg bleef aanstaren en op generlei wijze nog reageerde op hun vragen en suggesties.

Zuchtend en met hangende schouders verlieten ze na een tijdje de ondervragingsruimte, maar iets zei me dat ze vooral tevreden waren dat ze van mij af waren, tenminste voor een paar dagen, want dit had allemaal geen zin.

Over enkele kwesties waar ze nog de nodige vragen over hadden en die ze via bloed- of andere banden aan mij wisten te linken, onder meer de dood van nonkel André, kwamen ze na afloop van mijn zwijgkuur met priemende blik informatie verzamelen, maar ik had intussen de smaak te pakken, en ik begon mij met mijn levendige fantasie uitstekend te vermaken tijdens het bedenken van de wanstaltigste afleidingsmanoeuvres, misleidingen, zijwegen, randverhalen en volstrekt onzinnige verklaringen en interpretaties.

Zo vertelde ik dat het binnen de familie algemeen bekend was dat nonkel André een fascinatie had voor uitwerpselen, reeds van kindsbeen af. Hij smeerde als kleuter chocopasta in zijn onderbroek en in zijn bilspleet, spelend dat hij in zijn broek had gescheten, waarna hij naar de juffrouw ging met een beteuterd gezicht, die dan tot haar verbazing de geurige smurrie uit zijn reetje moest verwijderen. 'Geen wonder dat hij in de beerput is gesprongen!' jubelde ik. Waarna ik, gespeeld huiverig, knipoogde en lachend zei: 'Bah, dat zou niets voor mij zijn.'

Dan begon ik weer op samenzweerderige toon te zeggen dat ze vooral niets aan de pers mochten verklappen over mijn naderende vijfhonderdste verjaardag, 'u begrijpt dat wel, want u kent die kereltjes', en een andere keer vertelde ik met een mijmerende stem dat ik Jan Steen nog goed gekend had, 'de schilder, weet u wel', dat ik zelfs als jongeman nog met zijn wijf te doen had gehad zonder dat hij het wist, een stevige Hollandse met zachte warme tieten en een ontembaar neukvermogen, maar dat dat beter niet aan de grote klok kon worden gehangen, dat waren privézaken en wie weet wat er anders nog allemaal van kwam.

Vier weken gingen voorbij, waarin ik geen krimp gaf, en met groot enthousiasme en verteldrift het ene verhaal na het andere ophing, het volgende nog gekker dan het voorgaande, of juist niet, waardoor mijn ondervragers bij momenten de indruk kregen dat ik bij mijn zinnen begon te komen, en ingespannen notities begonnen te maken.

Zoals die keer toen ik zei dat ik als kind op een ochtend in mijn braaksel wakker was geworden en naar beneden was gelopen, waar ik mijn moeder had betrapt in een onbegrijpelijke pose – daar schoten hun pennen overeind, maar al gauw stopten ze met schrijven. Toen ik vertelde hoe ik nadien jarenlang op bevel van mijn ma de walgelijkste vrouwen had moeten plezieren op de onbeschrijfelijkste manieren, die ik beschreef, verdwenen hun schrijfinstrumenten tussen hun tanden en dwaalden hun blikken al weer over het plafond – men hoorde hen denken: daar is hij weer met zijn verzinsels. Hoe eerlijker men is, hoe meer men wordt gewantrouwd, zat ik lachend te denken, al waren de herinneringen vaak vervuld van triestheid, vooral als ik aan mijn geliefde Ria dacht, die nu dood onder de grond lag, of die misschien nu al in stukken en brokken was opgeschept en weggevoerd, de arme brave schat van mij.

Vasthoudendheid is een machtige karaktertrek. Als men lang genoeg blijft lullen, waar het ook over gaat, of het nu is over het feit dat er een huisgezin is afgeslacht of een fiets gepikt of een hond de ballen afgesneden – als men vrolijk genoeg doet alsof men er allemaal geen fluit van snapt en er voorts niets mee te maken heeft, dan wint men altijd.

Het drama van de meeste mensen is dat ze op een zeker moment breken, door de knieën gaan, hun eigen geleuter beu worden, zwichten voor de dreigementen en de valse voorwendsels van wie voor hen staat, en zich vastpraten. Terwijl het doodsimpel is: ontspan u, laat uw hoofd ronken – en babbelen maar. Geef vooral de indruk dat u er geen bezwaar tegen hebt (én zulke onuitputtelijke reserves) om over een jaar nog te zitten praten, steeds met een glimlach. Zelfs een vijand van graniet, een flik van staal of een psychiater uit gewapend beton wordt er op de duur knettergek van; die kerels zien hun carrière al eindigen in het donkere hok waar ze u aan het uitbenen zijn, over vijftien jaar, bespot door hun collega's en zelf klaar voor het gekkenhuis, luisterend naar uw achthonderdste versie van feiten die nooit iemand zal doorgronden, zoals dat u zich plots herinnert dat u in Swaziland geboren bent en daar aan de kost kwam als aardappelschillenlezer. 'Als u morgen die van u meebrengt, zal ik uw toekomst voorspellen, inspecteur, maar waak er wel over dat u ze nét zo meebrengt zoals u of uw vrouw ze hebt of heeft geschild, in de juiste volgorde.'

Zeg de volgende dag dat u als jongeman op een step door de Namibwoestijn bent getrokken, en dat u daar van de geest van een Pruisische krijgsheer de raad hebt gekregen om in uw thuisland orde op zaken te stellen, wat u zult doen door de naam van de dader van deze laffe drievoudige moord, viervoudig als men de hond meetelt, op de dag voor Kerstmis te onthullen in een radioboodschap op de openbare omroep. Waarna u zegt dat u het hoofd van de heilige Regula in uw diepvries hebt zitten, als ze daar interesse in zouden hebben, en dat die het gedaan heeft.

Op het einde hebben ze mij, moegetergd en per slot van rekening niet beschikkend over getuigen of materiële bewijzen, zot verklaard, en nu zit ik dus hier, tegenover u. Dré, bijna zoals mijn nonkeltje – het is toch een afkorting, hè? André, Dré.

Het kan raar lopen, vriend, hoe ge elkaar treft en hoe uw pad gaat. Maar ik zie dat gij mij begrijpt, ik ben blij dat ik het eens allemaal heb gezegd. Ge waart de eerste.

Geef toe, het was niet niks, hè, mijn levensloop? Gij met uw vrouw – pas op, ik kijk daar niet op neer. Elk verdriet heeft zijn waarde. Maar bij mij hebben ze dubbel en dik opgeschept, hierboven, en toen ik alles eindelijk op had, stonden ze daar weer met het dessert, kerel, echt waar. 'Mijnheer Oscar,' zeiden ze, 'hier is nog.' Kwak, op uw bord. 'Opvreten!' Dat ge denkt: waar heeft een mens het aan verdiend?

En toch overeind blijven, hè. Ik heb nooit de schouders laten hangen, nooit. Die plicht hebt ge, vind ik: ge staat ervoor en ge moet erdoor, dat mag u nooit doen wankelen. Principes, kameraad – daar zijn veel te weinig mensen nog mee bezig. Ergens voor staan. Niet dwalen, niet zomaar achter de eerste de beste fanfare meelopen omdat het deuntje u aanstaat.

Ge zijt er stil van geworden, Dréke. Ik zie dat het u geraakt heeft. Het heeft in uw herinneringen gepookt, en uw eigen zaak weer naar boven gehaald – ik begrijp dat, mensen met tegenslag verstaan elkaar. Kom, doe uw ogen toe, het is goed geweest voor nu. Denk aan iets anders.

Zet het even uit uw kop. Ik weet het, ik raas maar door. Vertel mij morgen maar eens iets over uzelf. Slaap nu eerst maar eens goed door.

NEGENTIG

Mijnheer Kerkhove,

Uw artikel: 'Drickwart allochtonen sorteert onvoldoende'

Volgens uw redacteur is uit onderzoek gebleken dat een meerderheid van de allochtonen geen raad weet met de ingewikkelde vuilnissorteermethoden in ons land. Dit is niet abnormaal, sterker: dit is enigszins verschoonbaar.

Zij zijn het in het land van herkomst niet anders gewend dan dat men na het eten van bijvoorbeeld banaan of dadel, schil of pit achteloos over de schouder werpt of uitspuwt, waar deze of de hongerige hond ten goede komt, of met wat geluk een nieuwe, op termijn vruchten dragende palm doet ontstaan.

Bovendien is afval op vele van deze armoedige plaatsen een statussymbool. Wie afval voortbrengt, heeft immers geconsumeerd, wat zorgt voor maatschappelijk aanzien. Hoe hoger het bergje roestige blikjes, voze petflessen en oude verpakkingen voor het hutje, hoe jaloerser de blikken en hoe vaker de elleboog tussen de ribben port: 'Baako heeft het voor elkaar!' Dit verschijnsel heb ik zelf kunnen vaststellen op foto's die mij hoogstpersoonlijk uit het diepe Afrikaanse binnenland zijn toegezonden door een vertrouwenspersoon.

Uiteraard horen zij zich, na aankomst in onze regio, aan onze regels te houden, maar het valt te begrijpen dat sommigen onder hen denken: ik laat deze plastic zak van de MediaMarkt nog een tijdlang voor mijn deur slingeren, zodat de voorbijganger afgunstig denkt: Afolabi heeft zich allicht een smartphone of tablet aangeschaft!

Oscar Van Beuseghem, Oostmoer

EENENNEGENTIG

Ik zeg tegen pettemans: 'Nee, hij zat daar gewoon, in zijn kamer. Met zijn ogen stijf open, naar buiten te kijken, te staren meer, naar de vogeltjes of naar het gras, maar er zat geen leven meer in. Ik zeg nog: "Dré, Dréke", dat is de afkorting van André, zoals mijn nonkel zaliger ook heette, de Schepper hebbe zijn ziel, of wie weet waar hij nu uithangt.'

Ik zeg: 'Nonkel André is nooit mijn beste maat geweest, maar eigenlijk niemand van mijn familie, ik heb daar altijd een dubbel gevoel bij gehad. Zelfs bij mijn ouders. Alsof ik daar niet op mijn plaats was. Rare mensen. Dat deed maar wat. Mijn vader en mijn moeder, hoe die aan hun eind zijn gekomen, ge wilt het allemaal niet weten. Ik heb dat van mij afgezet. Hebt gij dat, een goede band met uw ouders?

Maar Dré, ja, Dréke, juist, mijnheer de agent. Ik weet niet hoe hij aan mijn Noctec is gekomen. Normaal heb ik er zo veel niet, maar ik heb de laatste weken redelijk goed vanzelf geslapen, zelfs 's morgens door de vogels heen, en hun geschetter, en dus had ik er zeker een dozijn over. Twee strips. Nee, meer. Normaal mag dat niet, maar ik denk dan: er mag zoveel niet.

Hebt gij daar geen last van, van de vogels 's morgens? Ik versta dat niet, waarom ze dat doen. Als wij allemaal zo zouden redeneren, dan zou het een mooie kwestie zijn; er kwamen ongelukken van. Dré was daar veel laconieker in. Die zei: "Ja, vogels hebben geen gordijnen, hè." Dré kon overal nogal goed tegen, als het daarop aankwam. Hij had toch ook nogal wat meegemaakt, allee, volgens hem.

Hij zal die wel stilletjes gepakt hebben, zeker? Dat is voor u om aan te tonen, vriend – u bent hier de man van de wet. Voor wie ik bijzondere achting heb, overigens – wat zou er van de wereld terechtkomen, als mensen zoals u niet voor dit lastige leven zouden kiezen, met onregelmatige uren en lange dagen, en allicht is het ook geen zegen voor uw gezinsleven, hebt u een gezin?

Rustig, rustig. Ik kan er ook niets aan doen dat iemand mijn pillen allemaal tegelijk opvreet. Ja, wij kwamen redelijk goed overeen, maar om nu te zeggen dat wij vrienden waren? Wij konden goed tegen elkaar babbelen, over vroeger en over wat ons allemaal is overkomen. Gij zegt dat, dat hij een tijd geleden naar de politie gevraagd had, dat kan goed zijn, dat weet ik niet. En ook niet waar dat over ging, nee. Zulke dingen zeiden wij niet tegen elkaar. Alleen dingen over vroeger. Ik heb destijds een zaak gehad, een wasserij, zegt dat u iets? V.B. Witwas, met dat onderlijfke op de vrachtwagens. Ik garandeer u: onderneem, en ge leert de mensen kennen. Hun hebzucht en hun geprofiteer. Ze doen maar wat, zolang ze er maar geld mee kunnen verdienen, het liefst door zo weinig mogelijk te doen. Ze blijven thuis voor het minste. "Pijnlijke maandstonden", zeggen ze, maar dan om de veertien dagen, kent ge dat? En als ze de smaak van het profiteren te pakken hebben, laten ze zich volpompen en ziet ge ze de komende achttien maanden niet terug. Zoek maar een oplossing, hè? Als ge ze op straat zet, durven ze nog naar hun advocaat te gaan ook.

De laatste tijd was hij raar. Nog niet zo heel lang. In zichzelf gekeerd, broedend op iets. Hij zal het niet meer plezant gevonden hebben. Misschien wilde hij weer bij zijn vrouw zijn. Ze hebben zijn vrouw ooit doodgeslagen of iets van die strekking. Hij is daaraan ten onder gegaan. Daardoor zat hij hier, zei hij. Al lijkt dat mij nogal overdreven – er zijn ergere dingen, en ik kan u zeggen: ook die overwint men wel. Ik ga niet beweren dat hij een slappeling was, maar ik vond dat hij toch waarden miste, dat zijn morele gronden niet altijd feilloos en onwrikbaar waren. Hij liet zich te veel door zijn emoties sturen, dat is nooit goed. Men mag sentimenteel zijn zoveel men wil, maar men mag zich er niet door laten opjutten, men moet de blik recht op het doel houden.

Gij moet dat kennen, in uw vak. Komt gij veel met negers in aanraking? Zeker wel, als men naar de statistieken kijkt. Dan zullen uw vuisten ook weleens jeuken, zeker? Ik heb er ooit een geweten die zijn adoptieouders, dat waren wel twee potten, een beurt heeft gegeven die ze nooit meer te boven zijn gekomen. Boentu heette hij. Ik heb het nog aan Dré verteld. Die hadden ze dus hierheen gehaald met de beste bedoelingen, uit liefde, en om hun kinderwens in vervulling te doen gaan, maar dat heeft langer geduurd dan gepland en toen die kwast hier aankwam, had die maar één ding op zijn verlanglijst staan, en dat was zo veel mogelijk tienermeisjes aan zijn paal hangen. Man, die heeft ervan geprofiteerd. Nu, ik vind dat lesbische dames ook maar van de kinderen af moeten blijven. Als het hun keus is om het met elkaar te doen, moet ge maar de wetten van de natuur respecteren ook. Vindt ge niet? De voorbindknaller, daar komen geen baby'tjes van, die schiet geen lekkere vlokken... Hebt gij kinderen?

Excuseer.

Ja, Dré, kijk, ik heb daar verder geen zaken mee. Die mens was niet gelukkig, dat weet ik, maar wie wel, die hier zit? Of die hier niet zit, want buiten lopen er ook veel te knorren en te mokken, kijk maar om u heen. Moeten we dan allemaal maar de Noctec in één grote teug naar binnen werken en er het bijltje bij neerleggen? Kijk, ik vind dat niet een klein beetje laf. Ge zijt hier, ge moet u maar weten te redden – ik bedoel niet hier, in de instelling, maar in het leven. Ik weet ook niet wat de zin ervan is, als het al zin heeft, maar weglopen ligt niet in mijn aard. Streef er dan naar om goed te doen, hè – kies u iets uit wat u interesseert, en zet u daarvoor in. Ik zal u zeggen, hoofdinspecteur, ik heb veel dingen gedaan die niet deugden, zoals iedere mens, maar ik heb ook zaken nagestreefd waar de wereld beter van geworden is. Ik heb mijn mond niet gehouden als ik zag dat er van alles fout ging. Dat is maar een kleine inspanning, en ik weet dat het misschien niet veel uitgehaald heeft, een druppel op de hete plaat, maar ik heb toch mijn best gedaan.

Ik heb ooit eens een wildkakker verplicht om zijn materiaal op te ruimen en mee naar huis te nemen. Echt waar, een neger. Ge hadt die zijn ogen moeten zien. Die zit nu waarschijnlijk weer ergens onder een boom een banaan te eten, of een dadel, en die denkt: dat ik dat destijds niet besefte, hoe gelukkig ik hier was, dat ik per se naar dat rijke Westen wilde. Nu ja, rijk, als ge tenminste niet zo stom geweest zijt om een eigen zaak te beginnen, want dan houdt ge op het einde niks over.

Die ziet mij nu soms nóg voor zich staan, denk ik, met mijn badge, in zijn nachtmerries.

Ik zeg het u, negers, man.

Dank u wel, commissaris. Allee, als gij het zegt: inspecteur. Nee, spijtig dat ik u niet verder kan helpen, ik sta steeds tot uw dienst. Ik loop niet weg, haha. Spijtig van Dréke, maar het is niet anders.

Als er iets is na de dood – wat ik niet hoop, mán, dat hoop ik niet – dan zit hij nu gezellig bij zijn vrouw. Allee, ik hoop het voor hem, dat het gezellig is. Voor hetzelfde geld draait die met haar ogen en zegt die: "Wat ze hier binnenduwen!" Of misschien zit ze daar met haar dik gat en heeft Dréke dat de voorbije jaren allemaal geïdealiseerd in zijn hoofd, en denkt híj: dju, wat nu, met deze pudding? Veel dames laten zich veel te veel gaan, vriend, ze beseffen niet wat ze aanrichten, op maatschappelijk vlak. Men ziet er soms lopen dat men echt denkt: dit kan niet meer. Als nu de gezanten van Mars zouden landen, die zouden rap weer in hun ruimteboon zitten, op weg naar elders. En als ze van zichzelf al niet groen zagen, zouden ze dat van het verschieten nu wel doen. Kent u dat, *De gezanten van Mars*, van *Suske en Wiske*?

Oké, oké.

Van welk merk is uw revolver? Allee ja, pistool. Een GP? Dat is goede marchandise. Dat gaat lang mee. Grande Puissance. Negen millimeter is het beste.

Als ge op die grote rode knop naast de deur duwt, komen ze opendoen.

Ik zeg het u. Wat ge allemaal tegenkomt, het is niet normaal.'

TWEEËNNEGENTIG

Aan de heer onderzoeksrechter, dhr. Verspouwen Edgard

Geachte,

Ik betreur ten zeerste dat u weigert mij de gevraagde onderdelen uit het dossier van Serge Van Houffelen van de vzw VHK over te maken. Dit zou voor u een kleine moeite zijn en voor mij is het zeer belangrijk, aangezien het om de persoonsgegevens van mijn pleegdochter Fanta te Bor, Zuid-Soedan, gaat, die na de arrestatie van deze misdadiger geen bijdragen meer van mij heeft kunnen ontvangen.

Ik verzoek u nogmaals nederig en met aandrang om uw oordeel te heroverwegen. De geheimhouding van het onderzoek en de rechten van de beschuldigde kunnen mij eerlijk gezegd niets schelen, aangezien hier grotere menselijke belangen in het spel zijn; misschien is het zelfs een zaak van leven of dood. Hebt u zelf kinderen? Welaan dan. U begrijpt mij. Dit meisje Fanta moet zich intussen verward en verweesd afvragen wat er van haar oom in het rijke Westen is geworden, en waarom die haar plotseling zo bruut en onbeleefd negeert. In mijn laatste schrijven had ik haar zelfs nog voorgehouden dat op termijn, als zij van iets rijpere leeftijd zou zijn, een ontmoeting tussen ons beiden tot de mogelijkheden zou behoren, en nu opeens laat nonkel Oscar niets meer van zich horen.

Rekenend op uw medeleven, uw inzicht en uw goedhartigheid, en overtuigd van zowel uw professionaliteit als uw menslievendheid, verblijf ik,

O. Van Beuseghem

DRIEËNNEGENTIG

Dit hadt ge nog moeten meemaken, Dré.

Ik zie hem binnenkomen en ik zeg: 'Allee vooruit! Goede vriend! Eindelijk! Het werd tijd dat ze hier eens wat verder begonnen te kijken dan hun neus lang is. Ge zijt de eerste! Hoe lang zijt gij hier al? Voorspoedige reis gehad, geen incidenten, op tijd gearriveerd, ja? Nergens moeten aanschuiven?'

Ik zeg: 'Allee, was dat nu uw droom, om hier in dit stinkkot voor mensen zoals ik te komen zorgen? Niet dat er iets verkeerd is met mensen zoals ik, hè. Ik zeg alleen: ze zijn niet gemakkelijk te vinden, degenen die dit werk willen doen. Het zijn lastige uren en het is niet simpel te doen, hoewel gij met mij niet veel problemen zult hebben. Ik ben een brave mens. Ik zit hier, ik maak mij niet druk.

Ik had tot voor kort een goede kameraad, Dréke, ik kon goed met hem opschieten, maar de sukkelaar heeft mijn kast leeggehaald en alle Noctec die hij kon vinden in één keer naar binnen gewerkt. Het was een speciaal geval. Een luisterend oor, zeker. Ik had dat graag. Het scheelde niet veel of ik had hem mijn hele leven verteld. Ik kan goed praten.

Ik zal mij voorstellen, chef. Hoe is uw naam? Het zegt mij iets. Ik heb er denk ik nog zo een gekend. Man, ik verzeker u: mijn hart is zo groot als een hotel, ik kan overal tegen, maar veel van uw broeders zijn toch uit een raar soort hout gesneden. Niet normaal. Vindt ge niet? Man, man. Wat ik daar al mee heb meegemaakt. Ik heb mij dat altijd afgevraagd wat die hier in vredesnaam komen zoeken. Sommigen, bedoel ik. In elk geval het geluk niet, als ik zie hoe men bij u in de tropen in het lommer van de bomen ligt te verpozen, en wat voor goed getraind en rank vrouwvolk daar rondhupt, in vergelijking met de *zoölogie* hier?

Maar ik duid u dat niet ten kwade, gij ziet er als een goeie uit. Ge blinkt, haha. Alsof er schoensmeer op zit. Kent ge dat, schoensmeer?'

Ik zweer het, Dré, mocht ge mij nog horen, bij uw wijf daarboven: ik had hem gewoon niet herkend.

'Ambrose', zegt hij, met de koudste ogen die ge u kunt voorstellen.

Weet ge nog, Ambrose? Ik heb die een keer goed bij zijn kloten gehad, met zijn papieren, bij het lokaal voor de vluchtelingen. Heeft nog twee pinten voor mij betaald, met zijn bruine glimlach. Ik zag hem al op de vlieger zitten. Ik sta er goed op, ik zweer het u.

Dat lijkt allemaal op elkaar.

VIERENNEGENTIG

Lieve Fanta,

Ik weet bij god niet hoe ik deze brief naar u moet sturen, noch de benodigde geldsommen, nu de vzw Van Houffelen Kinderscherts is opgedoekt en haar bewindvoerder in de cel zit (een goede zaak, maar wie eindigt er steeds met de gebakken peren?). Zal ik de brief aan een ballon binden en hopen dat de wind hem naar Zuid-Soedan blaast? Ik weet het niet.

Mijn kameraad hier in de instelling, Dré, is dood. Eindelijk had ik eens iemand om mijn verhalen tegen te vertellen – en ik kan u verzekeren: het waren er nogal wat. Ik zou ze later nog wel aan u verteld hebben ook, maar daar zijt ge nog te klein voor, nu. Ik heb nogal wat meegemaakt, kindje, daar kunnen ze denk ik in Bor en omstreken een puntje aan zuigen. De mensen hebben het niet goed voor met elkaar, ik zeg het u, of in elk geval veel mensen niet. Pas maar op. Ook voor uw nonkeltje. Het zijn dikwijls degenen die het dichtst bij u staan van wie het meest te vrezen valt. Ik heb dat meegemaakt.

Ik heb wel goede raad te geven, maar wat hebt ge eraan als ik niet weet hoe die u te bezorgen? Ik zal misschien gewoon 'Fanta, nichtje van Muntundu, in de buurt van Bor, Zuid-Soedan, Afrika' op de envelop schrijven. Misschien vinden ze u wel. Laat gebeurlijk snel iets van u horen, want we lopen hier niet eeuwig rond, zeker ik niet.

Vele kussen, lieve Fanta,
Uw beminde suikernonkel,
Oscar

OVER

DE DAG DAT WE ANDY ZIJN ARM AFZAAGDEN:

Met zijn in lichaamssappen gesopte maar beheksende pageturner over afgezaagde armen en ontberende beren deed hij mij tegelijk denken aan Ryu Murakami, Reinaert de Vos en de spannender hoofdstukjes van de Bijbel.

JEAN-PAUL MULDERS

Na een leven als journalist gooit Peeters zich eindelijk op de literatuur. En hij geniet ervan. Van het schrijven, van de gruwel en van de laatste druppel bloed die hij uit zijn personages perst.

JOOS, RADIO 1

Prachtige zinnen, soms meanderend over bijna hele pagina's. Het debuut van een schoon stilist.

DE VOLKSKRANT

The adrenaline boost Flemish fiction has been waiting for.

FLANDERS TODAY

De trefzekere pen van Marnix Peeters, die hiermee debuteert als fictieschrijver, kruidt Werners malaise met humor.

HET BELANG VAN LIMBURG

Jammer dat een scatofiel als Gerrit Komrij dit boek niet meer heeft mogen beleven, het zou hem ettelijke smakelijke passages voor een herziene druk van zijn *Kakafonie* (...) hebben opgeleverd. Het vertelplezier spat van de bladzijden. Een erg veelbelovend debuut.

STREVEN

Mustread van 2012! Een verhaal dat wordt overheerst door gruwel, maar wel spannend en grappig is.

GRAZIA

Goor, gruwelijk, griezelig en vaak ook grappig.

HET NIEUWSBLAD

Vandaag behoort Marnix Peeters dankzij zijn spectaculaire debuutroman in één klap tot het kruim van de Vlaamse literatuur.

DAG ALLEMAAL

Een grimmig sprookje over de onfortuinlijke jeugd van het hoofdpersonage Werner Plöts, dat ondanks al het bloed, seks en geweld toch kan beroeren.

VPRO BOEKEN

Een bizarre mix van *Alleen op de wereld* en *Odysseus*.

NHD

Peeters kiepert een emmer fantasie over ons leeg waar andere schrijvers hun hele leven mee zouden doen. Als hij dit niveau in zijn volgende boeken weet vast te houden, is hij een enorme aanwinst in het Nederlandstalige literaire landschap.

BOEKENBIJLAGE.NL

Een fraai werkje.
PLAYBOY

Peeters' scabreuze, bijzonder grappige en met onvergetelijke personages gevulde schelmenroman vraagt een sterke maag en de vaste wil om mee te gaan in Werner Plöts' onwaarschijnlijke hordenloop door dit parcours van diepe ellende, grand guignol en magisch realisme.
GAZET VAN ANTWERPEN

Ik heb me een kriek gelachen.
LIEVEN VAN GILS, REYERS LAAT

Marnix Peeters schreef het beste Vlaamse debuut sinds *Marcel* van Erwin Mortier.
DE MORGEN

Een loeihard literair debuut.
HET LAATSTE NIEUWS

Grimmig debuut van een nieuwe literaire sensatie.
DE TELEGRAAF

De dag dat we Andy zijn arm afzaagden blijkt een picareske roman à la Lazarillo de Tormes.
DE STANDAARD

Het origineelste debuut dat we in jaren lazen: een bruisende cocktail van burleske humor, uitzinnige wreedheid en stomende seks die een innemend nihilistische kijk op de mens verraadt.
FOCUS KNACK

Een arm afzagen kunnen we allemaal. Maar 'm eraf schrijven! Verfilmen. Onmiddellijk.

JAN MULDER

De auteur is een virtuoos taalgebruiker. Wie genieten kan van verbale acrobatiek leest een uitdagend en gedurfd boek.

BIBLION

Dolle verbeelding, messcherp cynisme en plots opflakkerende levenswijsheid en ontroering: dit is '*the world according to Marnix Peeters*'. Een nieuwe John Irving is geboren.

ERIK VAN LOOY

Hilarisch. Grotesk.

IANKA FLEERACKERS, Z-BOEK

Als Brusselmans zegt dat dit de nieuwe literaire sensatie is, sorry voor mij hoeft dit niet. Geef mij dan maar de ouderwetse sensatie van een sterk verhaal over de natuur of de geschiedenis.

FRIEDA DEMETS, EDEGEM

Met Marnix Peeters en z'n ontroerend ingrijpende verhaal over de jongen, de beer, het noodlot, het toeval, de nekslag van het bestaan en alles wat daar wel of niet bij hoort, komt via de grote poort een nieuwe literaire sensatie binnenwandelen, en geloof mij, er valt véél van te verwachten.

HERMAN BRUSSELMANS

Marnix Peeters gooit de remmen los, niet alleen in verbeeldingskracht, maar ook in de plastische beschrijvingen van alles wat maar in of uit het menselijk (of beerlijk) lichaam kan komen. Het plezier dat hij heeft gehad tijdens het schrijven is op elke pagina voelbaar.

PASSIONATE MAGAZINE

Leest als een trein.

HUMO

De taal is heerlijk archaïsch, de beschrijvingen bijzonder grafisch.

LEESMENU.BE

Zoveel fantasie: in een tijd waar de lezersmarkt overspoeld wordt door narcistische, semi-autobiografische en postmoderne reflecties mag dat al eens een verademing genoemd worden.

ZONE 03

De dag dat we Andy zijn arm afzaagden is een boek dat zich niet laat situeren in tijd of ruimte. Het leest als een scabreus sprookje dat je doet lachen, maar je uiteindelijk toch doet beseffen dat het leven intriest is.

COBRA

Deze debuutroman met de onvergetelijke titel ontwikkelt zich tot een ouderwetse lugubere tranentrekker, waarbij zelfs het boek zelf wat vies begint te ruiken.

RECENSIEWEB

Alleen de titel van voormalig popjournalist Marnix Peeters' debuutroman is al een literaire prijs waard.

DE AVONDEN, VPRO

Een vilein stukje literair cynisme dat weet te choqueren, ontroeren en bovenal een aanslag pleegt op de lachspieren. Een prikkeling die naar meer smaakt.

FOK.NL

De dag dat we Andy zijn arm afzaagden is een boek met een enorme spanningsboog, bijzonder onconventionele personages die je de stuipen op het lijf jagen en nihilistische levenslessen. Een boek met meer gezichten dan je op het eerste gezicht misschien zou denken.

WINTERTUIN

Schrijven over ranzige seks en viezigheid in een roman vol platte karakters kan goed en geestig proza opleveren. Een meester in het genre is Herman Brusselmans, en ook Marnix Peeters' recente debuut is een toonbeeld van cartooneske vuiligheid.

DE VOLKSKRANT

Zelden heb ik zo'n mooi, geestig, geil, ranzig, en o zo ontroerend pleidooi gelezen voor menselijke warmte.

TOM VAN DYCK

Leest als een graphic novel waarvan de taal, bijzonder suggestief en zintuiglijk, de beelden overbodig maakt. Tot de laatste regel houdt Peeters vast aan een schrijfstijl die beurtelings een lach, een frons en een diepe zucht uitlokt. Het maakt dat *De dag dat we Andy zijn arm afzaagden* een boek is dat je niet gemakkelijk dichtklapt.

CUTTING EDGE

De combinatie van totale ranzigheid, horror en absurdisme maakt dit boek tot een uniek geheel, een aanwinst in de literaire wereld.

DEADLINE.NL

In Marnix Peeters' fascinerende debuutroman zijn dood, bloed, geil- en lelijkheid alomtegenwoordig.

LEZENTV.NL

VOLG MARNIX PEETERS:

www.marnixpeeters.be
www.facebook.com/marnix.peeters.5

VOOR NIEUWS EN INFORMATIE OVER ONZE AUTEURS EN BOEKEN:

www.debezigebijantwerpen.be
www.facebook.com/debezigebijantwerpen
www.twitter.com/dbbantwerpen

© 2013 De Bezige Bij Antwerpen en Marnix Peeters

De Bezige Bij Antwerpen
Nassaustraat 37-41, B-2000 Antwerpen
info@debezigebijantwerpen.be

Vertegenwoordiging in Nederland
Uitgeverij De Bezige Bij
Van Miereveldstraat 1, NL-1071 DW Amsterdam
www.debezigebij.nl

eerste druk augustus 2013
tweede druk september 2013

BOEKVERZORGING: HERMAN HOUBRECHTS
ZETWERK: READY2PRINT
TEKENING BLZ. 289: J.E. WUYTS

Alle rechten voorbehouden. Niets uit deze uitgave mag worden verveelvoudigd, opgeslagen in een geautomatiseerd gegevensbestand of openbaar gemaakt, in enige vorm of op enige wijze, hetzij elektronisch, mechanisch, door fotokopieën, opnamen of op welke wijze ook, zonder voorafgaande schriftelijke toestemming van de uitgever.

Ondanks alle zorg die aan de samenstelling van de uitgave werd besteed, kan de redactie of de auteur noch de uitgever aansprakelijkheid aanvaarden voor eventuele schade die zou kunnen voortvloeien uit enige fout die in deze publicatie zou kunnen voorkomen.

ISBN 978 90 8542 508 3 • NUR 301 • D/2013/0034/822